CB128902

O MOMENTO É ESTE!

JOEL OSTEEN

O MOMENTO É ESTE!

7 PASSOS PARA ENCONTRAR A FELICIDADE HOJE E TER UMA VIDA PLENA

Tradução
Claudia Gerpe Duarte

EDITORA BEST SELLER

Rio de Janeiro
2005

CIP-BRASIL. CATALOGAÇÃO-NA-FONTE
SINDICATO NACIONAL DOS EDITORES DE LIVROS, RJ.

O94m

Osteen, Joel
O momento é este!: 7 passos para encontrar a felicidade hoje e ter uma vida plena/Joel Osteen; tradução Claudia Gerpe Duarte. — Rio de Janeiro: Best Seller, 2005.
Tradução de: Your best life now
ISBN 85-7684-029-4

1. Auto-realização (Psicologia) — Aspectos religiosos — Cristianismo. 2. Sucesso — Aspectos religiosos — Cristianismo. I. Título.

05-1257 CDD 248.4
CDU 248.14

Título original norte-americano
YOUR BEST LIFE NOW
Copyright © 2004 by Joel Osteen
Publicado mediante acordo com Warner Books, Nova York, NY, EUA.
Todos os direitos reservados.

Capa: Folio Design

Editoração eletrônica: Futura

Todos os direitos reservados. Proibida a reprodução,
no todo ou em parte, sem autorização prévia por escrito da editora,
sejam quais forem os meios empregados.

Direitos exclusivos de publicação em língua portuguesa para o Brasil
adquiridos pela
EDITORA BEST SELLER LTDA.
Rua Argentina, 171, parte, São Cristóvão
Rio de Janeiro, RJ — 20921-380
que se reserva a propriedade literária desta tradução

Impresso no Brasil

ISBN 85-7684-029-4

PEDIDOS PELO REEMBOLSO POSTAL
Caixa Postal 23.052
Rio de Janeiro, RJ — 20922-970

Dedico este livro ao meu pai, John Osteen (1921-1999). A integridade e a humildade do meu pai, assim como o amor e a misericórdia que ele sentia por todas as pessoas, deixaram uma impressão inesquecível na minha vida. Serei eternamente grato pelo seu exemplo.

À minha esposa, Victoria, mulher dos meus sonhos e minha melhor amiga, dedico este livro e a minha vida. Você me impressiona mais a cada dia. Quando Deus deu você para mim, Ele me deu o que há de melhor. O seu amor incondicional e espírito entusiástico fizeram de mim o homem que sou hoje. Eu a amo.

A Jonathan e Alexandra, os meus preciosos tesouros. Vocês me trazem mais alegria do que eu jamais poderia esperar receber! Ser pai de vocês é a minha maior recompensa.

E às pessoas de Lakewood Church. O seu amor, lealdade, apoio e entusiasmo são incomparáveis. Tenho um compromisso com vocês — o compromisso de ajudá-los a viver o melhor possível agora. Os nossos dias mais magníficos estão diante de nós!

Agradecimentos

Como acontece com qualquer projeto de criação, é preciso uma grande equipe para fazer com que todos os elementos se reúnam em um livro. Quero agradecer sinceramente às seguintes pessoas:

Ken Abraham — sem o seu *know-how*, este projeto não teria sido possível. Obrigado por me incentivar a "pôr o meu coração no papel".

Duncan Dodds — "o grande facilitador": obrigado por nos reunir e nos ajudar a ver o mundo como a nossa audiência.

Rolf Zettersten, Warner Faith e a "força" de vendas do Time Warner Book Group — por acreditarem com tanta paixão. O entusiasmo de vocês é contagiante.

Michelle Trevino e a equipe da Lakewood Church, bem como os nossos inúmeros professores e voluntários — assim como Davi tinha os seus "valentes", fui abençoado por trabalhar ao lado de vocês, homens e mulheres valentes de Lakewood! Vocês são a maior igreja na face da terra.

John E. Walvoord — a sua divina sabedoria e o seu excepcional discernimento nos tornaram mais fortes.

Ray Davis — por nos ajudar a levar a nossa mensagem de esperança e coragem aos quatro cantos do mundo.

Minha família — vocês que tanto me conhecem, me amam e me apóiam em tudo que empreendi. Eu os amo imensamente. E também àqueles que servem comigo em Lakewood...

Paul e Jennifer Osteen — pelo amor sacrifical e incondicional que expressam diariamente para nós.

Kevin e Lisa Comes — por seu apoio e amor permanentes. Obrigado por servirem de modelo para a fé do "mundo real".

Don e Jackeyln Iloff — por seu inabalável entusiasmo e constante estímulo.

E acima de tudo, a Dodie Osteen, minha mãe — por nos ensinar o que realmente importa na vida e por nos mostrar o que é realmente a "fé". Obrigado por nos dar o exemplo de o que uma vida totalmente dedicada a Deus pode alcançar.

Sumário

Introdução

"O futuro é seu para ser conquistado" é uma expressão de esperança citada com freqüência para formandos, novos funcionários e casais extasiados no dia do casamento. No entanto, todos sabemos que enquanto algumas pessoas agarram a vida com entusiasmo e assumem o controle do seu futuro, essa ostentosa promessa não se realiza para todo mundo. Qual será o motivo? O que faz a diferença?

Pessoas felizes, bem-sucedidas e realizadas aprenderam a viver melhor a vida *agora*. Elas tiram o melhor partido possível do momento presente, aprimorando assim o seu futuro. Você pode fazer o mesmo. Independentemente de onde estiver ou dos desafios que estiver enfrentando, você pode aproveitar a vida neste exato momento!

Muitas pessoas passam pela vida com uma baixa auto-estima, concentrando-se nos aspectos negativos, sentindo-se inferiores ou inadequadas, sempre envolvidas com algum motivo pelo qual não podem ser felizes. Outras adiam a felicidade para uma data futura:

- *Um dia, as coisas vão melhorar na minha vida.*
- *Um dia, vou me envolver com o meu trabalho por um tempo suficiente para divertir-me, criando reminiscências com a minha família.*
- *Um dia, vou ganhar mais dinheiro e não terei de me preocupar com as contas.*
- *Um dia, vou estar em melhores condições físicas.*
- *Um dia, terei um melhor relacionamento com Deus e desfrutarei melhor a bondade Dele.*

Infelizmente, "um dia" nunca chega. O dia de hoje é o único que temos. Não podemos fazer nada a respeito do passado e não sabemos o que o futuro nos reserva. Mas podemos viver o nosso pleno potencial neste exato momento!

E neste livro, você vai descobrir como fazer isso! Nestas páginas, você encontrará sete passos simples, porém profundos, para melhorar a sua vida, independentemente do seu nível atual de sucesso ou de insucesso. Eu sei que esses passos funcionam, porque deram certo na vida dos meus familiares, amigos e colegas, assim como na minha própria vida. Estou confiante de que se você der esses passos junto comigo, no final será mais feliz do que jamais foi e a sua vida será repleta de alegria, paz e entusiasmo — não apenas por um dia, ou uma semana, mas enquanto ela durar!

Em *O momento é este!*, vamos explorar como:

- *Expandir a sua visão;*
- *Desenvolver uma auto-imagem saudável;*
- *Descobrir o poder de seus pensamentos e palavras;*
- *Libertar-se do passado;*
- *Encontrar forças na adversidade;*
- *Ser generoso;*
- *Escolher a felicidade.*

Em cada uma dessas áreas, você encontrará sugestões práticas e escolhas simples que o ajudarão a manter um estilo de vida positivo e a acreditar em um futuro mais brilhante.

Você talvez tenha experimentado alguma adversidade ou dificuldades no passado. Talvez tenha tido uma carga excessiva de reveses e tristezas. Mas hoje é um novo dia! Ao seguir os princípios que estou prestes a compartilhar com você em *O momento é este!*, você pode se sentir feliz e realizado, a partir de *hoje*.

Vou desafiá-lo neste livro a abandonar uma mentalidade de "ir se arranjando" para tornar-se o melhor que você pode ser, e não apenas uma pessoa mediana ou comum. Para fazer isso, você talvez tenha de se libertar de algumas formas negativas de pensar que o estão refreando e começar a expandir sua visão, vendo a si mesmo fazendo mais, divertindo-se mais e sendo mais. O momento é este, meu amigo, minha amiga, e isso significa viver melhor a vida agora.

Você está pronto para desenvolver o seu pleno potencial? Então vamos lá! Está na hora de começar a viver da melhor maneira possível agora!

PRIMEIRA PARTE

EXPANDA A SUA VISÃO

CAPÍTULO 1

EXPANDINDO A SUA VISÃO

Ouvi uma história sobre um homem que estava de férias no Havaí com a esposa. Ele era um homem bom e tinha alcançado certo sucesso, mas estava levando a vida devagar, achando que já tinha alcançado o seu limite. Certo dia, um amigo levou o casal para passear de carro pela ilha para lhes mostrar as atrações turísticas. Eles pararam para admirar uma casa maravilhosa construída no alto de uma colina. A propriedade estava repleta de belas palmeiras e exuberantes jardins verdejantes, em um cenário tranqüilo e pitoresco, e com uma vista panorâmica para o oceano.

Enquanto contemplava a esplêndida casa, ele comentou com a mulher e o amigo: "Não consigo nem mesmo me imaginar morando em um lugar assim."

Bem ali, algo dentro dele lhe disse: *Não se preocupe. Isso não vai acontecer. Você nunca viverá em um lugar assim.*

Surpreso com os próprios pensamentos, perguntou a si mesmo: *O que você quer dizer com isso?*

Enquanto você não conseguir imaginar a coisa, enquanto não puder visualizá-la, ela não vai acontecer para você. O homem compreendeu corretamente que os seus pensamentos e atitudes o estavam condenando à mediocridade. Naquele exato momento, decidiu que iria começar a acreditar mais em si mesmo e em Deus.

O mesmo acontece conosco. Temos de conceber as coisas dentro de nós, para poder recebê-las externamente. Se você não acredita que pode ter algo de bom, então nunca terá. A barreira está na sua mente. Não é a ausência de recursos de Deus ou a sua falta de talento que o impedem de prosperar. A sua própria maneira errada de pensar pode mantê-lo afastado do que há de melhor em Deus.

A sua própria maneira errada de pensar pode mantê-lo afastado do que há de melhor em Deus.

Você também pode ter partido do princípio que já alcançou o auge, que atingiu os seus limites na vida, que nunca conquistará um sucesso maior. *Jamais serei importante, nunca farei algo significativo nem desfrutarei as coisas boas da vida que tenha visto outros desfrutarem.*

Sinto dizer, mas você está absolutamente certo... *a não ser* que esteja disposto a mudar sua maneira de pensar. É por esse motivo que o primeiro passo para viver o seu pleno potencial é *expandir a sua visão*. Para viver a vida da melhor forma possível agora, você precisa começar a enxergá-la através dos olhos da fé, visualizando a si mesmo ascendendo a níveis mais elevados. Veja seu negócio decolando. Veja seu casamento renovado. Veja sua família prosperando. Veja os sonhos se tornando realidade. Você precisa conceber o que quer e acreditar que é possível, se quiser ter esperanças de experimentá-lo.

Para conceber o que quer, você precisa ter dentro de si uma imagem da vida que deseja ter do lado de fora. Essa imagem tem de se tornar parte de você, nos seus pensamentos, nas suas conversas, bem no fundo de sua mente subconsciente, nas suas ações, em cada parte do seu ser.

Visualize o Seu Sucesso

Desde bem pequena, Tara Holland sonhava em se tornar Miss América. Em 1994, ela entrou no concurso de Miss Flórida e foi a segunda colocada. Decidiu tentar de novo no ano seguinte. Entrou no mesmo concurso e, uma vez mais, foi a segunda colocada. Tara sentiu-se tentada a se sentir desanimada e derrotada, mas reagiu e permaneceu voltada para o seu objetivo.

Ela chegou à conclusão de que precisava mudar de ambiente, de modo que se mudou para o Kansas e, em 1997, entrou no concurso de Miss Kansas e ganhou o título. No mesmo ano, foi coroada Miss América. Tara Holland viu o seu sonho tornar-se realidade.

Em uma entrevista que Tara deu depois do concurso, alguém lhe perguntou qual era o segredo do seu sucesso. Ela admitiu que depois de perder duas vezes seguidas nos concursos estaduais, ela se vira tentada a desistir, mas que em vez disso alugara dezenas de vídeos de concursos municipais, estaduais, do Miss Teen, do Miss Universo e do Miss Mundo, e assistiu a todos diversas vezes.

Enquanto observava cada jovem ser coroada vencedora, Tara se imaginava naquela situação. Ela se imaginava recebendo a coroa e se via percorrendo vitoriosa a passarela. Repetidas vezes ela se viu como a ganhadora. Visualizar a si mesma como vencedora, disse Tara, foi o segredo do seu sucesso.

Outro repórter lhe perguntou se ela ficou nervosa ao desfilar na passarela diante de milhões de pessoas que a observavam na televisão, ao mesmo tempo que o apresentador cantava a famosa música Miss América.

Tara deu uma resposta interessante. "Não, não fiquei nem um pouco nervosa", disse ela. "Vejam bem, eu já tinha percorrido aquela passarela milhares de vezes anteriormente."

Você já percorreu aquela passarela? Já se viu realizando o seu sonho? Consegue manter a visão do triunfo diante de você? Tara Holland sabia que jamais seria uma vencedora enquanto não se visse como uma vencedora. Ela precisou reprogramar sua mente, libertar-se o mais possível das lembranças dolorosas do fracasso. Precisou substituir a visão de si mesma como segunda colocada. Tara teve de desenvolver a atitude de que era capaz. Ela se viu subindo na plataforma da vencedora e desfilando vitoriosa na passarela. Ela criou um ambiente de fé e sucesso.

Aquilo que você mantém diante dos olhos o afetará. Você produzirá o que vê continuamente na sua mente. Se você alimentar uma imagem de derrota e fracasso, é esse o tipo de vida que vai viver. Mas se desenvolver uma imagem de triunfo, sucesso, saúde, abundância, alegria, paz e felicidade, nada na face da terra será capaz de tirar essas coisas de você.

Caímos excessivas vezes na rotina, achando que atingimos nosso limite. Na verdade não expandimos a fé; não acreditamos em nada maior. Mas a visão de Deus é que cresçamos continuamente, que ascendamos a novas alturas. Ele quer que você se expanda na sabedoria Dele e quer ajudá-lo a tomar decisões mais adequadas. Deus deseja que a sua situação financeira melhore, oferecendo-lhe promoções, idéias novas e criatividade.

Dizem as Escrituras que Deus quer derramar "as abundantes riquezas da Sua graça".[1] Deus deseja que esta seja a melhor época da sua vida. Mas para receber essa graça, você precisa expandir sua visão. Não pode andar por aí tendo pensamentos negativos, derrotistas e limitantes. *Bem, já cheguei até onde o meu grau de instrução permite.* Ou então: *Já sofro dessa doença há anos. Acho que é a minha sina.*

Para receber essa imensa graça, você precisa se libertar de qualquer pensamento mesquinho e começar a esperar as bênçãos de Deus, começar a antever promoções e um crescimento sobrenatural. Precisa conceber todas essas coisas no seu coração e na sua mente, antes de poder começar a recebê-las. Em outras palavras, precisa abrir espaço para o crescimento no seu modo de pensar, porque então Deus as tornará realidade. Enquanto você não aprender a expandir a sua visão, a enxergar o futuro através das lentes da fé, o seu modo errado de pensar impedirá que as coisas boas aconteçam na sua vida. Deus não derramará idéias novas e criativas, nem bênçãos, em velhas atitudes.

Você precisa conceber todas essas coisas no seu coração e na sua mente antes de poder começar a recebê-las.

Livre-se desses Velhos Odres de Vinho

Séculos atrás, o vinho era armazenado em odres de couro, em vez de garrafas. A pele dos animais era secada e curada até que o couro pudesse ser moldado em recipientes capazes de conter o vinho. Quando os odres de vinho eram novos, eram macios e flexíveis, mas à medida que envelheciam freqüentemente perdiam a elasticidade e não serviam mais. Eles endureciam, assumiam uma forma fixa e não podiam mais se expandir. Se alguém derramasse um vinho novo em um odre velho, o recipiente estourava e o vinho era perdido.

Curiosamente, quando Jesus queria encorajar seus seguidores a expandir a visão deles, Ele os avisava: "Não se põe vinho novo em odres velhos."[2] Jesus estava dizendo que não é possível ter uma vida mais ampla com atitudes limitadas. Essa lição ainda é relevante hoje em dia. Temos um jeito de ser rígido, estamos limitados pelas nossas perspectivas e empacados na nossa maneira de pensar. Deus está tentando fazer algo novo, mas a não ser que estejamos dispostos a mudar, a expandir e ampliar nossa visão, deixaremos escapar as oportunidades que Ele nos apresenta.

No entanto, o fato de você estar lendo este livro mostra que está pronto para ascender a um nível mais elevado; que deseja alcançar o seu pleno potencial. As boas notícias são que Deus quer lhe mostrar a incrível graça Dele. Ele quer encher a sua vida com "vinho novo", mas você está disposto a se livrar dos odres velhos? Você vai começar a ter grandes pensamentos? Expandirá sua visão e se livrará dos hábitos mentais que o refreiam?

Um colega cujo casamento está prestes a se dissolver me disse:

— Joel, há muito tempo que eu sou deste jeito. Nada de bom me acontece. Não vejo como o meu casamento poderia ser renovado. Sempre tivemos os mesmos problemas.

— Essa maneira de pensar impedirá que você receba as boas coisas que Deus deseja derramar na sua vida — eu disse a ele. — Essas atitudes erradas bloquearão o fluxo. Você precisa parar de remoer pensamentos destrutivos que o mantêm em uma rotina. A sua vida não mudará enquanto você não mudar sua maneira de pensar.

No início do nosso casamento, Victoria e eu estávamos certo dia passeando pelo nosso bairro quando deparamos com uma bela casa nos últimos estágios de construção. As portas estavam abertas, de modo que entramos e demos uma olhada. Era uma casa fabulosa, muito mais bonita do que qualquer outra casa da comunidade. Quase todas as outras eram casas de estilo rural, de um andar só, com quarenta ou cinqüenta anos de idade, mas esta era uma casa espaçosa de dois andares, com o teto alto e janelas de tamanho exagerado que proporcionavam uma visão encantadora do quintal. Era um lugar adorável e inspirador.

Quando saímos da casa, Victoria estava animada. Ela se virou, contemplou-a de novo e disse:

— Joel, um dia vamos morar em uma casa bonita como esta! — Na ocasião, morávamos em uma casa muito velha que tivera alguns problemas na fundação, o que impedia que todas as portas internas se fechassem adequadamente. Tínhamos expandido a nossa fé e gasto tudo que possuíamos para comprar aquela casa e fazer parte daquele bairro. Pensando na nossa conta bancária e na minha renda na época, a idéia de que um dia conseguiríamos ter uma casa como a que acabávamos de visitar parecia-me simplesmente impossível.

Por ser o "grande homem de fé" que eu sou, eu disse:

— Victoria, essa casa está tão fora das nossas possibilidades, que não vejo como um dia poderíamos ter uma como ela.

Mas Victoria tinha muito mais fé do que eu e recusava-se a desistir. Ficamos meia hora discutindo em frente da casa. Ela me disse todas as razões pelas quais o que ela queria ia acontecer. Eu dissertei para ela todos os motivos pelos quais eu duvidava do que ela estava dizendo.

— Não, Joel; sinto bem no fundo que vai acontecer — disse ela.

Ela estava tão feliz que não eu quis estragar sua alegria, de modo que deixei o assunto morrer. Mas Victoria não fez o mesmo! Nos meses que se seguiram, ela continuou a repetir palavras de fé e triunfo, e finalmente conseguiu me convencer de que poderíamos morar em uma casa como a que visitáramos. Libertei-me do meu modo limitado de pensar e passei a concordar com ela. Comecei acreditando que de algum modo, de alguma maneira, Deus tornaria nosso sonho realidade. Continuamos a acreditar nele, a vê-lo e a afirmá-lo.

Vários anos depois, vendemos nossa propriedade e, através de outra transação imobiliária, conseguimos construir uma casa exatamente como a que tínhamos visto. Nosso sonho se tornou realidade. Mas não creio que isso jamais teria acontecido se não o tivéssemos primeiro concebido interiormente. Não acredito que isso jamais teria ocorrido se Victoria não tivesse me convencido a expandir minha visão.

Deus também tem muito mais coisas reservadas para você. Comece abrindo espaço para elas nos seus pensamentos. Conceba-as dentro de você. Comece a se ver ascendendo a um nível mais elevado, fazendo algo importante, vivendo na casa dos seus sonhos. Se quiser ver as "abundantes riquezas" da graça de Deus, precisa substituir os antigos odres.

— Fui até onde meus pais conseguiram ir — disse-me Steve. — Fui tão longe quanto qualquer outra pessoa na minha família. Isso é satisfatório, não é?

— Não — respondi. — Você não precisa se deixar limitar pelas barreiras do passado. Deus quer que você avance mais do que seus pais. Tenho certeza de que eles foram pessoas ótimas, trabalhadoras, mas não caia na armadilha de simplesmente relaxar e aceitar a situação existente. Você precisa tomar a decisão de que não vai viver uma vida comum e medíocre. Quando levantar pela manhã, sua atitude dever ser a seguinte: *Vou fazer algo importante. Vou me destacar na minha profissão, vou servir as outras pessoas com entusiasmo, vou escapar deste molde e ascender a novas alturas.*

Digo o mesmo aos meus filhos:

— Vocês irão muito mais longe do que o papai. O potencial de vocês é enorme. Vocês vão realizar coisas fantásticas.

Não estou simplesmente tentando incutir orgulho nos nossos filhos; quero que eles tenham uma grande visão. Desejo que desde cedo concebam grandes possibilidades. Quero que cresçam esperando a graça de Deus, esperando ser líderes, esperando se destacar em tudo que fizerem. E sei que eles precisam ter todas as coisas internamente antes que Deus possa torná-las realidade externamente.

Certo dia, eu estava andando de carro em Houston com Jonathan, o meu filho de oito anos. Quando nos dirigimos para a auto-estrada, deparamos com o Compaq Center, o estádio de 16 mil lugares que era a antiga sede do time profissional de basquete dos Houston Rockets e em breve se tornaria a sede da Lakewood Church, diminuí a marcha e apontei para lá, dizendo:

— Jonathan, olhe. Um dia você estará pregando ali.

— Oh, não, papai. Quando eu for mais velho, estarei pregando no Reliant Stadium! — disse ele. (O Reliant Stadium é a sede de 70 mil lugares do time de futebol americano dos Houston Texans.)

Pensei: *Aprecio o fato de ele sonhar alto.* Quando contei a história pela primeira vez em Lakewood há vários anos, uma senhora nos procurou depois do serviço e entregou a Jonathan um cheque de cem dólares para o novo estádio. Ele ficou animadíssimo e disse:

— Papai, gostaria que você falasse mais vezes sobre mim nos seus sermões!

Mesmo que você venha de uma família extremamente bem-sucedida, Deus deseja que você ainda vá mais além. O meu pai realizou grandes coisas na época dele. Ele serviu de inspiração a pessoas no mundo inteiro. No entanto, não ficarei satisfeito em fazer apenas o que meu pai fez. Não quero simplesmente garantir meu território e permanecer onde estou. De jeito nenhum. Quero avançar em direção a novas alturas.

Se você examinar com cuidado, verificará que Deus vem tentando encorajá-lo. Ele permitiu que pessoas muito mais bem-sucedidas do que você, com casamentos muito mais sólidos e que estão desfrutando a graça Dele de uma forma maravilhosa cruzassem o seu caminho. Quando você vê ou ouve falar de pessoas bem-sucedidas que estão fazendo o que você quer fazer, sinta-se estimulado em vez de invejoso. Não diga: "Isso nunca poderia acontecer comigo. Nunca terei tanto dinheiro."

Livre-se desses velhos odres. Mude a sua maneira de pensar. Transcenda as barreiras do passado e comece a esperar que Deus faça grandes coisas na sua vida.

"Você Não Percebe?"

Entenda que Deus está constantemente tentando plantar novas sementes no seu coração. Ele está incessantemente procurando fazer com que você crie, que desista das idéias antiquadas e gere dentro de si novos surtos de criatividade. A chave é acreditar, deixar a semente lançar raízes para poder crescer.

E se Victoria tivesse concordado com a minha opinião a respeito da nova casa e dito: "É verdade, Joel, você está certo. Somos apenas um casal jovem. Nunca teremos condições de comprar algo assim. Essa casa está completamente além das nossas possibilidades."

Provavelmente ainda estaríamos morando na nossa casa torta de origem. Graças a Deus, ela expandiu sua visão e compreendeu o que Deus estava dizendo para ela. Talvez Deus também tenha estado falando com você, tentando conduzi-lo a outro nível. Ele colocou pessoas na sua vida como exemplos para servir-lhe de inspiração. Quando você vir as realizações, as alegrias e os triunfos delas, algo dentro de você deveria dizer: "Sim, Deus! Sei que Você pode me abençoar de uma maneira semelhante. Sei que posso ter um casamento maravilhoso. Sei que posso ser igualmente feliz. Sei que posso atingir essas novas alturas."

Existe em seu íntimo uma semente tentando lançar raízes. É Deus se esforçando para fazê-lo compreender. Ele está tentando enchê-lo de tanta esperança e expectativa que a semente crescerá e produzirá uma tremenda colheita. Agora é a sua vez. Você pode ter estado doente durante um longo tempo, mas agora é o momento de ficar curado. Você pode estar preso a todos os tipos de vício, todas as espécies de maus hábitos, mas agora é a hora de se libertar. Você pode estar com sérios problemas financeiros, com os mais diversos tipos de dívidas, mas esta é a ocasião do seu progresso. Este é o seu momento de crescimento. Meu amigo, se fizer um acordo com Deus, esta vai ser a melhor época da sua vida. Este poderá ser o momento em que Deus derramará as imensuráveis e abundantes riquezas da Sua graça.

Deus diz: "Eis que estou fazendo uma coisa nova. Não o percebeis?"[3] Observe que Deus está sempre pronto para fazer coisas novas na nossa vida. Ele está tentando nos promover, nos fazer crescer, nos dar mais. No entanto, é interessante que Deus tenha feito a pergunta: "Não o percebeis?" Em outras palavras, você está abrindo espaço para ela na sua maneira de pensar? Você acredita no crescimento? Acredita que se destaca no seu trabalho? Acredita que é um líder mais eficaz ou um pai ou uma mãe melhor?

Está na hora de expandir a sua visão.

Talvez Deus queira melhorar seu casamento, reabilitar sua família ou conseguir-lhe uma promoção no trabalho. Mas essa semente de oportunidade não pode lançar raízes por causa das suas dúvidas.

"Como o meu negócio poderia decolar e começar a prosperar? Tenho tantos impedimentos. É simplesmente impossível."

Deus está lhe dizendo algo semelhante ao que disse à Virgem Maria e a outras pessoas ao longo de toda a Escritura. Você não vai conseguir as coisas por meio da força. Não vai consegui-las através do poder. Deus disse que tudo isso acontecerá por meio do Espírito Dele. O poder do Deus Mais Elevado descerá sobre você e fará com que as coisas aconteçam. Com Deus do seu lado, é impossível perder. Ele pode dar um jeito quando parece que tudo está perdido. Pode abrir portas que nenhum homem consegue fechar. Pode fazer com que você esteja no lugar certo, no momento certo. Ele pode dar uma reviravolta na sua vida de um modo sobrenatural. Jesus disse: "Tudo é possível para quem crê."[4]

A minha pergunta para você é a seguinte: Você acreditará? Você permitirá que essa semente lance raízes? O anjo disse a Maria que ela iria conceber sem conhecer um homem. Em outras palavras, Deus estava dizendo que ela teria um filho de um modo sobrenatural. Isso pode acontecer sem que o banco lhe empreste o dinheiro. Isso pode acontecer sem que você tenha a instrução necessária. Pode acontecer apesar do seu passado. Pode acontecer apesar do que as pessoas críticas estão lhe dizendo. Com Deus, todas as coisas são possíveis.

Quando recebemos a notícia de que o Compaq Center poderia se tornar disponível, alguns dos primeiros pensamentos que tive foram semelhantes aos de Maria. *Como isso seria possível? Como poderíamos comprar aquelas instalações? Seria caro demais. A cidade jamais permitirá que uma igreja use o local. Ele é conhecido demais.* Mas, dessa vez, expandi minha visão. Deixei que a semente lançasse raízes. Concebi a idéia dentro de mim. Comecei a "ver" nossa congregação rezando para Deus no Compaq Center, no coração de Houston.

Nos meses que se seguiram, muitas pessoas disseram a membros da nossa congregação, à equipe de funcionários e a mim: "Isso nunca vai acontecer. Vocês não têm a menor chance. Estão perdendo tempo."

A atitude dessas pessoas não teve a menor importância. A semente estava crescendo do lado de dentro. Quando parecia impossível e enfrentávamos todos os tipos de desafios, eu simplesmente dizia: "Pai, eu Lhe agradeço por lutar por nós as nossas batalhas. Eu Lhe agradeço porque o Senhor vai nos mostrar um pouco das imensuráveis e abundantes riquezas da Sua graça." A semente continuou a se desenvolver e foi ficando cada vez mais forte. Como previramos, três anos e meio depois, contra uma forte adversidade, Deus inverteu a situação e nos trouxe o sucesso.

Deus também quer fazer coisas magníficas na sua vida. Não se conforme com uma visão pequena de Deus. Servimos ao Deus que criou o universo.

Precisamos eliminar a mentalidade de simplesmente sobreviver. "Deus, se me der um aumento de cinqüenta centavos, acho que conseguirei me virar até o fim do ano." "Deus, se me ajudar a suportar este casamento..." "Deus, tudo o que quero é um pouco de felicidade."

Livre-se dos velhos odres. Livre-se desses pensamentos mesquinhos de pensar e comece como Deus pensa. Tenha grandes pensamentos. Pense em crescimento, em abundância, em mais do que o suficiente.

Há muitos anos, um famoso golfista foi convidado pelo rei da Arábia Saudita para jogar em um torneio de golfe. Ele aceitou o convite, e o rei enviou seu jato particular aos Estados Unidos para buscar o profissional. Jogaram golfe durante vários dias e se divertiram bastante. Quando o jogador estava entrando no avião para voltar para os Estados Unidos, o rei lhe disse:

— Quero lhe dar um presente por ter vindo até aqui e tornado esta ocasião muito especial. Qualquer coisa que você queira. O que posso lhe oferecer?

Sempre cavalheiro, o golfista replicou:

— Oh, por favor, não me dê nada. O senhor foi um agradável anfitrião. Diverti-me muito. Eu não poderia desejar mais nada.

O rei foi inflexível.

— Não, insisto em lhe dar alguma coisa para que você sempre se lembre da viagem que fez ao nosso país — disse ele.

Ao perceber que o rei estava decidido, o jogador disse:

— Muito bem. Eu coleciono tacos de golfe. Por que o senhor não me dá um taco de golfe?

Ele entrou no avião e, durante o vôo de volta para casa, não pôde deixar de pensar no tipo de taco que o rei poderia lhe dar. Imaginou que poderia ser um *putter** de ouro maciço com o seu nome gravado nele. Ou então um *sand wedge*** guarnecido de diamantes e outras pedras preciosas. Afinal de contas, seria um presente do rei da Arábia Saudita, milionário do petróleo.

Quando o jogador chegou em casa, ficou atento ao correio e aos serviços de entrega, para ver se o seu taco de golfe já havia chegado. Finalmente, várias semanas depois, ele recebeu uma carta registrada do rei da Arábia Sau-

* O *putter* é um taco usado para tacadas no *green* [área próxima ao buraco] que visam colocar a bola no buraco. (*N. da T.*)

** *Sand wedge*. Taco usado para tirar a bola dos bancos de areia ou para tacadas de aproximação, com distâncias inferiores a 100 jardas [91 metros]. (*N. da T.*)

dita. O profissional americano achou aquilo muito estranho. *Onde está o meu taco de golfe?*, perguntou a si mesmo. Ele abriu o envelope e, para sua surpresa, dentro dele estava o título aquisitivo, no seu nome, de um campo de golfe de 200 hectares nos Estados Unidos.

Às vezes os reis têm uma maneira de pensar diferente da sua e da minha. E meu amigo, servimos ao Rei dos reis. Servimos ao Deus Mais Elevado, e o sonho Dele para a sua vida é muito maior e melhor do que você poderia até mesmo imaginar. É chegada a hora de expandir sua visão!

CAPÍTULO 2

ELEVANDO O SEU NÍVEL DE EXPECTATIVA

Uma antiga máxima afirma que, se quisermos alcançar o sucesso, precisamos seguir nossos sonhos. Embora eu jamais ousasse sugerir que alguém devesse abandonar os próprios sonhos, a verdade é que a vida acompanha nossas *expectativas.* Você receberá o que espera. Se nutrir habitualmente pensamentos positivos, sua vida avançará na direção deles; se alimentar continuamente pensamentos negativos, você viverá uma vida negativa. Se esperar a derrota, o fracasso ou a mediocridade, sua mente subconsciente tomará medidas para que você perca, fracasse, ou sabotará toda e qualquer tentativa de ascender acima da média. É por esse motivo que um dos elementos fundamentais para expandir a visão é *expandir o nível de expectativa.* Você precisa modificar sua maneira de pensar antes de poder mudar sua vida.

Programe Sua Mente para o Sucesso

É importante programar a mente para o sucesso, mas isso não acontecerá automaticamente. Você precisa optar por viver todos os dias com uma atitude que espera que boas coisas irão lhe acontecer. Diz a Bíblia: “Ajustai a vossa mente e pensai nas coisas do alto.”[1] Quando você se levanta pela manhã, a primeira coisa que deve fazer é ajustar a mente na direção certa. Diga algo como: “Este vai ser um grande dia. Deus está guiando e orientando meus passos. Estou envolvido pela graça Dele. A bondade e a misericórdia me acompanham. Estou entusiasmado com o dia de hoje!” Comece o dia com fé e expectativa e depois siga em frente antevendo coisas boas. Espere que as circunstâncias mudem a seu favor. Espere que as pessoas se esforcem ao máximo para ajudá-lo. Espere estar no lugar certo no momento certo.

Espere que as coisas mudem a seu favor.

Talvez você trabalhe na área de vendas e tenha uma importante apresentação marcada. Você realmente tem esperança de conseguir aquele grande contrato. Não fique surpreso se ouvir uma voz sussurrando na sua cabeça: *Você não tem a menor chance. O dia vai ser péssimo. Nunca nada de bom lhe acontece. É melhor que você nem mesmo tenha esperanças. Dessa maneira, se não conseguir o contrato, você não ficará muito desapontado.*

Não preste atenção a essas mentiras! Deus *quer* que você tenha esperança. Nem mesmo podemos ter fé se não tivermos esperança. Está escrito na Bíblia: "A fé é a essência do que se espera",[2] e uma das definições desse tipo de esperança é "expectativa confiante". Devemos nos levantar de manhã e aguardar com confiança a graça de Deus. Comece a esperar que portas de oportunidade se abram para você. Espere destacar-se na sua profissão. Anseie subir acima dos desafios da vida.

Deus em geral nos encontra no nosso nível de expectativa.

Deus em geral nos encontra no nosso nível de expectativa. Se você não desenvolver o hábito de esperar que coisas boas lhe aconteçam, é provável que não as receba. Se não esperar que as coisas melhorem, elas provavelmente ficarão como estão. Se tudo o que espera são coisas iguais às que já tem, é isso que você terá. As nossas expectativas definem os limites para a nossa vida. Jesus disse: "Que vos seja feito segundo a vossa fé."[3] Em outras palavras: "Tenha o que a sua fé espera."

Algumas pessoas têm a tendência de esperar o pior. A mentalidade habitual é a de "coitadinho de mim", e elas sempre têm pensamentos negativos e estão deprimidas. "Meu Deus, por que não faz alguma coisa a respeito da minha situação?", queixam-se. "Isso não é justo!" Elas recebem o que a fé delas espera.

Outras pessoas se sentem realmente tão oprimidas pelas dificuldades que têm dificuldade em acreditar que qualquer coisa boa possa lhes acontecer. Podemos ouvi-las dizendo coisas como: "Oh, tenho tantos problemas. Um casamento que está abalado. Filhos que não se darão bem na vida. Um negócio que não está indo bem. Minha saúde está piorando a cada dia. Como posso sentir entusiasmo na vida? Como espera que eu me levante e diga que o dia vai ser ótimo quando tenho nas mãos esta grande confusão?"

Meu amigo, a fé consiste nisso. Você precisa acreditar que coisas boas estão vindo na sua direção, e elas certamente virão!

O que espera na vida? Você antevê coisas boas ou más, a importância ou a mediocridade? Espera que as coisas mudem a seu favor? Anseia experimentar a bondade de Deus? Ou permite que as circunstâncias ou sentimentos embotem seu entusiasmo pela vida e o aprisionem em um modo de pensar negativo?

LIBERTE-SE DA PRISÃO QUE VOCÊ IMPÔS A SI MESMO

Um dos *slogans* comuns entre homens e mulheres que estão cumprindo longas penas nas prisões federais é o seguinte: "Você não tem nada a esperar." Trata-se de uma declaração triste, sem esperança, que priva os reclusos da pouca esperança que lhes resta. "Você não tem rendimentos; seus filhos têm vergonha de dizer que são seus filhos; sua mulher não vem visitá-lo e provavelmente pedirá o divórcio em breve; nada vai mudar na sua vida. Não espere nada melhor. Você está recebendo o que merece. Você não tem nada a esperar."

O triste é que muitas pessoas "do lado de fora" estão vivendo atrás de grades que impuseram a si mesmas, em prisões criadas por elas, e sucumbiram ao mesmo modo de pensar. *Isso é o máximo que você pode esperar. Não vai melhorar, de modo que o melhor que tem a fazer é se sentar, ficar quieto e agüentar a situação.*

Não! Você pode se libertar dessa prisão! A porta não está trancada. Tudo que tem a fazer é começar a esperar coisas boas na sua vida e acreditar que Deus lhe dará um grande futuro. Boas coisas estão vindo na sua direção!

Olhos de Fé

Você precisa olhar através dos seus "olhos de fé" e começar a se ver feliz, saudável e completo. Estou dizendo que mesmo quando a situação parecer sombria, quando se sentir tentado a ficar desanimado ou deprimido, precisa transmitir coragem a si mesmo rezando o seguinte: "Deus, sei que está no comando, e mesmo que o que eu quero possa parecer impossível, sei que hoje poderá ser o dia em que as coisas vão mudar. Hoje poderá ser o dia em que o Senhor vai renovar o meu casamento. Este poderá ser o dia em que o Senhor vai trazer meu filho para casa. Hoje poderá ser o dia em que o meu negócio vai começar a prosperar de uma forma exponencial. Este poderá ser o dia em que presenciarei o meu milagre."

A seguir, continue a acreditar e esperar que essas boas coisas tornem-se realidade. Você precisa tomar uma decisão consciente, exercer sua vontade, para sustentar uma atitude de expectativa positiva e manter a mente repleta de pensamentos de esperança.

Este poderá ser o dia em que presenciarei o meu milagre.

"E se eu fizer tudo isso e não funcionar?", você pode estar se perguntando.

E se fizer tudo isso e *der certo*? Quem estamos iludindo aqui? O que você tem a perder ao manter viva a esperança?

Posso garantir que essa difícil situação jamais ficará melhor se você permanecer em uma disposição de ânimo negativa. No entanto, se desenvolver uma atitude de fé e esperar que os eventos se modifiquem de uma forma positiva, no momento certo a situação se modificará. É bem verdade que às vezes as coisas boas não acontecem com a rapidez que desejaríamos, mas, em vez de se entregar a expectativas negativas, precisamos manter a mente fixa em Deus. A atitude ideal deve ser a seguinte: "Deus, sei que está em ação na minha vida. Embora o milagre que estou esperando não tenha acontecido hoje, acredito que estou um dia mais perto dele! Estou um dia mais perto de ver minha prece atendida, e não vou me aborrecer. Não me permitirei ficar desanimado. Sei que a Sua escolha do momento é perfeita, de modo que vou manter uma atitude de fé e vou continuar a ter confiança. Meu Deus sabe o que é o melhor para mim."

Com quase cinqüenta anos, Brian teve a impressão de que tudo no seu mundo estava se desintegrando e caindo sobre os seus ombros. O seu negócio foi à falência. Ele perdeu a família por ter se divorciado. Sua saúde estava se deteriorando. Ele fora um homem extremamente bem-sucedido em uma determinada época, mas há muitos anos vinha simplesmente existindo, vivendo sem alegria, sem paz e sem entusiasmo.

Certo dia, um amigo que gostava o suficiente de Brian para ser sincero com ele lhe disse: "Gosto muito de você, cara, mas você precisa parar de só ter pensamentos negativos; pare de olhar para tudo que perdeu e comece a olhar para tudo que lhe restou." O amigo de Brian desafiou-o, dizendo: "Comece a acreditar que as coisas vão mudar para melhor, não porque você o mereça, mas simplesmente porque Deus o ama muito!"

As palavras do amigo repercutiram no espírito de Brian e, devagar porém com firmeza, ele começou a levar o conselho a sério. Definiu novos padrões na sua vida. Decidiu que todas as manhãs, antes de sair da cama, iria escrever dez coisas pelas quais podia ser grato. Ele pensava constantemente na lista, o dia inteiro. Brian deu continuidade a essa hábito, dia após dia, semana após semana, mês após mês.

O que Brian estava fazendo? Ele estava reprogramando sua mente. Estava quebrando os hábitos negativos e desenvolvendo uma atitude de fé.

Em uma questão de meses, a situação começou a mudar. Primeiro, ele recuperou a alegria. Depois, restituiu a saúde e a vitalidade. Logo teve o emprego de volta e, finalmente, muitos dos seus relacionamentos foram restabelecidos. O mais importante de tudo é que ele recuperou a vida! Por ter elevado as expectativas, foi capaz de escapar da antiga mentalidade negativa. Parou de se concentrar no que não tinha, no que perdera, nos erros e fracassos do passado. Em vez disso, ele começou a permanecer em contato com a bondade de Deus. Brian encheu a cabeça de pensamentos de esperança, fé e sucesso. Desenvolveu uma nova visão, esperando que as coisas mudassem para melhor. E, de fato, foi quando a sua vida deu uma reviravolta.

Muitas pessoas sabotam suas expectativas com comentários negativos. Você conhece o tipo:

"Nada de bom jamais me acontece."

"Não creio que um dia eu vá me casar. Há dez anos que nem mesmo saio com alguém!"

"Acho melhor pedir falência; estou tão atolado em dívidas e contas, que não vejo outra alternativa."

"Não vejo como poderia ser feliz de novo. Sofri demais na vida."

Evite a todo custo essas declarações, porque essas ações acompanharão as suas expectativas. As expectativas baixas o manterão prisioneiro da mediocridade. Você precisa ter pensamentos positivos de triunfo, abundância, graça, esperança; pensamentos bons, puros e magníficos.

A vida do profeta Elias do Antigo Testamento oferece vislumbres fascinantes. Elias viveu numerosos milagres e o seu discípulo, Eliseu, testemunhou muitos deles. Ao se aproximar do fim da vida, Elias perguntou a Eliseu o que gostaria de receber do seu mentor.

— Desejo uma porção dupla do seu espírito — respondeu Eliseu com ousadia. — Quero ser duas vezes mais poderoso, duas vezes mais forte, duas vezes mais abençoado. Quero presenciar o dobro de milagres.

Curiosamente, Elias não repreendeu o subalterno. Simplesmente respondeu:

— Eliseu, você pediu uma coisa muito difícil. Não obstante, se conseguir me ver quando eu for afastado de você, o seu desejo se realizará. Caso contrário, isso não acontecerá. — Sem dúvida, no sentido literal, Elias estava dizendo a Eliseu: "Se Deus permitir que veja isso, você pode ter certeza de que o seu pedido será atendido"; mas não podemos deixar de nos perguntar se Elias não estaria também dizendo o seguinte: "Se conseguir ver o seu desejo, você poderá sê-lo. Se conseguir visualizá-lo no coração e na mente, vendo-o através do crivo da Palavra de Deus com os seus 'olhos espirituais', ele poderá se tornar realidade na sua vida."

Deus tem interesse no que você vê por meio dos seus "olhos espirituais". Ele pergunta sete vezes na Escritura: "O que vedes?" Deus está dizendo algo semelhante para nós hoje. Se você tiver uma visão vitoriosa na sua vida, poderá ascender a um novo nível, mas enquanto estiver de cabeça baixa, olhando para o chão em vez de para todas as possibilidades, corre o risco de avançar na direção errada e deixar escapar as coisas magníficas que Deus quer fazer em você e através de você. Este é ao mesmo tempo um princípio espiritual e um fato psicológico: avançamos na direção do que vemos na mente. Se você não conseguir ver o que quer, é pouco provável que isso aconteça na sua vida.

E você? Quando contempla o futuro, o que enxerga? Você se vê ficando mais forte, mais saudável, mais feliz, a sua vida repleta das bênçãos, da graça e do sucesso de Deus? Se conseguir divisar todas essas coisas, elas poderão se tornar realidade.

Bill e Cindy, amigos meus, mudaram-se há vários anos para uma nova cidade. Na época, Bill tinha dois empregos para poder sustentar a família, enquanto Cindy ficava em casa com os filhos pequenos. Foi uma época difícil, e eles mal conseguiam esticar o dinheiro para pagar o aluguel e comprar comida. Sentindo-se fracassados, viram-se tentados a desistir e voltar para a cidade de origem. Teria sido fácil para eles deixar que atitudes derrotistas os derrubassem, mas não permitiram que isso acontecesse. Em vez disso, durante esse período difícil, fizeram algo extremamente fora do comum.

Muitas noites, quando Bill chegava em casa do trabalho, em vez de ficarem sentados no seu pequeno apartamento sentindo pena de si mesmos, eles se arrumavam com elegância, entravam no carro e iam até um dos melhores hotéis da cidade. Não tinham dinheiro para pagar o estacionamento do hotel, de modo que paravam o carro bem no fim da rua e caminhavam até lá. Entravam no magnífico hotel e simplesmente ficavam sentados no elegante *lobby*, sonhando. Bill contou-me mais tarde o seguinte: "Eu queria me expor a uma atmosfera de sucesso. Queria estar em um lugar onde poderia continuar a ter esperança. Queria estar em um ambiente onde pudesse sonhar com o sucesso."

O que eles estavam fazendo? Expandindo a visão, dirigindo a atenção para o que poderiam ser. Estavam olhando além de onde estavam para o que queriam ser. Cindy disse: "Muitas vezes ficamos sentados no *lobby* literalmente durante horas a fio, conversando e sonhando, e quando voltávamos para casa, a nossa fé e visão estavam renovadas."

Talvez você também precise mudar de ambiente. Pare de ficar sentado sentindo pena de si mesmo. Pare de ficar pensando que nada jamais dará certo na sua vida. Em vez disso, vá a algum lugar onde possa sonhar. Pode ser uma igreja; pode ser a margem de um rio ou um parque. Descubra um lugar onde possa ousar ter grandes sonhos; onde a sua fé se intensificará. Saia desse ambiente negativo e entre em uma atmosfera vitoriosa, onde as pessoas o levantam em vez de derrubá-lo. Encontre um ambiente onde as pessoas o estimularão e o desafiarão a ser o melhor que você pode ser. Descubra um lugar onde as pessoas o inspirem a alcançar novas alturas. Meu amigo, você precisa visualizar coisas boas ocorrendo para que elas possam acontecer.

Encontre um lugar onde você possa sonhar.

A Bíblia diz o seguinte: "Quem anda com os sábios torna-se sábio."[4] Se você se associar a pessoas bem-sucedidas, logo terá sucesso. O entusiasmo delas será contagioso e você captará essa visão. Se permanecer em uma atmosfera vitoriosa, em breve terá uma imagem de triunfo. Se andar na companhia de pessoas de fé, logo estará repleto de fé. Mas você não poderá subir às alturas com os anjos enquanto estiver ciscando com as galinhas.

Deixe-me estimulá-lo a elevar suas expectativas, a começar a se ver recebendo coisas boas. Espere a graça de Deus. Espere a bênção Dele. Espere crescer, progredir. Levante-se e enfrente cada dia com entusiasmo, sabendo que Deus tem coisas magníficas reservadas para você. E quando as circunstâncias não forem as que você deseja, não deixe que isso o desanime. Mantenha a mente fixa na direção certa.

Se fizer a sua parte, contemplando continuamente a bondade de Deus, vivendo com fé e com uma expectativa positiva, Deus o conduzirá a lugares com os quais você nunca sonhou, e você viverá em um nível que nunca antes ousou imaginar. Deus tem coisas magníficas reservadas para você! Vou lhe mostrar como descobri-las.

CAPÍTULO 3

DEUS TEM MAIS COISAS RESERVADAS PARA VOCÊ!

Todd Jacobs sonhava em abrir uma empresa de software de computadores, mas, quando ele e Amy se casaram, ele aceitou um emprego comum apenas para pagar as contas. A seguir veio o bebê e o orçamento deles foi para o beleléu, junto com os sonhos de Todd.

No início, o adiamento dos seus sonhos não incomodou Todd, mas, passado algum tempo, ele e Amy reconheceram o ressentimento velado porém muito real que fervilhava logo abaixo da superfície de cada conversa que tinham a respeito de dinheiro e de todas as decisões sobre o futuro. Ironicamente, quando surgiu uma oportunidade para que Todd desenvolvesse software para uma empresa conhecida e bem estabelecida no ramo, para trabalhar com um dos seus melhores amigos, ele recusou a oferta.

— Não tenho talento suficiente — disse ele. — Estou afastado da área há muito tempo.

— Todd, você tem certeza disso? — perguntou o seu melhor amigo. — Essa é uma tremenda oportunidade. Você pode começar a sua empresa, ajudar a criar software para a empresa controladora e pode até mesmo ganhar um dinheiro extra com os *royalties*. Tem certeza de que não quer aceitar o cargo?

— Tenho. Absoluta — retrucou Todd. — Não posso me dar ao luxo de arriscar. O meu emprego não paga bem, mas é um trabalho fixo. É melhor que eu fique onde estou.

Como Todd, muitas pessoas perdem diariamente importantes oportunidades porque se acostumaram à situação existente. E não esperam nada melhor. Deus está abrindo uma nova porta para elas; tudo que precisam fazer é passar por ela, mas lamentavelmente recuam e se afastam das bênçãos de Deus.

Por quê? Elas se recusam a abrir espaço na maneira como pensam para as coisas novas que Deus quer colocar na vida delas. Quando surge uma grande oportunidade, em vez de agarrá-la, começando com fé e acreditando no melhor, elas dizem: "Bem, isso nunca poderia acontecer comigo. É simplesmente bom demais para ser verdade."

Infelizmente, o que você receberá está diretamente relacionado com o que acredita e espera. Se quer que Deus faça coisas extraordinárias, você precisa começar a acreditar que Ele é capaz de coisas grandiosas.

O que você receberá está diretamente relacionado com o que acredita.

Exatamente como Todd, você talvez esteja pensando: *Vou trabalhar neste mesmo emprego, na mesma função, o resto da minha vida. Afinal de contas, isso é tudo que sei fazer.*

Pare de criar limites para Deus. Ele talvez queira abrir outra oportunidade ou uma nova posição para você. Deus pode intervir na sua situação, substituindo seu supervisor para que você possa ser promovido. Um dia, você poderá dirigir toda a empresa! Quando você começa a esperar mais, um segundo elemento fundamental para expandir sua visão é *acreditar que Deus tem mais coisas reservadas para você!*

Há uma velha história a respeito de uma pequena rã nascida no fundo de um pequeno poço redondo, parecido com aqueles que você veria em uma típica propriedade rural. Ela vivia ali com a família e sentia-se satisfeita ao brincar na água, nadando em volta do pequeno poço. A rã pensou o seguinte. *A vida não pode ser melhor do que isto. Tenho tudo que preciso.*

No entanto, um dia, a pequena rã olhou para cima e notou que havia luz na parte superior do poço. Ela ficou curiosa e se perguntou o que haveria lá em cima. Então escalou lentamente a parede do poço e, ao chegar à borda, deu uma espiada cautelosa ao redor. E vejam só, a primeira coisa que viu foi uma lagoa. Ela não conseguia acreditar no que estava vendo. A lagoa era mil vezes maior do que o poço. Ela se aventurou um pouco mais adiante e descobriu um lago enorme. Ficou contemplando-o, abismada. Finalmente, a pequena rã foi saltando por uma longa distância e chegou ao mar, onde só conseguiu enxergar água, onde quer que olhasse. A sua surpresa era imensurável. Ela começou a perceber o quão limitado tinha sido o seu modo de pensar. Achava que tinha tudo quando estava no poço, mas na verdade só dispunha de uma minúscula gota em comparação com o que Deus queria que ela desfrutasse.

O sonho de Deus para a sua vida é muito maior do que você possa imaginar. Você ficaria tonto se Deus lhe mostrasse tudo que tinha reservado para você. Quantas vezes não somos como aquela pequena rã. Ficamos enclausurados em um poço pequeno, porque foi nele que fomos criados. Ele é tudo que conhecemos, um certo nível de vida, uma determinada maneira de pensar. Mas, o tempo todo, Deus tem muito mais coisas reservadas para nós.

Avance um pouco mais. Ouse ter sonhos um pouco maiores. Olhe por cima da borda como fez a pequena rã. Deus possui oceanos que deseja que você desfrute.

VOCÊ ESTÁ IMPONDO LIMITES A DEUS?

Quando Deus põe um sonho no seu coração, quando Ele coloca oportunidades no seu caminho, você as agarra com fé, esperando o melhor, avançando com confiança, sabendo que é perfeitamente capaz de fazer o que Deus quer que você faça? Ou se encolhe com medo e diz: "Essa oportunidade é grande demais para mim. Não sou qualificado. Não sou capaz. Nunca poderia fazer isso"?

Deus quer fazer uma coisa nova na sua vida. Mas você precisa fazer a sua parte e sair da caixa. Comece a ter grandes pensamentos!

Numerosas pessoas se conformam com muito pouco. "Já fui até onde o meu grau de instrução me permite ir."

"Já avancei o máximo na minha profissão. Cheguei ao topo. Nunca conseguirei ganhar mais dinheiro do que estou ganhando agora."

Por quê? O seu emprego não é a sua fonte. Deus é o seu manancial e a criatividade e os recursos Dele são ilimitados! Deus pode lhe dar uma idéia sobre uma invenção, um livro, uma música ou um filme. Pode lhe dar um sonho. Uma idéia de Deus pode mudar o rumo da sua vida para sempre. Deus não é restringido pelo seu grau de instrução. Não é delimitado pelo que você tem ou não tem. Ele pode fazer qualquer coisa, desde que você acredite que isso é possível. Deus é capaz de fazer qualquer coisa se você simplesmente parar de impor limites a Ele nos seus pensamentos.

Uma mulher escreveu recentemente para Victoria e para mim, contando-nos a história de como recebeu pelo correio um cheque de um parente que havia morrido e deixado para ela 90 mil dólares. Ela não conhecia o homem e nem mesmo sabia que eram parentes.

Enquanto líamos a história, não pude deixar de sorrir e pensar: *Deus, consiga-me alguns parentes assim!*

Fiquei sinceramente feliz. Ela acreditara em mais e a herança inesperada foi parte da resposta de Deus.

Você pode começar a esperar mais. Não apenas um aumento financeiro, mas pode começar a esperar um progresso sobrenatural em todas as áreas da vida.

Quebre a Maldição

Com excessiva freqüência, ficamos satisfeitos com quem somos e usamos esse sentimento como uma desculpa para permanecer na mediocridade. "Os meus pais eram pobres", declaramos fazendo beicinho. "Na verdade, os meus avós eram pobres. Ninguém na minha família conseguiu ser grande coisa, por que eu conseguiria ser?"

Não acredite nessa mentira. Deus é um Deus progressista. Ele quer que você vá mais adiante do que os seus pais. Ele deseja que você seja o primeiro a escapar dessa fôrma. É possível que você tenha sido criado em um ambiente negativo. Todos ao seu redor eram pessoas críticas e negativas, deprimidas, abatidas e desanimadas. Sem dúvida você é tentado a usar essa criação negativa como uma desculpa para viver da mesma maneira. Mas você pode ser a pessoa a mudar sua árvore genealógica! Não transmita todo esse lixo para os seus filhos, mantendo ativo esse ciclo negativo. Você pode ser a pessoa a quebrar a maldição da família. Pode ser aquele a definir um padrão mais elevado. Pode afetar futuras gerações com as decisões que tomar hoje.

O meu pai nasceu em uma família paupérrima. Os pais dele cultivavam algodão e perderam tudo o que tinham na Grande Depressão. A minha avó trabalhava de 14 a 15 horas por dia lavando roupa para fora, recebendo dez centavos por hora. Muitas noites, chegavam em casa e não tinham o que comer. Papai freqüentemente ia com fome para a escola, com buracos nas calças e na sola dos sapatos.

Eles eram boas pessoas, mas ninguém na nossa família resultara em grande coisa. Todos viviam debaixo de uma maldição de pobreza e derrota. No entanto, um dia, aos 17 anos de idade, meu pai decidiu dedicar a vida a Cristo, e Deus colocou no coração dele o sonho de pregar.

Sem dúvida, as probabilidades estavam contra ele. Ele vinha da família e do bairro errados da cidade. Não tinha dinheiro e o seu grau de instrução era muito baixo. Em circunstâncias normais, ele não tinha nenhum futuro e nenhuma esperança. Mas Deus não é restringido pelo ambiente, pelos antecedentes familiares ou pelas circunstâncias do momento. Deus só é delimitado pela nossa falta de fé.

Papai guardou o sonho no coração. Ele tinha esperança de um dia erguer-se acima da mentalidade da derrota e da mediocridade. Como seria de se esperar, todos ao seu redor tentaram desencorajá-lo. Eles disseram: "John, você nunca vai conseguir subir sozinho. É melhor ficar aqui conosco e colher algodão. É a única coisa que sabe fazer. Fique aqui onde é seguro."

Afetamos as gerações com as decisões que tomamos hoje.

No entanto, sou muito agradecido pelo fato de papai não ter escutado as pessoas que refutavam o seu sonho. Ele não se sentia satisfeito onde estava. E não ficou empacado na rotina de derrota e mediocridade. Ele se recusou a impor limites a Deus. Papai acreditava que Deus tinha mais coisas reservadas para ele. E como permaneceu concentrado naquele sonho e estava disposto a avançar com fé, a transpor as barreiras do passado, rompeu a maldição da pobreza na nossa família. Hoje, os meus irmãos e eu, bem como os nossos filhos e netos, até mesmo os nossos bisnetos, irão experimentar uma parcela maior da bondade de Deus por causa do que um único homem fez.

Afetamos as gerações vindouras com as decisões que tomamos hoje. Se você não está vivendo a vida abundante de Deus, quero desafiá-lo a acreditar mais. Não fique simplesmente sentado, aceitando as circunstâncias do momento. Não percorra a estrada nos próximos 50 anos para acabar no mesmo lugar onde está hoje. Tome a decisão de sair da rotina. Não se conforme com o que seus pais tinham. Você pode ir além. Pode fazer mais, ter mais, ser mais.

Fui abençoado por ter sido criado em uma família de bem. Tive pais excelentes que foram modelos exemplares. A minha mãe e o meu pai tocaram a vida das pessoas no mundo inteiro. Mas por mais que eu respeite o que eles realizaram, não vou me satisfazer simplesmente em ser seu herdeiro, em fazer o que fizeram. Deus deseja que cada geração avance mais do que a anterior. Ele quer que cada geração seja mais abençoada, experimente mais o amor, a bondade e a influência Dele no mundo. Ele não quer que você permaneça onde está.

Quando meu pai morreu em 1999 e eu assumi a posição dele como pastor da Lakewood Church em Houston, muitas pessoas freqüentemente me abordavam e perguntavam: "Joel, você realmente acha que pode continuar o trabalho do seu pai? Acredita que é capaz de agüentar o rojão? Você acha que vai conseguir fazer o mesmo trabalho que seu pai?"

Compreendi a intenção dessas pessoas e valorizei os comentários que faziam, porque elas amavam meu pai e ele era um grande líder. Por outro lado, poucas igrejas do tamanho de Lakewood sobreviveram durante muito tempo à morte do principal pastor fundador, e a imprensa da cidade logo ressaltou a pequena chance que tínhamos de ser bem-sucedidos. No entanto, nenhuma dessas questões me preocupou, porque eu sabia que Deus não quer que uma geração brilhe e a seguinte desapareça na obscuridade. Deus deseja que cada uma seja melhor do que a anterior.

Além disso, eu sabia que não ia ter de fazer o trabalho do meu pai. Eu tinha apenas que fazer o meu trabalho. Tinha de ser a pessoa que Deus me criou para ser. Quando tornei-me o líder, as pessoas às vezes me perguntavam: "Joel, você acha que vai conseguir fazer tanto quanto o seu pai?"

Nunca respondi com arrogância, mas sempre dizia: "Acredito que vou fazer mais do que ele."Esse é o jeito do nosso Deus. Ele é um Deus progressista. E eu sei que meu pai ficaria insatisfeito e envergonhado se eu me limitasse a fazer o que ele tinha feito ou a permanecer no ponto em que ele estava. O meu pai conduziu a família do zero para onde ela está hoje. Quando começou a atuar como ministro da igreja, pouco sabia sobre a Bíblia. Ninguém na sua família tinha o costume de freqüentar a igreja e muito menos sido um professor da Bíblia. Quando papai começou a pregar, fez certa vez um sermão inteiro sobre Sansão, e no final percebeu que chamara o tempo todo o herói da história de "Tarzã"!

Mas papai melhorou e, em decorrência disso, herdei uma infinidade de benefícios. Posso recorrer à vida dele para obter inspiração, experiência e sabedoria. Não obstante, digo com humildade, creio que farei muito mais do que meu pai conseguiu fazer. E acredito que meu filho vai fazer ainda mais do que eu, e que o filho dele um dia fará bem mais do que nós dois juntos.

Meu amigo, nunca se conforme com o lugar onde está. Talvez você tenha vindo de uma família como a do meu pai, sem muitos bens materiais. Ou quem sabe tenha sido criado em uma família que possui uma tremenda riqueza, prestígio e posição. Independentemente de sua origem, você pode experimentar mais coisas do que a geração que o precedeu.

Talvez você descenda de uma longa linha de divórcios, fracassos, depressão, mediocridade e outros problemas pessoais ou familiares. Você precisa dizer: "Já chega. Não vou mais passar para os meus filhos essas atitudes negativas. Vou escapar desse ciclo e mudar minhas expectativas. Vou começar a acreditar que Deus pode me trazer coisas maiores e melhores."

Essa foi a atitude de Phyllis, membro da nossa igreja em Lakewood. Aos 16 anos, ficou grávida e teve de abandonar o ensino médio. Os seus sonhos foram despedaçados, e ela ficou profundamente desgostosa. Ela alugou um apartamento pequeno e apertado para morar e criar o filho. Mas logo se deu conta de que as coisas nunca dariam certo. Ela não tinha dinheiro suficiente e estava vivendo de esmolas. Finalmente, precisou pedir uma pensão ao governo. Estava na pobreza, derrotada e desesperada, mal conseguindo sobreviver.

No entanto, Phyllis se recusou a viver na mediocridade. Ela disse: "Chega. Eu me recuso a passar esse tipo de vida para meu filho. Vou fazer algo que faça diferença na minha vida. Vou realizar o destino que Deus me deu. Vou ser a pessoa que Deus quer que eu seja." E ela então se ergueu e passou a acreditar em coisas maiores e melhores. Começou a esperar a graça sobrenatural de Deus. Livrou-se das antigas idéias de derrota e fracasso. Desenvolveu uma mentalidade de "sou capaz". Quando as coisas ficavam difíceis, ela não desistia. Apenas seguia em frente. Ela fez a sua parte e Deus, a Dele.

Phyllis conseguiu um emprego na cantina de uma escola recolhendo vales-refeição. Recebia um salário mínimo e estava agradecida por tê-lo conseguido. Mas Phyllis não estava satisfeita com a situação. E sabia que Deus tinha coisas melhores reservadas para ela. Ela tinha um sonho maior para a sua vida. Não ficou simplesmente sentada e aceitou a situação em que estava. Decidiu que queria voltar a estudar e obteve o diploma do ensino médio. Mas ainda não estava satisfeita.

Ela queria estudar na universidade. Passou a trabalhar o dia inteiro na escola e a freqüentar as aulas da faculdade à noite. Em quatro anos, concluiu o curso com distinção. Mas Phyllis ainda não estava satisfeita. Voltou à universidade e obteve o grau de mestre.

Hoje, ela está colhendo os frutos de todo esse esforço. Não recebe mais uma pensão do governo; é diretora da mesma escola onde costumava recolher os vales-refeição. Também quebrou a maldição da pobreza e da privação na sua família. Ela sempre diz: "Saí da mais extrema pobreza para uma vida bem-sucedida!"

Você pode fazer algo semelhante. Pare de se conformar com a mediocridade. Pare de se resignar à situação existente. Deus tem mais coisas reservadas para você. Muito mais! Tenha sonhos maiores. Expanda a sua visão. Viva com uma expectativa positiva. Abra espaço nos seus pensamentos para as coisas magníficas que Deus quer fazer. Os seus melhores dias estão diante de você. Deus quer fazer mais do que você poderia pedir ou pensar, mas lembre-se de que as coisas acontecem de acordo com o poder que atua em você. Mexa-se; deixe de ser comodista; não se satisfaça com glórias passadas.

Deus tem mais coisas reservadas para você! Mas para que você acredite em coisas maiores e melhores, terá de romper algumas barreiras do passado. Vamos lá; vou lhe mostrar o que estou querendo dizer. Vai ser empolgante!

CAPÍTULO 4

ROMPENDO AS BARREIRAS DO PASSADO

A cada quatro anos, a atenção do mundo se volta para as Olimpíadas. Durante alguns dias, homens e mulheres de todo o planeta se reúnem para competir contra os melhores. Ao assistir hoje aos jogos olímpicos, é quase impossível recordar que há poucas décadas, especialistas do atletismo afirmavam arrogantemente que nenhum corredor conseguiria romper a barreira dos quatro minutos por milha [1,609 quilômetro]. Aparentemente, nenhum ser humano seria capaz de correr aquela distância, naquela velocidade, naquele espaço de tempo. Os "especialistas" realizaram os mais diversos tipos de estudos profundos para demonstrar que era impossível romper a barreira dos quatro minutos. E durante anos, estiveram certos. Ninguém jamais conseguia correr uma milha em menos de quatro minutos.

No entanto, certo dia, surgiu um rapaz que não acreditava na opinião dos especialistas. Ele não se detinha nas impossibilidades. Recusava-se a deixar que aquelas palavras negativas criassem uma fortaleza na sua mente. Começou a treinar, certo que iria bater aquele recorde. Como previra, um dia rompeu a barreira dos quatro minutos por milha. Ele fez o que os especialistas diziam que não podia ser feito. O seu nome era Roger Bannister, e hoje ele faz parte da história do esporte.

No entanto, o que acho interessante a respeito da história de Roger Bannister é que dez anos depois de ele bater o recorde, 336 outros corredores também romperam a barreira dos quatro minutos por milha! Pense nisso. Durante centenas de anos, até onde as estatísticas tinham registro do atletismo, ninguém correu uma milha em menos de quatro minutos; de repente, no intervalo de uma década, mais de 300 pessoas, oriundas de diferentes localizações geográficas, conseguiram realizar a façanha. O que aconteceu?

Muito simples. A barreira que impedia que os atletas batessem esse recorde estava na cabeça deles. Durante todos aqueles anos, os corredores acreditaram no que os especialistas diziam. Estavam convencidos de que era impossível correr uma milha em menos de quatro minutos.

A Batalha na Sua Mente

Eis o ponto fundamental: você nunca irá além das barreiras mentais. Se acha que não pode fazer uma coisa, nunca a fará. A batalha tem lugar na sua mente. Se for derrotado lá, você já perdeu a luta. Se não acredita que os sonhos se tornarão realidade, eles nunca se tornarão. Se não acha que possui o que é preciso para se levantar e definir esse novo padrão, isso não vai acontecer. A barreira é mental.

É isso que a Escritura chama de "fortaleza".[1] Trata-se de um padrão de pensamento errado que nos mantém aprisionados na derrota. E é por esse motivo que é tão importante nutrirmos pensamentos positivos de esperança, fé e triunfo.

Talvez alguém tenha pronunciado palavras negativas na sua vida. É possível que alguns supostos especialistas tenham lhe dito que você nunca seria bem-sucedido; que nunca chegaria ao topo; que simplesmente não tem o que é preciso para ter êxito. Não preste atenção a essas mentiras. Se Deus está a seu favor, quem ousará estar contra você? Escape das limitações do passado e deixe sua mente ater-se a novas atitudes positivas de fé. Romper essas barreiras mudará sua existência e a vida de seus filhos.

Hoje em dia, é comum os corredores profissionais romperem a barreira de uma milha em quatro minutos. Isso não é grande coisa. Bannister estabeleceu um novo padrão. Ele desimpediu o caminho. Analogamente, se você romper os limites mentais e começar a avançar com fé, ultrapassará as antigas barreiras e a mesma coisa acontecerá na sua família. Seus filhos, netos e as gerações futuras continuarão a transpor rapidamente esses limites. Continuarão a ir além do que as pessoas um dia julgaram possível. E isso acontecerá porque você se mostrou disposto a avançar com fé, definindo um novo padrão, abrindo o caminho para as gerações futuras.

Se você deixar de atravessar as barreiras do passado, corre o risco de se esforçar sem obter resultados, andando sempre em círculos. Por exemplo, quando Deus conduziu o povo hebraico para fora do Egito, onde tinham vivido na escravidão durante 400 anos, eles tomaram o rumo da Terra

Prometida. Era uma jornada de 11 dias, mas eles levaram 40 anos para chegar lá. Por quê? Por que vagaram pelo deserto, andando repetidamente em volta da mesma montanha, sem fazer nenhum progresso?

Afinal de contas, Deus tinha preparado a terra onde jorravam leite e mel. Era um lugar de grande abundância, um local de enorme liberdade. Mas o povo de Deus fora castigado durante tanto tempo pelos seus opressores, tendo sido maltratados, usados e explorados, que agora, embora Deus quisesse fazer uma coisa nova, não conseguiam concebê-la. Não conseguiam abrir espaço na sua maneira de pensar. Em vez de avançar com uma atitude de fé, esperando coisas boas, insistiram em viver com uma mentalidade pobre e derrotista. Então davam voltas e voltas, concentrados nos problemas, sempre se queixando, reclamando dos obstáculos que se erguiam entre eles e o seu destino.

Deus finalmente os sacudiu, fazendo com que abandonassem o comodismo. Ele lhes disse: "Já é longa a vossa permanência nesse monte."[2] Creio que Deus está nos dizendo algo semelhante. Você vem chafurdando onde está por um tempo excessivamente longo. É chegada a hora de seguir em frente, de abandonar as mágoas, as dores e os fracassos do passado. É o momento de acreditar em coisas maiores. É chegada a hora do aumento, do progresso e da graça sobrenatural. Mas para que isso aconteça, você não pode continuar a andar em círculos, fazendo a mesma coisa, do mesmo jeito, ano após ano. A terceira chave para desenvolver uma nova visão na sua vida é *romper as barreiras do passado.*

Hoje É um Novo Dia

Independentemente do que tenha acontecido no passado e do número de reveses que você possa ter sofrido, ou que possa ter tentado impedir seu progresso, hoje é um novo dia, e Deus quer fazer uma coisa nova na sua vida. Ele tem grandes coisas reservadas para você. Não deixe o passado determinar o futuro.

Talvez você tenha vivido em uma situação de abuso na qual alguém o tenha maltratado ou abandonado, ou tenha feito uma grande injustiça com você. Por favor, não iniba o futuro magnífico que Deus tem para você remoendo as dores do passado.

A Bíblia promete que Deus nos dará "uma dupla recompensa pela vergonha que passamos".[3] Isso significa que se você mantiver a atitude correta,

Deus o pagará em dobro pelas suas dificuldades. Ele somará as injustiças, as mágoas e a dor que as pessoas causaram a você, o abuso e constrangimento, e o ressarcirá com duas vezes mais alegria, paz e felicidade. Isso é o que Deus deseja, mas você precisa fazer a sua parte e começar a esperar coisas boas. Manter a mente avançando na direção correta. Você não pode ter uma mentalidade de vítima e esperar viver vitoriosamente. Você não pode viver em um perpétuo estado de autocomiseração e depois se perguntar por que as situações não melhoram na sua vida.

Se você modificar sua maneira de pensar, Deus pode mudar sua vida.

Deus é justo. Ele sabe quando as pessoas não estão nos tratando corretamente. Sabe quando estamos fazendo a coisa certa, mas a coisa errada continua a acontecer conosco. Ele sabe quando estamos atuando com integridade, mas chega alguém e nos rouba o que deveria ter sido nosso. Deus vê todas as vezes que os outros tiraram vantagem de você. Vê todas as vezes que você oferece a outra face e não dá atenção a uma ofensa. Ele vê todas as vezes que você perdoa, ou tenta reatar um relacionamento interrompido, mesmo que a culpa não tenha sido sua. Deus vê tudo isso; e está registrando tudo. E Ele prometeu retirar todo o mal que entrou na sua vida, invertê-lo e usá-lo para o seu bem.

No entanto, eis a pergunta fundamental: Você está disposto a mudar sua maneira de pensar? Você retirará as limitações ao que Deus pode fazer na sua vida? Começará a acreditar que Ele lhe trará coisas maiores e melhores?

A mudança começa exatamente aqui. Se você modificar sua maneira de pensar, Deus pode mudar sua vida. Você não pode andar por aí tendo pensamentos de derrota e fracasso, e esperar que Deus o torne feliz, poderoso e triunfante. Você não pode andar por aí tendo pensamentos de pobreza e privação, e esperar que Deus derrame sobre você a abundância. Os dois conceitos são incompatíveis. Por incrível que pareça, muitas pessoas têm uma mentalidade estreita e limitada. Pensam de uma forma restrita, a crença delas é limitada e esperam muito pouco. E depois perguntam a si mesmas por que nada importante lhes acontece. É a maneira de pensar delas que as mantém derrotadas.

Com freqüência definimos padrões muito baixos:

- *"Não sou feliz no casamento, mas nos damos bem; acho que é o melhor que podemos esperar."*
- *"Não posso dizer que eu seja uma pessoa saudável, mas pelo menos consigo sair da cama pela manhã."*
- *"Na verdade não tenho dinheiro suficiente, mas com um pouco de sorte, consigo pagar algumas dessas contas."*

Esse não é o estilo de vida que Deus tenciona que você tenha. Deus quer que você viva uma vida emocionante e vitoriosa. Não quer que você simplesmente se arranje. Ele é chamado de *El Shaddai*, "o Deus do mais do que suficiente". Ele não é "El Mesquinho", o Deus do mínimo suficiente!

Não deixe que ninguém o convença de que Deus quer que você mal se arranje na vida. A Bíblia diz o seguinte: "Amplia o espaço da sua tenda e estica as lonas da sua morada, sem olhar despesas. Encomprida as suas cordas e finca firmemente as suas estacas, pois se expandirá à direita e à esquerda."[4] Que imagem poderosa do que Deus lhe deseja! Deus está dizendo para você se preparar para mais coisas. Abra espaço para o aumento. Amplie as suas tendas. Ele está dizendo para você esperar mais graças, mais bênçãos sobrenaturais. Não fique satisfeito com a situação atual.

Um conhecido me disse o seguinte: "Joel, se Deus quiser me abençoar, Ele me abençoará. Afinal de contas, Ele é Deus. Não vou ser insistente. Não vou esperar demais."

Infelizmente, esse é o oposto da maneira como Deus atua. Deus trabalha por meio da fé. Primeiro você precisa acreditar e depois receberá. Talvez tenha estado esperando que Ele desse um passo, mas Deus está esperando que você amplie a sua fé. Abra espaço no seu modo de pensar e então começará a experimentar parte do aumento sobrenatural Dele.

Observe as palavras que Deus usa: "ampliar, encompridar, esticar". Devemos sempre confiar que Ele nos dará mais. Você talvez tenha tudo que precisa, mas não seja egoísta. Por que não esticar a sua fé e acreditar que Deus lhe dará mais para que você possa ajudar alguém que esteja em dificuldades? Deus está dizendo: "Se abrir espaço para uma quantidade das Minhas bênçãos, Eu não o desapontarei. Logo você estará se expandindo à esquerda e à direita."

Se já andou em círculos por um tempo suficiente, se já permaneceu o bastante naquela montanha, está na hora de avançar. Não seja passivo, não se conforme com uma vida medíocre. Deus quer que você se levante e ponha um fim à mentalidade de derrota na sua família. Quer que você defina um novo padrão. Não transmita à nova geração uma atitude de fracasso e derrota.

O Fracasso Gera o Fracasso

Dez anos atrás, tínhamos apenas cerca de uma dúzia de prisões no Texas, o meu estado natal. Hoje, temos mais de 140, com planos para construir ainda mais. Cada prisão está repleta de pessoas a quem foram transmitidos os mais diversos tipos de derrota e fracasso. Oitenta e cinco por cento dos reclusos nas prisões do Texas tiveram um pai ou um parente próximo encarcerado em alguma ocasião. Sem dúvida, cada pessoa precisa aceitar a responsabilidade pelas próprias ações, mas não ousamos desconsiderar o fato de que prisioneiros geram prisioneiros. As crianças que sofrem abuso freqüentemente se tornam pais que cometem abuso. Os filhos de pais divorciados apresentam uma maior probabilidade de ter um casamento fracassado. O fracasso gera o fracasso.

Recebi recentemente no meu escritório a visita de um homem em busca de conselho. Ele estava contemplando o terceiro divórcio. Depois de conversarmos durante algum tempo, perguntei a ele:

— Existem outras pessoas divorciadas na sua família?

— Oh, sim — respondeu ele. — A minha mãe já se divorciou quatro vezes e o meu pai acaba de terminar o sexto. Esse espírito de divórcio, derrota e fracasso tem sido perpetuado nessa família, e continua a ser transmitido de geração para geração. — Rezamos juntos e o homem tomou uma decisão: — Vou parar aqui. Não vou permitir que o meu casamento degringole. — Ele voltou para casa, determinado a tentar melhorar o relacionamento com a esposa, e o casal deteve a corrente de divórcio na família.

Talvez você esteja convivendo com coisas que já estão na sua família há duas ou três gerações. Alcoolismo, drogas, pobreza, depressão, raiva, baixa auto-estima, seja qual for o problema, a boa notícia é que você tem a oportunidade de romper esse ciclo negativo. Você pode escolher se levantar e dizer: "Com a ajuda de Deus, estou mudando as coisas. Confio em Deus e estou assumindo a responsabilidade pelas minhas ações. Estou definindo um novo padrão."

Deus o ajudará a quebrar a maldição na sua família, mas de sua parte, é preciso ter perseverança e estar disposto a mudar. Além disso, não basta fazer uma prece banal uma única vez. Você precisa mudar seu modo de pensar e começar a acreditar que Deus lhe trará coisas melhores. Sua atitude deverá ser: *Não estou interessado em o quanto esta família sentiu-se derrotada no passado. Hoje é um novo dia. Declaro corajosamente que somos mais do que conquistadores. Não importa o quão sem dinheiro já estivemos. Declaro que vamos emprestar e não pedir emprestado. Não dou a mínima para o tamanho dos obstáculos. Declaro que nenhuma arma que surja contra nós irá prosperar. Não me preocupo com o poder dos inimigos. Ele que está em nós é maior do que ele que está no mundo. Não somos mais as vítimas. Somos os vencedores. Somos abençoados e não podemos ser amaldiçoados.*

Seja determinado; peça a Deus para inflamar um pouco seu espírito. Comece a falar de uma maneira triunfante em vez de derrotista. As palavras possuem um poder impressionante; pare então de falar a respeito do que não pode fazer e comece a falar sobre o que Deus *pode* fazer. Mantenha a mente concentrada na bondade de Deus. Permaneça em uma atitude de fé e triunfo, e você deixará de viver sob a sujeição que foi transmitida pelas gerações anteriores. Assuma uma posição e seja aquele a fazer a diferença. Transcenda as velhas barreiras do passado. Não aceite simplesmente qualquer coisa que venha até você na vida. Você nasceu para ganhar; nasceu para a grandeza. Você foi criado para ser um campeão na vida.

Peça a Deus para inflamar um pouco seu espírito.

Você poderá dizer: "Mas ninguém na minha família já alcançou o sucesso. Não vejo como eu possa alcançar."

Talvez ninguém na sua família tenha realmente acreditado na palavra de Deus. Rompa as barreiras do passado. Hoje é um novo dia e Deus quer fazer uma coisa nova. Amplie sua visão. Estique sua fé. Você pode ser o primeiro. Pode ser aquele a definir um padrão mais elevado. Quando você acredita, todas as coisas são possíveis.

Muitas vezes rezamos como se estivéssemos perturbando Deus. Dizemos: "Deus, poderia, por favor, me dar um apartamento maior? Não quero incomodá-lo demais."

Não, Deus quer lhe dar a sua própria casa. Deus tem um grande sonho para a sua vida.

"Como isso poderia um dia acontecer comigo?", você pergunta. "Não ganho dinheiro suficiente."

Talvez não, mas o nosso Deus é perfeitamente capaz disso. Ele não está tendo dificuldades financeiras. Ele é dono de tudo. Por que não acreditar que Ele é capaz de coisas maiores?

Às vezes rezamos da seguinte maneira: "Deus, poderia mostrar ao meu parente solitário o quanto o ama? Não estou pedindo muito, só quero que ajude essa pessoa."

Não, Deus quer ter um relacionamento com toda a família. Está na hora de você expandir sua visão.

Ou então rezamos da seguinte maneira: "Deus, poderia, por favor, me dar pelo menos essa conta nova para eu poder ganhar a comissão este mês e ter o mínimo necessário para sobreviver?"

Não, Deus quer que você tenha mais do que pode pedir ou pensar. Talvez Deus queira que você seja o líder de vendas da sua empresa.

Meu amigo, Deus está dizendo que você já ficou tempo demais naquela montanha. É chegada a hora de avançar para um novo nível. É chegada a hora de obter uma nova visão. Transcenda as barreiras do passado. Destrua as fortalezas da mente. Lembre-se de que você tem de mudar sua maneira de pensar. Independentemente do que qualquer pessoa na sua família tenha feito ou deixado de fazer, não deixe que isso lhe imponha limites. Decida que você será aquele a definir o novo padrão. Seja aquele a transformar as próximas gerações.

CAPÍTULO 5

RECEBENDO MAIS GRAÇAS DIVINAS

Certo casal queria matricular o filho em uma determinada escola particular, mas o aniversário do menino caía quatro dias depois da data limite para que ele ingressasse na série desejada, o que requeria uma espera de um ano. Os pais acreditavam firmemente que seria melhor para o filho começar a escola com crianças da mesma idade, de modo que telefonaram para a escola para ver se poderiam abrir uma exceção.

— De jeito nenhum — disse a eles a funcionária responsável pela matrícula. — Sinto muito; é contra o regulamento e nunca fazemos exceções. O seu filho terá de esperar um ano para se matricular.

O casal manteve um comportamento educado; não foram rudes. Não pularam na garganta da funcionária nem tentaram manipular as coisas. Eles sabiam que tinham a graça de Deus, de modo que educadamente pediram:

— Tudo bem, mas gostaríamos de conversar com seu chefe.

A funcionária encaminhou-os ao vice-diretor da escola. Os meus amigos telefonaram para ele e explicaram a situação. Ele deu a mesma resposta:

— Adoraríamos poder ajudá-los, mas não podemos infringir o regulamento. Terão de esperar até o ano que vem.

— Tudo bem — replicou o pai —, mas gostaríamos de conversar com o *seu* chefe.

Finalmente, eles se encontraram com o diretor da escola, mas este respondeu da mesma maneira.

— Regras são regras — disse ele. — Sinto muito. Não podemos mudá-las. Vocês terão de esperar.

— Tudo bem. Mas gostaríamos de ter uma reunião com o seu chefe — disseram eles.

— Sou diretamente subordinado ao superintendente. Providenciarei uma reunião para vocês — disse o diretor.

O casal reuniu-se com o superintendente da escola particular e explicou a ele a situação. O homem não fez comentários. Não disse nem que sim nem que não. Ele apenas escutou. Quando terminaram de expor o argumento, ele disse:

— Entrarei em contato com vocês depois. — O casal deixou a reunião ainda declarando a graça de Deus. Estavam esperando obter uma resposta favorável, esperando que as coisas dessem uma reviravolta.

Mais ou menos um mês depois dessa conversa, receberam um telefonema da funcionária responsável pelas matrículas, a primeira mulher com quem tinham falado. Ela parecia perplexa enquanto dizia:

— Nos 15 anos que trabalho aqui, nunca fizemos isto. Nem mesmo sei por que estamos fazendo agora; mas vamos abrir uma exceção e permitir que o seu filho freqüente a escola neste período.

Meu amigo, essa é a recompensa de Deus. Os administradores da escola talvez não soubessem por que estavam fazendo aquilo, mas nós sabemos. Foi porque a graça de Deus nos cerca como um escudo. Não importa quais as circunstâncias da sua vida. Independentemente do número de pessoas que possam dizer que o que você está tentando não pode ser feito, se você persistir, declarando a graça de Deus e mantendo uma atitude de fé, Deus abrirá portas para você e mudará as circunstâncias a seu favor.

Se você persistir... Deus abrirá portas para você.

O quarto aspecto, e um dos mais importantes, para desenvolver uma nova visão na sua vida é *descobrir como experimentar mais a graça de Deus*. A Bíblia afirma claramente: "Deus nos coroou com glória e honra."[1] A palavra *honra* também poderia ser traduzida como "graça", e *graça* significa "ajudar, oferecer vantagens especiais e receber um tratamento preferencial". Em outras palavras, Deus quer tornar a sua vida mais fácil. Ele deseja ajudá-lo, fazê-lo progredir, oferecer-lhe benefícios. Quer lhe dar um tratamento preferencial. Mas para experimentar mais graças de Deus, precisamos viver mais voltados para a graça. Estar voltado para a graça simplesmente significa que esperamos a ajuda especial de Deus e estamos liberando nossa fé, sabendo que Ele deseja nos ajudar.

A vida inteira tive consciência da graça de Deus. Desde que meus irmãos e eu éramos pequenos, todos os dias antes de sairmos para a escola, nossa mãe rezava: "Pai, eu Lhe agradeço porque os seus anjos são responsáveis pelos meus filhos e porque a Sua mão de graça sempre estará sobre eles."

Por conseguinte, e digo isso com humildade, passei a esperar ser tratado de modo diferente. Aprendi a esperar que as pessoas quisessem me ajudar. Tenho a seguinte atitude: sou filho do Deus mais Elevado. O meu Pai criou todo o universo. Ele me coroou com graça e, portanto, posso esperar um tratamento preferencial. Posso esperar que as pessoas se esforcem ao máximo para querer me ajudar.

Por favor não interprete erroneamente o que estou dizendo. Não devemos de modo algum ser arrogantes, achando que somos melhores do que os outros, que todo mundo tem de fazer tudo por nós ou se curvar diante de nós. Mas na condição de filhos de Deus podemos viver com confiança e coragem, esperando que coisas boas aconteçam. Podemos esperar um tratamento preferencial, não devido a *quem* somos, mas devido *a quem* pertencemos. Podemos esperar que as pessoas queiram nos ajudar por causa de quem é o nosso Pai.

Tenho a profunda consciência de que recebi uma tremenda graça simplesmente devido a quem o meu pai terreno era. John Osteen era muito respeitado e altamente influente na comunidade. Era comum as pessoas fazerem coisas boas para mim apenas porque amavam meu pai. Certa vez, quando eu era adolescente, fui parado por um policial por estar dirigindo em alta velocidade. Eu tinha acabado de receber a carteira de motorista, e fiquei extremamente nervoso quando avistei aquelas luzes piscando atrás de mim e depois o sinistro policial assomando na janela do carro. Mas quando o policial viu a minha carteira, soube que eu era filho de John Osteen. Ele sorriu para mim como se fôssemos amigos que há muito não se encontravam e me deixou ir embora com apenas uma advertência.

Outra vez fui parado por um policial, bem perto da Lakewood Church, onde papai era o pastor principal. Eu vinha dirigindo rápido demais e, dessa vez, o policial não foi tão amigável. Ele parecia mau e o seu tom era grosseiro. Ele rosnou quando lhe entreguei a carteira de motorista. Simplesmente ficou olhando para ela por um intervalo de tempo que me pareceu uma eternidade. (Na verdade, foi apenas cerca de um minuto, mas para mim pareceu uma eternidade!) Jamais me esquecerei do que ele me disse e do jeito como pronunciou as palavras. O policial resmungou:

— Você é parente daquele ahn... daquele ahnn, daquele *pastor*?

Da maneira como cuspiu as palavras, eu não sabia se seria positivo ou não estar relacionado com papai. E não sei por que respondi do jeito que respondi, mas acho que foi porque eu estava nervoso. Sorri e respondi:

— Bem, seu guarda, aí depende.

Ele me fuzilou com os olhos e indagou:

— O que você está dizendo, garoto?

— Depende de se você gosta dele ou não — respondi.

Ele ficou olhando para cima por um longo tempo, pelo menos longo o suficiente para eu pensar: *Hummm, isso não é um bom sinal, já que ele precisa pensar a respeito.*

A seguir o policial olhou de novo para mim, deu um leve sorriso e disse:

— Gosto. Gosto bastante dele.

— Ótimo! — disse eu. — Porque ele é o meu pai e estou certo de que ele não iria querer que você me multasse. — Acredite ou não, o policial me deixou ir embora. Eu sabia que o dia de milagres não tinha terminado! É claro que estou querendo ressaltar que não recebi um tratamento preferencial por minha causa, mas devido ao meu pai.

Existe uma correlação na esfera espiritual. Não recebemos a graça por causa de quem ou do que somos. Não é porque somos algo especial pelo nosso merecimento ou merecemos ser tratados dessa maneira. Tampouco é porque somos melhores do que qualquer outra pessoa. Não, com freqüência você receberá um tratamento preferencial simplesmente porque o seu Pai é o Rei dos reis e a glória e honra Dele se derramarão sobre você.

Não obstante, por mais estranho que pareça, quando você vive voltado para a graça, declarando a bondade de Deus, ficará impressionado com o quanto as pessoas se esforçarão para ajudá-lo. Elas podem nem mesmo saber por que o estão fazendo, mas você saberá que é por causa da graça de Deus.

Um jovem e bem-sucedido homem de negócios pediu-me que rezasse com ele a respeito de uma entrevista de emprego que representava a chance de ele avançar, significativamente, na sua carreira. Um funcionário mais antigo havia pedido demissão, deixando vaga uma função importante em uma grande empresa. Numerosos executivos de destaque, altamente recomendados estavam vindo de todos os pontos do mundo para serem entrevistados para o cargo. O meu amigo admitiu que a maioria deles tinha muito mais experiência e era muito mais qualificada do que ele. Pelo menos no papel, o currículo deles parecia muito melhor. Não obstante, ele já tinha tido várias entrevistas com a empresa e no fim daquela semana teria a avaliação final.

Depois que rezamos, eu o estimulei: "Você precisa se levantar todos os dias e declarar que tem a graça de Deus. Independentemente de como a situação se apresentar, seja corajoso e afirme confiante que você tem a graça de Deus. O dia inteiro, declare: 'A graça de Deus está fazendo com que essa empresa queira me contratar. A graça de Deus está fazendo com que eu sobressaia na multidão. Ela está me fazendo brilhar acima dos outros.'" Eu disse ainda: "Faça a afirmação todos os dias. Permaneça em uma atitude de fé e espere conseguir o cargo."

Alguns meses depois, eu o vi na igreja, e ele estava radiante. Consegui perceber pela sua expressão que conseguira o emprego. Mais tarde, ao descrever a entrevista com os executivos da empresa, ele mencionou algo extremamente interessante. Ele disse. "Quando me apresentei diante da diretoria, eles estavam literalmente coçando a cabeça e me disseram: 'Não sabemos realmente por que o estamos contratando. Não era o mais qualificado. Você não era o mais experiente. Você não tem o melhor currículo, mas existe algo a seu respeito que nos agrada.' Os diretores completaram: 'Não conseguimos definir o que é. Não sabemos o que é, mas existe uma coisa em você que faz com que brilhe mais do que os outros.'"

Essa é a graça de Deus.

Declare a Graça de Deus

Deixe-me encorajá-lo a começar a esperar e declarar a graça de Deus na sua vida. Todas a manhãs, antes de sair de casa, diga algo assim: "Pai, sou grato por ter a Sua graça. A Sua graça está abrindo portas de oportunidade. A Sua graça está trazendo o sucesso para a minha vida. A Sua graça está fazendo com que as pessoas queiram me ajudar." Saia então confiante, esperando que boas coisas aconteçam e que portas que talvez não se abram para outra pessoa se abram para você, sabendo que você tem uma vantagem. Existe algo especial a seu respeito. Você tem a graça de Deus.

Quando for dormir, continue a agradecer a Deus e a declarar a graça e a bondade Dele na sua vida. Aprenda a declará-las em qualquer ocasião em que se veja em uma situação que precise de graça. Você não necessita fazer a declaração em voz alta para que todo mundo ouça. Pode sussurrá-la, se preferir. O volume da sua voz é irrelevante; é a sua fé que faz a diferença. Mesmo nos aspectos mundanos da vida, você não estará abusando da bondade de Deus ao declarar Sua graça. Ele quer que você aja motivado por ela. Por exemplo, você talvez se encontre em um restaurante lotado, com um problema de limitação de tempo, e precisa conseguir uma mesa o mais rápido possível. Você pode dizer: "Pai, eu Lhe agradeço pela graça que tenho com esta *hostess* e logo ela vai conseguir um lugar para mim."

Talvez você esteja procurando uma vaga em um estacionamento lotado. Diga: "Pai, eu Lhe agradeço por me guiar e orientar. A Sua graça fará com que eu consiga um bom lugar para estacionar."

"Mas e se eu fizer tudo isso e não conseguir uma vaga para o carro?", você pergunta.

Aí você sai e anda, e a cada passo agradece a Deus o fato de ser forte, saudável e ter a capacidade de andar. A Escritura promete o seguinte: "Todas as coisas concorrem para o bem daqueles que amam o Senhor."[2] Se você ama a Deus, Ele está acionando a vida a seu favor, e tudo acontecerá para o seu bem.

Há relativamente pouco tempo, Victoria, eu e nossos dois filhos fomos de carro até Hermann Park perto do centro de Houston. No entanto, quando chegamos lá, o lugar estava superlotado; pessoas e carros por toda parte! Não tínhamos nos dado conta, mas chegamos bem no meio do período de recesso escolar da primavera.

No início, parecia que não íamos encontrar um lugar para estacionar. Meia dúzia de carros estavam circulando no estacionamento, esperando que alguém saísse de uma vaga para que pudessem entrar. Eu estava me divertindo a valer com a minha família, de modo que disse para todo mundo no carro:

— Observem o papai. Vou conseguir uma vaga na primeira fila. Já consigo vê-la. Estou totalmente coberto pela graça de Deus!

Continuei dirigindo, realmente enfatizando que eu ia conseguir a vaga. Foi então que, para surpresa de todos, quando eu estava passando pela primeira fila de carros estacionados, um carro deu marcha a ré quando eu estava me aproximando. Foi quase como se tivéssemos sincronizado aquele momento; ele saiu e eu entrei na vaga. Praticamente nem tive de reduzir a velocidade. Era o melhor lugar do estacionamento.

Eu me inclinei sobre Victoria e gracejei:

— Victoria, chegue mais perto e retire um pouco dessa graça de mim. Não consigo suportá-la toda!

Victoria simplesmente revirou os olhos.

Eu me virei para o nosso filhinho e disse:

— Venha cá, Jonathan, toque no papai. Você precisa de um pouco desta graça. Pegue-a.

Ele olhou para mim e disse:

— Papai, você está realmente esquisito.

É bem verdade que a vida nem sempre funciona de uma forma tão conveniente. Nem sempre conseguimos o melhor lugar. Alguns meses atrás, encontrei-me em uma situação semelhante. Entrei em um estacionamento lotado com um monte de pessoas no carro. Eu estava bradando aos quatro ventos: "Tenho a graça de Deus. Vou conseguir uma vaga magnífica."

Mas nessa ocasião ninguém deu marcha a ré para eu entrar na vaga. Ficamos rodando em círculos até que 15 minutos depois desistimos, estacionamos bem mais longe e tomamos um ônibus de volta. Mas o fato de eu não ter conseguido o que queria não significa que vou deixar de acreditar na graça de Deus, porque sei que Deus tem em mente os meus melhores interesses e que Ele está acionando todas as coisas para o meu bem. Um atraso pode evitar que eu sofra um acidente ou fazer com que eu tope com alguém que precise de estímulo, alguém que necessite ver um sorriso. Independentemente do que acontecer ou deixar de acontecer, continue a acreditar na graça de Deus na sua vida.

Viva voltado para a graça. Levante-se todos os dias esperando e declarando o que você quer. Diga: "Eu tenho a graça de Deus." Não fique sentado passivamente. Faça a sua parte e Deus fará a Dele. E você poderá ter tudo que quiser.

Faça a sua parte e Deus fará a Dele.

CAPÍTULO 6

VIVENDO COM A GRAÇA DIVINA EM MENTE

Deus deseja ajudá-lo em todas as áreas da sua vida e não apenas nas grandes questões. Quando você viver voltado para a graça, começará a ver a bondade de Deus nos detalhes comuns e cotidianos, no supermercado, no campo de futebol, no shopping, no trabalho ou em casa. Você pode estar preso no trânsito. A pista do seu lado está andando bem, mas você não consegue entrar. Então, de repente, sem nenhuma razão aparente, uma pessoa reduz a velocidade e faz sinal para você entrar. Essa é a graça de Deus.

Você pode estar em uma fila enorme no caixa do supermercado e estar com pressa. Um caixa dá um tapinha no seu ombro e diz: "Venha comigo. Vou abrir mais um caixa ali adiante." Essa é a graça de Deus o ajudando. A graça divina faz com que outras pessoas lhe dediquem um tratamento preferencial.

Você pode estar almoçando fora quando "por acaso" dá de cara com alguém que você vem tentando encontrar. Talvez essa pessoa seja alguém que você admira ou com quem espera aprender alguma coisa, ou com quem gostaria de fazer negócio, mas que não vinha conseguindo contactar. Não se trata de uma coincidência e sim da graça divina fazendo com que você esteja no lugar certo na hora certa.

Quando esse tipo de coisa acontece, sinta-se grato. Não aceite a graça de Deus como um fato consumado. Diga: "Pai, obrigado pela Sua graça. Obrigado por me ajudar."

Não aceite a graça de Deus como um fato consumado.

Certo dia Victoria e eu fomos juntos ao shopping. Não sou consumista, mas minha mulher adora fazer compras! Ela escolheu alguns artigos em uma loja de roupas e eu as levei para o caixa para ela poder olhar outra coisa. Enquanto eu esperava no caixa, meio sonhando acordado, a mulher atrás do balcão sorriu e disse:

— Esta blusa vai entrar em liquidação mais para o fim da semana. Vou lhe dar o preço da oferta agora.

— Mesmo? Puxa, muito obrigado — disse eu. — É muito gentil da sua parte.

Quando começou a dobrar a blusa, ela notou outra coisa e disse:

— Veja só. — E apontou para a parte inferior da blusa. — Parece que ela tem uma marca. Se estiver com defeito, terei de lhe dar um desconto. O que você acha?

— É mesmo, nossa, está horrível — respondi.

— Bem, se estiver de acordo, vou lhe dar um desconto de 50 por cento — disse ela.

— Bem, para mim está ótimo! — disse eu.

Mais tarde eu disse a Victoria:

— Vou ter de sair mais vezes com você para fazer compras. Poderemos economizar algum dinheiro!

Essa é a graça de Deus. A balconista não tinha de nos oferecer o preço da oferta. Eu não teria sabido de nada. E ela não precisava dar o desconto no preço da blusa baseada em um pequeno defeito que eu só vira quando ela me chamou a atenção.

Mas quando você vive voltado para a graça, a Bíblia diz o seguinte: "As bênçãos de Deus o perseguirão e o alcançarão." Em outras palavras, você não conseguirá escapar das coisas boas de Deus. Aonde quer que vá, as coisas mudarão a seu favor. Sempre que se virar, alguém desejará fazer alguma coisa boa para você, ajudá-lo de alguma maneira. A pessoa poderá nem mesmo saber por quê. Mas é a graça de Deus que faz você sobressair na multidão.

Certa vez eu estava sentado em um avião que se preparava para decolar. De repente, ouvi meu nome sendo chamado no sistema de alto-falantes do avião e a comissária de bordo pediu-me que apertasse o botão de chamada para que ela pudesse me localizar. No início, fiquei assustado. Pensei que talvez eu tivesse deixado alguma coisa na área de segurança ou que algo estivesse errado.

A comissária veio pelo corredor, inclinou-se sobre mim e disse suavemente:

— Por favor venha comigo. Temos um lugar para o senhor na primeira classe.

As pessoas ao meu redor ficaram olhando, sem dúvida se perguntando: *Por que ele está sendo separado? O que está acontecendo com ele?*

Segui a comissária pelo avião e sentei-me na poltrona que ela indicou... na primeira classe. Mais tarde, durante o vôo, perguntei a ela:

— Por que você me escolheu?

Ela balançou a mão e disse:

— Oh, precisávamos de um lugar na classe econômica, de modo que o computador escolheu aleatoriamente o nome de uma pessoa para ir para a primeira classe.

Eu pensei: *Isso é o que você acha!* Eu sabia que tinha sido obra do meu Pai celeste conferindo-me um tratamento especial. Eu sabia que se tratava da graça de Deus fazendo com que eu me destacasse dos outros.

Esse é o tipo de coisa que acontece "naturalmente" quando vivemos voltados para a graça. É por esse motivo que devemos adquirir o hábito de declarar sistematicamente a graça divina sobre a nossa vida. E não simplesmente sobre a nossa vida, mas também sobre os negócios, os empregados, nossos filhos e família.

Se você trabalha em vendas, deve declarar que tem a graça com os seus clientes. Todos os dias deve dizer: "Pai, eu Lhe agradeço porque os meus clientes são leais a mim e querem fazer negócio comigo." Se trabalha no setor imobiliário, deve declarar a graça de Deus sobre a propriedade que quer vender: "Pai, eu Lhe agradeço porque essa propriedade será vendida. Eu Lhe agradeço porque a Sua graça está me conduzindo às pessoas certas. A Sua graça está fazendo com que as pessoas desejem comprar essa casa." Aprenda a declarar a graça de Deus sobre cada área da sua vida. Se não estiver experimentando tanta graça quanto desejaria, comece a declará-la com mais freqüência. Aplique-se mais em anunciá-la. E não é necessário dizê-la em voz alta; você pode pronunciá-la em um sussurro. Pode declará-la no carro quando estiver indo para o trabalho ou pouco antes daquela grande palestra. Lembre-se de que quanto mais voltado para a graça estiver, mais experimentará a graça de Deus.

Aprenda a declarar a graça de Deus sobre cada área da sua vida.

A graça de Deus pode fazer com que as pessoas abram exceções e modifiquem os critérios que aplicam, ou ainda que façam algo fora do comum, até mesmo uma coisa que nunca tenha sido feita antes. Há alguns anos, eu estava fazendo o *check-in* no aeroporto para um vôo internacional. Eu levava comigo uma dispendiosa câmera de televisão e realmente não queria fazer o *check-in* dela. Perguntei à mulher no balcão se haveria alguma possibilidade de eu incluir a câmera na minha bagagem de mão.

— Não, sinto muito — respondeu ela. — A nossa política é muito rígida. Se uma bagagem de mão não se encaixar debaixo do assento que está na frente do passageiro ou no compartimento superior, é preciso fazer o *check-in* dela.

Eu compreendi. Ela estava cumprindo as regras. Mas eu também sabia que a graça de Deus pode abrir exceções, de modo que respeitosamente perguntei a ela:

— Eu poderia falar com outra pessoa?

— Não, sinto muito; não adianta. Não há como o senhor levar a câmera como bagagem de mão — respondeu ela.

Nesse momento, um homem vestido com uniforme de piloto aproximou-se de mim. Eu não o conhecia, nunca o tinha visto antes, mas ele dirigiu-se direto a mim e me perguntou:

— Posso ajudá-lo?

— Estou tentando levar minha câmera junto comigo para bordo — respondi —, para que não seja jogada de um lado para o outro com a bagagem despachada.

— Para onde você está indo? — perguntou ele.

— Para Nova Déli, na Índia, vou encontrar-me com o meu pai — respondi.

— Mesmo? — comentou ele levantando as sobrancelhas. — Este é o meu vôo. — Acrescentando a seguir: — Quando você embarcar, leve a câmera para mim e eu a colocarei atrás da cabine do piloto.

A mulher atrás do balcão fuzilou-me com os olhos e balançou a cabeça, obviamente irritada. Eu apenas sorri e disse:

— Sinto muito minha senhora; é a graça divina.

A graça de Deus pode fazer com que as pessoas façam o possível para ajudá-lo. A graça de Deus pode fazer com que elas abram exceções para você. Pense nisso. O que fez aquele comandante se aproximar de mim no meio do movimentado aeroporto? Havia 15 ou vinte balcões de *check-in* e centenas de pessoas nas filas. Por que ele me escolheu?

A graça de Deus.

Deus estava me concedendo benefícios especiais, um tratamento preferencial, não porque eu fosse filho de um pastor, ou mesmo filho de um eminente pastor, e sim porque eu sou Seu filho! Deus quer fazer coisas semelhantes na sua vida.

Uma jovem mulher na Lakewood Church me contou um incidente no qual precisou se submeter a uma cirurgia de emergência, que por algum motivo não estava coberta pelo seguro-saúde. Assim sendo, ela ficou devendo 27 mil dólares. O hospital elaborou um plano de pagamento, e ela estava pagando a conta pouco a pouco a cada mês. Mas estava sendo realmente difícil. Na qualidade de mãe solteira, ela não podia arcar com aquela despesa adicional. Ela não saiu por aí se queixando de que a vida era difícil ou que era um absurdo o hospital cobrar tanto dela. Em vez disso, permaneceu em uma atitude de fé e expectativa positiva, declarando a graça de Deus em sua vida. Ela estava atenta à bondade de Deus.

Pouco antes do Natal, o hospital lhe mandou uma carta. Em resumo, a carta dizia o seguinte: "Escolhemos todos os anos algumas famílias e fazemos algo de bom para elas. E este ano escolhemos a senhora. Queremos informá-la de que estamos cancelando o seu débito de 27 mil dólares." A carta prosseguia dizendo: "Não apenas vamos perdoar sua dívida, como também vamos reembolsar os vários milhares de dólares que a senhora já nos pagou."

Essa é a graça de Deus.

Você poderá dizer: "Joel, tudo isso parece ótimo, mas você não conhece a minha sorte. Não tem conhecimento dos erros que cometi. Fiz muitas coisas erradas. Não consigo imaginar Deus querendo me abençoar dessa maneira."

Você está certo. Isso nunca vai acontecer — a não ser que você mude seu modo de pensar. Você precisa se voltar para a graça. Tem de começar a esperar que as bênçãos de Deus o alcancem e que a bondade de Deus se manifeste em sua vida de uma maneira diferente. Todos já cometemos erros e tivemos de pedir perdão. Depois de fazer isso, siga em frente, consciente de que Deus ainda quer derramar a graça Dele na sua vida e fazer coisas magníficas em você, através de você e para você.

Um Novo Começo

O segundo governante de Israel, o rei Davi, cometeu muitos erros. Ele cometeu adultério e até mesmo determinou que um homem fosse assassinado. Mas quando se arrependeu Deus o perdoou e lhe concedeu um novo começo. A Bíblia cumprimenta Davi, dizendo: "Ele era um homem segundo o coração de Deus."[1] Davi não se concentrou nas suas falhas nem nos erros que cometera. Em vez disso, viveu voltado para a graça. Foi Davi quem escreveu: "A bondade e a misericórdia me seguirão por todos os dias da minha vida."[2] Repare que ele estava esperando a bondade e a misericórdia todos os dias da vida e não parte do tempo. Gosto da tradução de *The Message* [A Mensagem]: "A doçura e a bondade de Deus me perseguem aonde quer que eu vá." A atitude de Davi era a seguinte: "Simplesmente não consigo escapar das coisas boas de Deus!"

Em vez de esperar sair sempre perdendo, por que não começar a esperar que as bênçãos de Deus irão persegui-lo? Em vez de esperar apenas sobreviver na vida, comece a esperar ser alcançado pela bondade de Deus. Você poderá dizer: "Tudo isso é ótimo, mas tenho muitos problemas. Estou enfrentando alguns momentos difíceis. Muitas coisas negativas estão acontecendo em minha vida."

A graça divina pode tirá-lo das suas dificuldades e dar uma reviravolta positiva nas adversidades. Davi disse o seguinte: "A graça de Deus impede que meus inimigos prevaleçam." A Bíblia está repleta de exemplos de pessoas que passavam grandes dificuldades quando a graça de Deus desceu sobre elas de uma nova maneira, e a situação delas sofreu uma completa reviravolta.

Pense em Noé enfrentando o maior desafio de sua vida. Todo o planeta estava prestes a ser destruído por um dilúvio e Deus lhe conferiu a colossal tarefa de construir um barco enorme, sem mencionar os animais que ele deveria recolher. Sem dúvida, Noé sentiu-se tentado a se deixar abater. No entanto, surpreendentemente, a Bíblia diz o seguinte: "Noé encontrou graça aos olhos de Deus."[3] Em outras palavras, Deus estava satisfeito com Noé, de modo que a graça de Deus caiu sobre ele de uma nova maneira, conferindo-lhe uma habilidade fora do comum. Deus o ajudou, e ele foi capaz de construir a arca e salvar a família, os animais e a si mesmo.

Pense em Rute. O seu marido havia morrido, a terra passava por uma terrível fome, e ela e a sogra, Naomi, não tinham o que comer. Estavam praticamente morrendo de fome. Rute foi todos os dias para o campo e seguiu os ceifeiros, apanhando os grãos que eles tinham deixado escapar. E a Bíblia indica que no meio dessa adversidade, Rute encontrou graça com o dono do campo.[4] Ele disse aos seus trabalhadores que deixassem de propósito punhados de grãos para Rute. Repare que mais uma vez a graça de Deus ocorreu durante a crise, e pouco tempo depois as circunstâncias de Rute e Naomi sofreram uma reviravolta, e as suas necessidades foram abundantemente supridas.

José é outro exemplo bíblico de alguém que encontrou a graça de Deus na adversidade. Ele foi vendido como escravo no Egito, maltratado e explorado.

Mas a Bíblia diz: "A graça de Deus estava sobre José."[5] Independentemente do que as outras pessoas faziam a ele e de onde o colocavam, ele continuava a prosperar. Até mesmo quando a mulher de Potifar mentiu a respeito dele, acusando-o injustamente de estupro, e ele foi jogado na prisão, ele continuou a ter sucesso. A graça de Deus finalmente fez com que José fosse libertado e colocado no comando de todos os assuntos agrícolas do Egito.

Em cada um desses exemplos, a graça de Deus surgiu no meio de uma provação, em um dilúvio, na presença da fome. A graça divina surgiu quando uma pessoa estava sendo maltratada. Em outras palavras, surgiu no meio dos desafios da vida. Quando estiver passando por momentos difíceis — quando, como José, estiver sendo maltratado, ou, como Rute, estiver tendo dificuldades financeiras, ou, como Noé, todo o seu mundo estiver desmoronando —, em vez de perder a coragem e adotar uma atitude amarga, mais do que nunca você precisa decidir se voltar para a graça divina. Comece a declarar a graça de Deus. Comece a esperar a sua graça.

Viva com uma Atitude de Fé

Alguém o está maltratando hoje? Comece a dizer: "Pai, eu lhe agradeço porque a Sua graça está vindo até mim de uma nova maneira e vai modificar a situação. Vai fazer com que essas pessoas comecem a me tratar bem."

Analogamente, se estiver com dificuldades financeiras, diga algo como: "Pai, eu Lhe agradeço por estar fazendo com que eu esteja no lugar certo no momento certo. O Senhor está atraindo para mim maravilhosas oportunidades financeiras."

Se viver com uma atitude de fé, assim como ocorreu com os santos de outrora, não demorará muito tempo para que a graça de Deus se manifeste, e a situação sofrerá uma mudança a seu favor. Pense em Jó. Ele passou por um dos momentos mais difíceis que uma pessoa poderia suportar. Em menos de um ano perdeu a família, o negócio e a saúde. Ele tinha furúnculos pelo corpo inteiro e sem dúvida vivia eternamente com dor. Mas no meio desse momento terrível, Jó disse: "Deus, eu sei que me concedeste graça."[6]

Agora, eis a parte incrível da história: o livro de Jó contém 42 capítulos. Jó fez essa declaração de fé no Capítulo 10. Ele só foi redimido, curado e libertado no Capítulo 42! No entanto, bem no início, quando as suas circunstâncias se mostravam sombrias e sem esperança, Jó levantou os olhos e declarou: "Deus, eu sei que me concedeste graça." Uau! Isso é que é a verdadeira fé. Jó estava dizendo: "Deus, não me importo com a aparência da situação. Não me importo com o fato de estar me sentindo muito mal. Sei que é um bom Deus e a Sua graça vai causar uma reviravolta nessa situação."

É de causar surpresa que Deus tenha devolvido a Jó o dobro do que ele tinha antes? É de causar surpresa que os seus inimigos não tenham conseguido prevalecer?

Meu amigo, se conseguir aprender a permanecer em uma atitude de fé e, nos piores momentos, corajosamente declarar a graça de Deus, nada será capaz de reprimi-lo. Hoje você pode se encontrar em uma situação aparentemente impossível de ser resolvida, mas não exclua a graça divina. Um mero toque de Deus pode causar uma reviravolta completa na sua vida.

Nada será capaz de reprimi-lo.

A Bíblia diz o seguinte: "Tenha esperança até o fim na graça divina que está vindo na sua direção." Em outras palavras, não desista. Continue a acreditar, a esperar, a declarar. Continue a viver voltado para a graça, e Deus promete que boas coisas virão até você. Se conservar a esperança no Senhor, a graça divina chegará. Você talvez não consiga vê-la agora. As coisas podem não parecer favoráveis, mas a boa notícia é que se você continuar a esperar e declarar a graça de Deus, ela aparecerá. E quando ela se manifestar, as coisas se modificarão. A graça divina fará você transcender os seus problemas e impedirá que seus inimigos o derrotem. Independentemente das circunstâncias, continue corajosamente a declarar: "Deus, sei que a Sua graça está vindo na minha direção."

Em 2001, queríamos expandir o alcance da nossa televisão em uma rede particular. Pedi ao homem que nos representa para entrar em contato com a rede e verificar a possibilidade de adquirirmos o horário de 11 horas da noite dos domingos.

— Joel, não há como. É uma rede nacional. Esse horário é valioso demais. Eles nunca abrirão mão dele — disse ele.

— Bem, a Bíblia diz: "Não temos porque não pedimos." Vamos, portanto, fazer uma tentativa — disse eu.

O nosso agente voou para a sede da rede de televisão e se reuniu com os executivos da empresa. Eles responderam como previsto:

— Não, esse horário é valioso demais. Não podemos cedê-lo para vocês. Terão de tentar outra coisa.

— Tudo bem. Vamos continuar a acreditar na graça de Deus — disse eu. Todos os dias eu declarava: "Pai, obrigado porque a Sua graça está vindo na minha direção, abrindo portas que os homens consideram impossíveis de abrir. Eu Lhe agradeço porque a Sua graça está fazendo com que essa empresa nos confira um tratamento preferencial." Passaram-se meses, e eles não entraram em contato conosco. Mas eu não desanimei. Não desisti. Simplesmente continuei a ter fé. Eu sabia que Deus prometera que se eu não desistisse, a graça divina estaria vindo na minha direção. Eu talvez não tenha sido capaz de enxergá-la, mas sabia que ela estava a caminho.

Mais ou menos seis meses depois recebi um telefonema do nosso representante. Ele disse:

— Alguma coisa deve estar acontecendo, porque a rede de televisão me pediu que voltasse lá para uma reunião.

— Ótimo — disse eu. — Mas devo lhe avisar que mudei de idéia. Não quero mais o horário das 11 horas. Quero o horário das dez horas, o subseqüente ao programa principal deles.

— Joel, você deve estar brincando — replicou, rindo, o nosso agente. — Você sabe o que eles vão responder quando eu lhes disser o que estou pleiteando?

— Escute — disse eu —, temos a graça de Deus. Deus está abrindo portas que nenhum homem consegue fechar. Você irá lá com confiança e coragem, sabendo que está envolto na graça de Deus.

— Muito bem. Farei o que você quer — disse ele, rindo.

Ele se reuniu com os executivos da rede de televisão e depois me telefonou.

— Joel, fiz o que pude. Esforcei-me ao máximo, mas mesmo assim eles recusaram a proposta — disse ele.

— Tudo bem. Vamos continuar acreditando. Sei que a graça de Deus está chegando. Sei que se eu não desistir, a graça de Deus dará um jeito — retruquei.

Cerca de um mês depois daquela reunião, o nosso representante nos telefonou. Ele estava simplesmente nas nuvens! E disse:

— Você nunca acreditará no que aconteceu. O dono da rede acaba de me ligar. Não estou me referindo ao representante de vendas e sim ao dono. Ele me localizou em um aeroporto e disse: "Ouça, sei que vocês estavam interessados naquele período de domingo à noite e eu realmente gosto do jovem pastor. Portanto, mandei que liberassem o horário especialmente para vocês. Podem começar quando quiserem."

Meu amigo, essa é a graça de Deus. Nunca desista Dele. A Bíblia diz: "Se tiverdes esperança até o fim, a graça divina chegará."[7]

Quando realmente compreender que essa graça está disponível para você, viver com confiança se tornará muito mais fácil. Você ousa ser corajoso. Você pedirá coisas que normalmente não pede. E encarará as adversidades de modo diferente. Bem no fundo você saberá que possui uma vantagem na vida, que tem um trunfo. Você tem a graça de Deus.

SEGUNDA PARTE

DESENVOLVA UMA AUTO-IMAGEM SAUDÁVEL

CAPÍTULO 7

QUEM VOCÊ ACHA QUE É?

Segundo os padrões normais, Carly não deveria ter conseguido. Gorda, com uma perna ligeiramente mais curta do que a outra devido a um acidente na infância, Carly era a única mulher empregada em um campo amplamente dominado pelos homens. Quase todos os dias ela tinha de conquistar o direito de ser ouvida. Algumas pessoas riam de sua aparência ou de seu andar defeituoso; algumas faziam comentários depreciativos pelas suas costas, outras eram desatenciosas na frente dela, mas Carly praticamente não dava atenção a nada disso. Ela sabia quem era e sabia que era capaz no que fazia, de modo que quando outras pessoas tentavam humilhá-la ela considerava o problema como sendo delas. "Emocionalmente incapacitados", Carly freqüentemente gracejava a respeito dos que a caluniavam.

Apesar de os fatores conspirarem contra ela, Carly continuou a receber uma promoção após outra, finalmente tornando-se executiva principal da empresa e uma especialista altamente procurada em sua área. Como ela conseguiu?

O segredo de Carly é a sua auto-imagem incrivelmente positiva. Cristã devota, Carly acredita que foi feita à imagem de Deus e que Ele confere um valor intrínseco à sua vida. Ela não se esforça para conseguir a aprovação das outras pessoas nem depende dos elogios dos superiores ou colegas para sentir-se bem a respeito de si mesma. Inteligente, cordial, eloqüente e extremamente competente no trabalho, Carly vive a vida sorrindo. Enquanto outros balançam a cabeça assombrados com a sua atitude, Carly está vivendo a melhor vida possível agora! Carly sabe que o momento é este!

Uma Auto-imagem Saudável

O segundo passo para viver o melhor possível agora é *desenvolver uma auto-imagem saudável*. Isso significa que você precisa fundamentar sua auto-imagem no que a Palavra de Deus diz a seu respeito, em vez de baseá-la em padrões falsos e instáveis como o bairro onde mora, o estilo de carro que dirige ou a opinião de grupos poderosos dentro da empresa. Como você se vê e como se sente com relação a si mesmo exercerá um tremendo impacto na distância que você percorrerá na vida e no fato de realizar ou não o seu destino. A verdade é que você nunca se erguerá acima da imagem que tem de si mesmo na sua mente.

Você nunca se erguerá acima da imagem que tem de si mesmo na sua mente.

O que é a auto-imagem? Devido ao novo interesse pela autoconsciência hoje em dia, é fácil confundir-se com a terminologia. A *auto-imagem* é a mesma coisa que a *auto-estima* e o *conceito pessoal*. Como posso medir o *valor pessoal?* Embora os psicólogos clínicos gostem de separar as leves diferenças nos significados efetivos, quase todo mundo usa de forma intercambiável as palavras *auto-imagem, auto-estima, conceito pessoal* e *valor pessoal*. Esta opção está perfeita para os nossos propósitos.

A *auto-estima,* portanto, é o profundo sentimento que você nutre a respeito de si mesmo. É como você se considera, a sua opinião ou julgamento a respeito do seu valor, o quanto você acha que é importante na vida. É o sentimento que diz: “Eu gosto de mim” ou “Eu não gosto de mim”. Analogamente, a *auto-imagem* se parece muito com um auto-retrato; ela é quem e o que você imagina que é. Curiosamente, a sua auto-imagem pode ou não ser um reflexo preciso de quem você realmente é, mas é como você *percebe* a si mesmo. Quem você acha que é?

Incontestavelmente, a auto-imagem saudável é um dos principais fatores do sucesso e da felicidade de qualquer pessoa. A razão pela qual seu conceito pessoal é tão importante é a seguinte: você provavelmente falará, agirá e reagirá como a pessoa que você *acha* que é. Os psicólogos demonstraram que sistematicamente nos conduziremos de maneira compatível com a imagem que temos de nós mesmos. Claro que mesmo com um conceito pessoal negativo, você pode de vez em quando quebrar o padrão e fazer um grande negócio ou conquistar um novo amigo. Inversamente, até mesmo as pessoas com uma auto-imagem saudável cometem erros de vez em quando. No entanto, de um modo geral, sua mente completará a imagem que você diz a ela que pinte de você.

Se você se vir como incompetente, insignificante, sem atrativos, inferior ou inadequado, provavelmente agirá de acordo com os seus pensamentos. Se o seu valor pessoal é baixo, você se imaginará como um perdedor nato, um total fracasso, indigno de ser amado e aceito.

"Nunca consigo fazer nada direito."

"Por que eu?"

"Nunca vou dar em nada."

Essas são apenas algumas das frases que dominam as conversas da pessoa com baixa auto-estima. Por outro lado, as que se enxergam como Deus as vê sentem-se geralmente felizes com relação a si mesmas. Sabem que foram criadas à imagem de Deus e que Ele as coroou com imensa honra.[1] Elas se sentem bem em relação a si mesmas, porque sabem que Deus as ama e que Ele se sente bem em relação a elas! E podem dizer com sinceridade: "Obrigado, Pai, por ter me criado como criou. Eu sei que há um propósito e um plano para mim, e prefiro ser eu mesmo do que qualquer outra pessoa na terra. O Senhor prometeu que tem boas coisas reservadas para mim e não consigo esperar para descobri-las!"

A auto-imagem não é uma parte física do corpo. Ela é mais um "comandante" subconsciente que controla as ações e o desempenho. Ela funciona de uma maneira semelhante ao piloto automático de um automóvel. Quando ele é definido em 110 quilômetros por hora, o carro pode acelerar ou reduzir a velocidade ao deparar com diferentes características no terreno, mas o piloto automático sempre levará o veículo de volta à velocidade estabelecida. Analogamente, quando você excede as expectativas ou avança um pouco demais, sua auto-imagem volta a alinhá-lo. Se você cai abaixo da configuração, sua auto-imagem o levanta.

Onde você obteve a auto-estima? Ironicamente, a auto-imagem atual pode ser o resultado de coisas que outras pessoas disseram a seu respeito, de como seus pais ou colegas o viam, ou pode ter origem em imagens que você se impôs — retratos que pintou mentalmente de si mesmo relacionados com a sua personalidade, sua aparência, suas habilidades ou realizações. Toda pessoa tem uma imagem própria. A questão é: a imagem que você tem de si mesmo corresponde corretamente à pessoa que Deus diz que você é?

Deus deseja que tenhamos uma auto-imagem saudável e positiva, que nos vejamos como tesouros inestimáveis. Ele quer que nos sintamos bem com relação a nós mesmos. Deus sabe que não somos perfeitos, que todos temos defeitos e fraquezas; que cometemos erros. Mas a boa notícia é que Deus nos ama mesmo assim. Ele nos criou à Sua imagem, e Ele está continuamente nos moldando, adequando-nos à Sua natureza, ajudando-nos a ficar mais parecidos com a pessoa que Ele é. Por conseguinte, precisamos aprender a amar a nós mesmos, com todos os nossos defeitos, não apenas por sermos egoístas ou porque queremos justificar nossas deficiências, mas porque é assim que o nosso Pai celeste nos ama. Você pode erguer a cabeça e andar confiante sabendo que Deus o ama incondicionalmente. O amor Dele por você se baseia em quem você é e não no que você faz. Ele o criou como uma pessoa única — nunca houve nem nunca haverá outra pessoa exatamente igual a você, mesmo que tenha um irmão gêmeo — e o vê como a Sua obra-prima especial!

Além disso, Deus o vê como um campeão. Acredita em você até mais do que você acredita em si mesmo! Com freqüência, sentimos que Deus está nos dizendo que tem algo magnífico para nós. Mas devido a uma auto-imagem insatisfatória, dizemos: "Deus, não posso fazer isso. Eu não sou ninguém. Tem de encontrar alguém mais qualificado, mais instruído. Deus, não tenho o que é preciso."

Foi assim que um homem chamado Gideão respondeu nos tempos bíblicos. Um anjo apareceu para ele e disse: "O Senhor está consigo, poderoso homem valente." (A Bíblia ampliada diz: "És um homem poderoso de impávida coragem.")

Acredite ou não, é assim que Deus também o vê. Ele o considera uma pessoa forte, corajosa, bem-sucedida e triunfante.

"Joel, Ele não diria isso a meu respeito", você talvez esteja dizendo.

"Não sou nada disso. Não sou forte. Não sou bem-sucedido. Corajoso? Você está brincando. Eu? Deus provavelmente disse essas coisas magníficas para Gideão porque ele era seguro e confiante, e um grande líder."

Não é verdade. Quando o anjo prosseguiu e disse a Gideão que Deus queria que ele salvasse o povo de Israel dos midianitas, um povo cruel e pagão que invadira a terra deles, Gideão revelou sua verdadeira natureza, replicando: "Como esperas que eu salve o povo de Israel? Venho da família mais pobre de Manassés. E sou o menos importante na casa do meu pai."

Soa familiar?

Mas é interessante observar a diferença entre a maneira como Gideão via a si mesmo e o modo como Deus o enxergava. Embora Gideão se sentisse inadequado, cheio de medo e nem um pouco confiante, mesmo assim Deus se dirigia a ele como um homem poderoso de impávida coragem. Gideão se sentia fraco; Deus o via como sendo forte. Gideão se sentia incompetente; Deus o via como uma pessoa suficientemente confiante e corajosa para liderar o Seu povo em combate e sair vitorioso. E Gideão conseguiu!

Analogamente, Deus o enxerga como um campeão. Você talvez não se veja dessa maneira, mas isso não muda nem um pouco a imagem que Deus tem de você. Ele ainda o vê exatamente como a Palavra Dele o descreve. Você pode se sentir incompetente, inseguro ou esmagado pela vida; pode se sentir fraco, atemorizado e insignificante, mas Deus o vê como uma pessoa vitoriosa!

Modifique a Sua Auto-imagem

Pense no seguinte: é possível modificar a imagem que se tem de si mesmo. Como? Comece por concordar com Deus. Lembre-se de que Deus o vê como uma pessoa forte e corajosa, como um homem ou uma mulher de grande honra e coragem. Ele o vê como sendo mais do que um conquistador. Comece a ver a si mesmo como Deus o vê. Pare de arranjar desculpas e comece a agir com fé, a fazer o que Deus o chamou para fazer.

Você está permitindo que as suas fraquezas e inseguranças o impeçam de ser o seu melhor? Está arranjando desculpas para não poder assumir uma nova posição de liderança no trabalho, envolver-se em um programa na sua igreja, servir a comunidade ou ajudar um amigo necessitado? Repare que Deus não desqualificou Gideão, mas tampouco o isentou do serviço. Você talvez esteja permitindo que seus sentimentos de inadequação o impeçam de acreditar que Deus é capaz de coisas magníficas. Deus o quer como Seu instrumento apesar de suas fraquezas. Não se concentre nelas e sim no seu Deus. Se Ele quisesse usar apenas pessoas perfeitas, não teria a quem recorrer.

Não se concentre em suas fraquezas e sim no seu Deus.

Deus adora utilizar pessoas comuns como você e eu, com todos os nossos defeitos, para fazer coisas extraordinárias. Você talvez não se sinta capaz de contar apenas com a sua força, mas isso é aceitável. O apóstolo Paulo disse: "Quando somos fracos, Ele é forte."[2] A Palavra de Deus afirma que Ele sempre nos faz triunfar. Deus espera que vivamos vitoriosamente. Ele não fica satisfeito quando ficamos deprimidos com uma atitude de "coitadinho de mim" e uma mentalidade de "o pior dos vermes". Ao fazer isso, você está permitindo que a sua auto-imagem seja moldada por conceitos não-bíblicos contrários à opinião que Deus tem de você.

No entanto, muitas pessoas fazem exatamente isso. Por conseguinte, sofrem de uma baixa auto-estima; sentem-se insignificantes e indignas de receber a atenção de Deus, que dirá as Suas bênçãos. Esse tipo de auto-imagem insatisfatória as impede de exercer as dádivas e a autoridade que Deus lhes deu, e as priva de viver a vida abundante que seu Pai celeste quer que elas vivam. Na maioria das vezes, a ausência de alegria e significado na vida dessas pessoas é um resultado direto da maneira como elas vêem a si mesmas.

Evite adotar a atitude ou associar-se a pessoas cuja perspectiva negativa e falta de auto-estima o privarão da grandeza que Deus tem para você. Um exemplo clássico do que estou dizendo está registrado no Antigo Testamento, depois que Deus ajudou Moisés de uma forma sobrenatural a livrar da escravidão mais de dois milhões de hebreus no Egito. Eles viajaram por todo o deserto e chegaram à fronteira de Canaã, a terra onde jorravam leite e mel. E acamparam perto da Terra Prometida, a "Terra dos Sonhos" de Deus para eles. Deus prometera ao Seu povo ricas propriedades e um futuro fantástico. Só havia um problema: a Terra dos Sonhos já estava habitada.

Ciente de que talvez estivessem prestes a se envolver em uma luta árdua, Moisés enviou 12 espiões a Canaã para investigar a oposição e sentir a terra antes de iniciar a batalha. Passadas seis semanas, os batedores voltaram com o relatório.

— Ela é exatamente como ouvimos falar! — informaram eles ao grupo que os recebeu.

— Amém! — as pessoas disseram.

— Trata-se de fato de uma terra onde jorram o leite e o mel — prosseguiram os espiões. — Olhai para estas romãs! São as maiores e mais saborosas que já vimos. Provai também um pouco deste mel. Não é impressionante?

— Amém! — as pessoas disseram.

A seguir vieram as más notícias.

— Mas há gigantes na terra e, em comparação com eles, parecemos um aglomerado de gafanhotos.

E todas as pessoas disseram:

— Oh, que pena!

Dez dos 12 espiões disseram:

— Trata-se de fato de uma terra onde jorram leite e mel, mas não temos a menor chance. Nunca conseguiremos derrotar essas pessoas. Elas são grandes e fortes demais. — Além disso prosseguiram dizendo —, Moisés, na nossa visão éramos gafanhotos. — Observe esta frase: "na nossa visão". Em outras palavras, em comparação com a oposição e os obstáculos que tinham diante deles, a imagem mental que faziam de si mesmos era a de gafanhotos pequenos, fracos, prontos para serem esmagados, indefesos diante dos gigantes que se contrapunham a eles.

Esses dez espiões voltaram com um relato negativo porque se concentraram nas circunstâncias. Perderam a batalha mesmo antes de ela começar. Mas os outros dois espiões, Josué e Calebe, apresentaram um relatório completamente diferente. Eles possuíam os mesmos dados que os seus dez companheiros, mas era quase como se tivessem ido a um lugar diferente.

— Moisés, somos perfeitamente capazes de tomar posse da terra — disseram eles. — Sem dúvida, ela está povoada por gigantes, e eles são descomunais, mas o nosso Deus é muito maior. Sem dúvida o povo é forte, mas o nosso Deus é mais forte. Por causa Dele, somos capazes de vencer. Avancemos de imediato e tomemos posse da terra.

Que verdade estupenda! Você e eu somos pessoas "perfeitamente capazes". Não porque *nós* somos muito poderosos, mas porque o nosso Deus é muito poderoso! Quando enfrentamos a adversidade e as dificuldades da vida, podemos nos levantar com coragem e confiança, sabendo que, por causa de Deus, somos perfeitamente capazes de superá-las.

Josué e Calebe não eram ingênuos. Eles se viram diante dos mesmos fatos que os outros espiões. Admitiram a existência dos gigantes, da oposição e dos obstáculos, mas a diferença residia na sua atitude. Eles acreditavam em Deus. A auto-imagem deles era tal que se recusavam a se ver como gafanhotos prestes a serem esmagados. Em vez disso, eles se viam como homens de Deus, liderados e fortalecidos por Ele. Josué e Calebe tinham os mesmos dados que os céticos, mas tiraram conclusões diferentes.

Meu amigo, Deus já tem "gafanhotos" demais. Ele quer que você seja uma pessoa "que pode fazer as coisas", alguém que esteja disposto, pronto e "perfeitamente capaz" de fazer o que Ele ordenar.

Infelizmente, de todas as pessoas que saíram do Egito, somente dois homens, Josué e Calebe, entraram na terra que Deus planejara para eles. Os outros (com exceção de Moisés e Aarão) foram uma vergonha para Deus;

eles O desonraram e, como resultado, passaram o resto da vida vagando em círculos pelo deserto, até que finalmente morreram. A sua falta de fé e de auto-estima privou-os do futuro produtivo que Deus tinha reservado para eles.

Lembre-se de que Deus já tinha garantido a vitória aos hebreus, mas por causa das suas auto-imagens insatisfatórias, eles nunca chegaram à Terra Prometida. Nunca realizaram o seu destino, tudo devido à maneira como se viam.

Como você vê a si mesmo? Bem-sucedido? Saudável? Otimista? Feliz? Você se vê sendo usado por Deus? Você se vê como "perfeitamente capaz" de fazer o que Ele quer que você faça, forte no Senhor e no poder Dele? Ou se permitiu adotar uma "mentalidade de gafanhoto"?

A mentalidade do gafanhoto diz o seguinte: "Nunca vou vencer na vida. Meus sonhos nunca se tornarão realidade. Meu casamento está acabado. Estou endividado demais. Nunca vou sair do buraco em que me meti."

Você precisa aprender a eliminar esses pensamentos negativos e começar a ver a si mesmo como Deus o vê: um vencedor, um vitorioso. Ele o vê como sendo "perfeitamente capaz". Se você deseja que as circunstâncias mudem para melhor na sua vida, precisa vê-la se modificando através dos seus "olhos de fé". Você precisa se ver como uma pessoa feliz, realizada e bem-sucedida que vive uma vida vitoriosa.

Veja a si mesmo como Deus o vê: um vencedor, um vitorioso.

Entenda que você não é um acidente cósmico que vaga ao acaso e sem rumo pela vida. Deus tem um propósito específico para a sua vida. A intenção Dele não era que você atravessasse a vida se sentindo miserável, deprimido, solitário, doente e derrotado. Você pode estar tão abatido pelos conflitos da vida que se acostumou a ficar desanimado. Talvez tenha sido enganado e convencido a aceitar uma vida bem inferior à melhor que Deus tem para você. Talvez tenha havido uma época em que teve uma boa imagem de si mesmo, mas agora só se vê como um simples sobrevivente. A imagem que Deus quer que você tenha de si mesmo foi distorcida; os espelhos nos quais você se olhou — refletido nas palavras, ações ou opiniões de seus pais, colegas ou de pessoas que o magoaram — ficaram rachados demais, e exibem uma imagem retorcida e distorcida de você. Quando você aceita essa imagem deformada, se abre à depressão, à pobreza e a coisas piores. Se não tomar cuidado, dentro em breve começará a achar que a imagem que você vê nesses espelhos rachados é um reflexo verdadeiro da maneira como a vida deve ser. Você deixará de esperar coisas melhores. Não esperará as bênçãos e os triunfos de Deus. Vagará ao acaso pela vida, aceitando o que aparecer, fazendo hora até morrer.

Mas, meu amigo, essa não é a intenção de Deus para você! Deus é um Deus bom, e Ele dá coisas boas para os Seus filhos. Independentemente de quem o tenha denegrido ou do quanto tenha sofrido na vida, você não pode se permitir aceitar que essa é a maneira como a vida deve ser. Não, Deus tem coisas melhores reservadas para você. Você precisa reprogramar a sua mente com a Palavra de Deus; mudar essa auto-imagem negativa, derrotista, e começar a ver a si mesmo como um vencedor, alguém que chega em primeiro lugar. Comece a ver seu casamento restaurado, seu negócio prosperando, seus filhos desfrutando as dádivas de Deus. Você precisa ver todas essas coisas através dos olhos de fé e então tudo começará a acontecer.

Aprenda a proteger sua mente, controlar seus pensamentos e começar a conviver com as coisas boas de Deus. Se você sempre pensar de uma forma limitada, acreditar pouco e esperar menos ainda, certamente receberá pouco. E se ficar pensando sempre na derrota, no fracasso, em como você é fraco e em como as circunstâncias parecem insolúveis, exatamente como no caso dos dez espiões dos tempos bíblicos, você desenvolverá uma "mentalidade de gafanhoto".

Certo rapaz me disse:

— Joel, meus avós eram pobres e, antes deles, meus bisavós já viviam na pobreza. Os meus pais tampouco conseguiram muita coisa na vida. Acho que essa também é a minha sorte.

Essa é uma mentalidade de gafanhoto.

— Não, você precisa escapar dessa mentalidade de pobreza e modificar essa auto-imagem negativa — eu lhe disse, estimulando-o. — Não deixe que o passado determine seu destino ou influencie sua auto-imagem. Veja a si mesmo como Deus o vê. Imagine-se vivenciando as coisas maravilhosas que Deus tem reservadas para você.

Como mencionei anteriormente, meu pai foi criado em uma das famílias mais pobres de colhedores de algodão, que perderam tudo que tinham durante a Grande Depressão no final da década de 1920 e no início da década de 1930. No entanto, em 1939, aos 17 anos de idade, meu pai entregou o seu coração a Deus. Anos mais tarde, ele me disse: "A partir daquele momento, tomei a decisão de que os meus filhos e a minha família nunca teriam de experimentar a pobreza e a penúria na qual eu fui criado." E começou a ver a si mesmo de um modo diferente. Parou de se ver como um pobre e derrotado filho de agricultor desprovido de esperança, instrução e de um futuro. Em vez disso, começou a se ver como filho de Deus, o Altíssimo. E passou a estudar a Escritura para ver o que Deus dizia a respeito dele.

Papai compreendeu que Deus tinha planos maiores para a sua vida. No decorrer dos anos, passou a ter um entendimento melhor de quem ele era como um filho de Deus e o que por direito lhe pertencia em decorrência desse relacionamento. Começou a se ver como Deus o via. Descobriu que Deus era um Deus de acréscimo. Com essa verdade em mente, papai subiu acima do *status quo* dos seus dias e rompeu a maldição de pobreza na nossa família. Mas tudo começou quando teve a visão de quem ele era aos olhos de Deus. Não é de estranhar que ele erguesse a Bíblia em todos os serviços e dissesse: "Esta é a minha Bíblia. Eu sou o que ela diz que eu sou. Eu tenho o que ela diz que eu tenho."

Você talvez ficasse surpreendido se realmente entendesse o quanto Deus deseja abençoá-lo. Deus quer que você realize grandes coisas na vida. Quer que você deixe sua marca no mundo. Ele colocou em você um potencial, dons e talentos incríveis, prontos para serem usados quando você começar a ver a si mesmo como Deus o vê, avançando com fé e se deixando guiar pelos sonhos e desejos que Ele colocou em seu coração.

É emocionante, não é mesmo? Você está começando a se ver como Deus o vê. Está se libertando da mentalidade de gafanhoto. É bem verdade que você talvez tenha alguns grandes obstáculos no seu caminho, mas o seu Deus é muito, muito maior. Você é uma pessoa "que pode fazer as coisas". E está desenvolvendo uma atitude "perfeitamente capaz", vendo a si mesmo como o vencedor que Deus o criou para ser. Continue a avançar; continue a crescer. Deus tem muito mais coisas reservadas para você!

CAPÍTULO 8

ENTENDENDO O SEU VALOR

O meu pai foi a um jogo de futebol americano do ensino médio com um querido amigo nosso chamado Jesse. O filho de Jesse, Jeff, jogava na defesa, de modo que poucas vezes tocou na bola durante o jogo. Mas em uma jogada particular, um dos jogadores deu um chute curto e Jeff a interceptou. Ele correu, pegou a bola, deu meio passo à direita e meio passo para trás à esquerda, olhando em todas as direções, procurando a luz do dia. Mas não havia espaço para ele correr. Foi quando dez caras do time contrário caíram em cima dele. Quero dizer, ele não avançou a bola nem um centímetro.

Durante um longo e embaraçoso momento, papai ficou sentado em silêncio olhando para o campo enquanto o árbitro desenredava a pilha de jogadores amontoados sobre Jeff. O meu pai estava se sentindo mal por causa de Jesse e estava tentando pensar em algo bom para dizer, mas a jogada tinha sido um desastre. Nem mesmo papai estava conseguindo conceber algo positivo. Mais ou menos nesse momento, Jesse deu um soquinho nas costelas do meu pai. Ele tinha um grande sorriso no rosto enquanto fazia um movimento com a cabeça na direção do campo onde Jeff estava começando a ficar em pé. Jesse disse: "Pastor, você viu aquelas duas grandes jogadas?" Somente um pai amoroso poderia ver duas jogadas boas do filho em vez do fato de que ele fora agarrado por todo mundo, exceto as chefes de torcida!

Deus Vê as Nossas Duas Boas Jogadas

Mas, meu amigo, é assim que o nosso Pai celeste olha para nós. Ele não se detém nos momentos em que somos derrubados nem nos nossos defeitos.

Não, Deus vê as nossas boas jogadas; e se concentra nas coisas que você está fazendo direito; Ele enxerga o que há de melhor em você. Você talvez nem sempre controle o seu gênio como deveria. Ou pode escorregar e dizer coisas que gostaria de não ter dito. Procure o perdão de Deus e de qualquer pessoa que possa ter ofendido, mas não ande por aí se recriminando, vivendo na culpa. Enquanto estiver avançando e progredindo, você pode erguer bem alto a cabeça, sabendo que é uma "obra em andamento", e Deus está modificando você. Ele está olhando para as suas boas jogadas.

Não estou dizendo que devemos tolerar as transgressões, mas a verdade é que todos temos áreas que precisamos melhorar. Não podemos ficar tão concentrados nas nossas falhas a ponto de deixar de desfrutar quem Deus nos criou para ser. Você precisa ser feliz com quem você é agora e aceitar a si mesmo, com defeitos e tudo o mais.

Um fator importante para que você se veja como Deus o vê é compreender seu senso de valor intrínseco, quer faça jogadas certas ou erradas. Com excessiva freqüência nos concentramos nos nossos defeitos, fraquezas, erros do passado e fracassos. A rejeição e outras experiências dolorosas roubam a auto-estima e nos fazem sentir-nos desprezados e inseguros.

O senso de valor não pode se basear nas realizações, na qualidade do seu desempenho, na maneira como outra pessoa o trata ou na sua popularidade ou sucesso. O seu senso de valor deve se basear exclusivamente no fato de que você é um filho de Deus, do Altíssimo. Na qualidade de criação única Dele, você tem algo a oferecer ao mundo que ninguém mais tem, que ninguém mais pode ser.

É vital que você se aceite e aprenda a ser feliz com quem Deus o criou para ser. Se realmente quiser desfrutar a vida, você precisa estar em paz consigo mesmo. Muitas pessoas se sentem constantemente mal a respeito de si mesmas. Elas se criticam exageradamente, vivendo com os mais diversos tipos de culpa e condenação que impõem a si mesmas. Não é de admirar que não sejam felizes; uma guerra está sendo travada no seu íntimo. Elas não estão em paz consigo mesmas. E se você não pode se dar bem consigo mesmo, jamais se dará bem com outras pessoas. A maneira ideal de começar é sendo feliz com quem Deus o criou para ser.

Aprenda a ser feliz com quem Deus o criou para ser.

Você pode não ser perfeito — ninguém é! Claro que você tem alguns defeitos — todos nós temos! Mas para ser realmente livre, você precisa ter um respeito saudável por si mesmo apesar dessas "imperfeições".

Algumas pessoas estão sempre se rebaixando. "Sou muito lento." "Nunca vou conseguir quebrar esses maus hábitos." "Não sou atraente. Olhe só o meu nariz; que jeito eu posso dar no meu cabelo?"

Não seja tão duro consigo mesmo! Claro que você pode não estar feliz com algumas coisas na sua vida; por isso talvez precise quebrar alguns hábitos. Mas lembre-se de que Deus não parou de lidar com você. Ele o está modificando.

A Escritura diz que somos obra de Deus.[1] A palavra *obra* implica que você não é um produto acabado; é um "trabalho em andamento". No decorrer da vida, Deus está continuamente moldando e nos transformando nas pessoas que Ele quer que sejamos. A chave para o futuro sucesso é não se deixar desencorajar por causa do passado ou presente enquanto se está passando pelo processo de ser "completado". A Bíblia indica que vamos de glória em glória enquanto somos transformados na imagem de Deus.[2] Quer você perceba ou não, neste exato momento, Deus o está conduzindo na direção de coisas maiores. O caminho dos justos brilha cada vez mais.[3]

Quando você se vir tentado a se deixar abater, lembre a si mesmo que, de acordo com a Palavra de Deus, o futuro está ficando mais brilhante; você está a caminho de um novo nível de glória. Você talvez pense que tem um longo caminho a percorrer, mas precisa olhar para trás e contemplar o quanto já caminhou. Você talvez não seja tudo que deseja ser, mas pelo menos pode agradecer a Deus por não ser o que costumava ser.

O nosso valor é intrínseco. Não é algo que você ou eu tenhamos conquistado; na verdade, não podemos conquistá-lo. Deus inseriu valor em nós quando nos criou. Para Deus, somos a Sua suprema criação, o que significa que você pode parar de ficar obcecado pelos seus defeitos e dar a si mesmo uma chance. Todo mundo possui fraquezas. Até mesmo os grandes homens e mulheres da Bíblia cometeram erros. Todos tinham deficiências, mas este fato não impediu que Deus os amasse, os abençoasse e os usasse para realizar grandes proezas. Além disso, precisamos aprender a pensar nos nossos defeitos de uma maneira sensata e razoável. Você pode achar que há muitas coisas erradas a seu respeito, mas também existem muitas coisas certas.

A grande novidade é que Deus conhece tudo a seu respeito, tanto as coisas boas quanto as más, e Ele ainda o ama e o valoriza incondicionalmente. Deus nem sempre aprova nosso comportamento. Ele não fica satisfeito quando contrariamos a Sua vontade, e quando fazemos isso sempre sofremos as conseqüências e temos de trabalhar com Ele para corrigir nossos pensamentos, ações ou atitudes. E embora você deva se esforçar para melhorar nas áreas em que tem deficiências, nada que você fizer jamais fará com que Deus o ame menos... ou mais. Esse amor é uma constante com a qual você pode contar.

Entenda que seu valor aos olhos de Deus nunca muda. Algumas pessoas querem que pensemos que no momento que fazemos uma coisa errada ou nos desviamos no caminho, nosso nome é cortado por um grande marca-texto, da lista de Deus que diz: "Eu sabia que eles não conseguiriam fazer aquilo. Eu sabia que não tinham as condições necessárias." Não, Deus é um Deus que perdoa, que oferece uma segunda chance. Não importa o número de vezes que você o desaponta ou o número de erros que comete, o seu valor aos olhos de Deus permanece exatamente o mesmo.

Imagine que estou estendendo para você uma nota de cem dólares novinha em folha. Você a quereria? Provavelmente! Suponha que eu a amassasse e ela deixasse de ter a bela aparência que tinha no dia que veio da casa da moeda. Você ainda a quereria? Sem dúvida! Mas espere. E se eu a pegasse e levasse para o estacionamento, a jogasse no chão e a pisoteasse até que a imagem na nota ficasse quase imperceptível? Ela agora está suja e manchada. Ainda assim você a quereria?

Claro que sim. Por quê? Porque ela ainda é valiosa apesar do tratamento bruto que sofreu. Cem dólares são cem dólares (esquecendo no momento as taxas de câmbio, a inflação e outros fatores). A nota já não é tão bonita quanto foi um dia, mas não perdeu o valor simplesmente porque ficou velha, levou algumas pancadas ou sofreu algumas escoriações na vida.

Essa é a maneira pela qual Deus vê cada um de nós. Todos passamos por desafios e conflitos. Às vezes nos sentimos como essa nota de cem dólares, amassados e sujos. Mas assim como a nota ainda tem valor, nós também temos! Na verdade, nunca perderemos nosso valor. Ele nos foi atribuído pelo Criador do universo e ninguém pode tirá-lo de nós.

Não deixe que outras pessoas, sistemas ou circunstâncias influenciem a avaliação do seu valor. Você pode ter passado por algumas experiências traumáticas e dolorosas nas quais alguém o maltratou, usou ou rejeitou. Talvez seu marido ou sua mulher tenha abandonado você, e o divórcio tenha sido bem amargo. Talvez um bom amigo tenha se voltado contra você sem motivo, e você agora se sinta sozinho e desprezado. Ou, talvez, tenha se sentido rejeitado quando criança e está vivendo com sentimentos de culpa e vergonha.

Talvez tenha até se convencido de que as coisas negativas que aconteceram no passado são culpa sua, que você só merece tristeza, dor, culpa e condenação.

Meu amigo, nada poderia estar mais longe da verdade.

Deus Conhece o Seu Valor

Lembro-me de uma conversa com Steve, um rapaz que sofrera uma grave rejeição quando criança. Os pais de Steve continuamente o arrasavam verbalmente, dizendo-lhe que ele jamais venceria na vida, que nunca seria alguma coisa que prestasse. Dia após dia, essas palavras destrutivas golpeavam seus pensamentos e sua mente subconsciente, destruindo sua auto-imagem e o senso de valor. Steve me contou mais tarde que descobriu que a causa fundamental do problema era o fato de que seus pais desejavam uma menina. Eles tinham ficado gravemente desapontados quando ele nasceu. Dezessete anos mais tarde, ele ainda vive com uma tremenda culpa e vergonha. E por quê? *Por ter nascido!* Tristemente, Steve estava convencido de que era o culpado por todo o sofrimento da sua família, que era o motivo pelo qual os pais eram tão infelizes, que tinha feito algo errado, que sua vida era um terrível engano.

Eu lhe disse: "Steve, você não pode permitir que sua auto-estima e o senso de valor sejam determinados pela maneira como outras pessoas o tratam. A Bíblia nos diz que Deus nos aceita mesmo que todas as pessoas do mundo nos rejeitem."

Pude ver uma centelha de esperança refletida nos olhos de Steve, de modo que continuei a encorajá-lo. "Adoro o que o salmista disse no Salmo 27:10: 'Se o meu pai e a minha mãe me abandonarem, o Senhor me acolherá e me adotará como Seu filho.' Deus nunca o rejeitará, Steve. Ele sempre o aceita. Não permita que a rejeição de outras pessoas façam com que você rejeite a si mesmo." Steve levou algum tempo para aceitar a verdade do que eu estava lhe dizendo, mas hoje ele está bem avançado no caminho de viver uma vida feliz e produtiva.

Talvez você viva ou trabalhe com uma pessoa que abuse de você emocionalmente, que esteja sempre rebaixando-o e criticando-o, dizendo-lhe que é uma pessoa horrível. Deixe que essas desinformações entrem por um ouvido e saiam pelo outro. Lembre constantemente a si mesmo que você é feito à imagem de Deus Todo-Poderoso. Lembre a si mesmo que Ele o coroou com glória e honra, que você é a obra-prima de Deus. Não deixe que outras pessoas brinquem com a sua mente, ludibriando-o e fazendo-o pensar que o seu valor diminuiu.

Você pode sentir que suas grandes aspirações foram frustradas pelas escolhas que fez ou pelas escolhas que outros lhe impuseram. Pode sentir que está preso a uma rotina, mas há esperança! Deus quer restaurar seu senso de valor. Davi escreveu: "Deus me tirou do horrível fosso, assentou os meus pés sobre uma rocha e me pôs nos lábios um novo cântico."[4] Deus quer colocar uma nova canção no seu coração; quer enchê-lo de esperança. Ele quer que você saiba que o ama mais do que você pode imaginar e que pode transformar seus sonhos frustrados em algo magnífico.

Li recentemente uma nova narração da imemorial história *The Tale of Three Trees* (A História das Três Árvores). Este livro de ficção infantil conta as elevadas aspirações de uma oliveira, de um carvalho e de um pinheiro. Cada uma dessas árvores tinha o grande sonho de se tornar algo especial na vida. A oliveira sonhava em se transformar em uma arca de tesouro primorosamente elaborada, queria conter ouro, prata e pedras preciosas. Certo dia, um lenhador escolheu exatamente aquela oliveira, entre todas as árvores da floresta, e a derrubou. A oliveira ficou muito emocionada. No entanto, quando os artífices começaram a trabalhar na árvore, ela percebeu que não a estavam transformando em uma bela arca de tesouro e sim em uma manjedoura para conter comida para animais sujos e fedorentos. A oliveira ficou arrasada ao constatar que seus sonhos tinham sido frustrados. Ela se sentiu inútil e humilhada.

Do mesmo modo, o carvalho sonhava em vir a ser parte de um enorme navio que conduziria reis importantes através do oceano. Quando o lenhador o derrubou, ele ficou entusiasmado. Mas à medida que o tempo foi passando, o carvalho percebeu que os artífices não o estavam transformando em um grande navio e sim em um minúsculo barco de pesca. Ele ficou extremamente desanimado e desapontado.

O pinheiro vivia no alto de uma elevada montanha. Seu único sonho era sempre permanecer em pé, orgulhoso e confiante, lembrando às pessoas a grande criação de Deus. Mas em uma fração de segundo, um raio o jogou no chão e destruiu seus sonhos. O lenhador então o levou para o monte de refugo.

As três árvores sentiram que tinham perdido o valor; estavam extremamente desanimadas e desapontadas. Nenhum dos seus sonhos se tornara realidade. Mas Deus tinha outros planos para essas árvores. Muitos anos depois, Maria e José não conseguiam encontrar um lugar para dar à luz seu pequeno menino. Finalmente encontraram um estábulo e, quando Jesus nasceu, eles O colocaram em uma manjedoura feita com a madeira da — você adivinhou —

oliveira. Ela queria conter pedras preciosas, mas Deus tinha planos melhores, e ela agora continha o maior tesouro de todos os tempos, o Filho de Deus.

Passaram-se alguns anos e Jesus cresceu. Certo dia, precisou de um barco para atravessar para o outro lado do lago. Ele não escolheu um navio grande e sofisticado; escolheu um pequeno e simples barco de pesca feito com a madeira do — você adivinhou — carvalho. Ele queria conduzir reis importantes através do oceano, mas Deus tinha planos melhores. O carvalho agora conduzia o Rei dos reis.

Passaram-se mais alguns anos e, um dia, alguns soldados romanos estavam remexendo no monte de refugo onde estava o pinheiro que fora atingido pelo raio. A árvore sabia que tinham vindo buscá-la para alimentar uma fogueira. No entanto, para sua enorme surpresa, eles só cortaram dois pedaços dela e com eles fizeram uma cruz. E foi nesse pinheiro que Jesus foi crucificado. Até hoje, essa árvore está levando às pessoas o amor e a compaixão de Deus.

A essência dessa clássica história está clara: as três árvores acharam que tinham perdido o valor, que sua história tinha acabado, e no entanto se tornaram uma parte integrante da maior história já contada.

Deus conhece seu valor; Ele enxerga seu potencial. Você talvez não entenda tudo que está passando neste momento, mas permaneça de cabeça erguida, sabendo que Deus tudo controla e que tem um grande plano e propósito para a sua vida. Os sonhos podem não ter se realizado exatamente como você esperava, mas a Bíblia diz que os expedientes de Deus são melhores e mais elevados do que os nossos. Mesmo quando todas as outras pessoas o rejeitarem, lembre-se de que Deus está diante de você de braços abertos. Ele sempre o aceita, sempre confirma seu valor. Deus vê as suas duas grandes jogadas! Você é o Seu bem mais precioso. Independentemente do que enfrentar na vida e dos desapontamentos que possa sofrer, seu valor aos olhos de Deus permanece sempre o mesmo. Você sempre será a menina-dos-olhos Dele. Deus nunca desistirá de você, portanto não desista de si mesmo.

CAPÍTULO 9

TORNE-SE AQUILO EM QUE VOCÊ ACREDITA

Os pensamentos e expectativas exercem um tremendo poder e influência na nossa vida. Nem sempre alcançamos o que merecemos, mas geralmente não recebemos mais do que esperamos; recebemos o que acreditamos. Infelizmente, esse princípio funciona com a mesma intensidade tanto no aspecto negativo quanto no positivo.

Recebemos o que acreditamos.

Nick era um homem grande, forte e durão que trabalhou durante muitos anos no pátio de manobras de uma estrada de ferro. Era um dos melhores funcionários da empresa — sempre chegava na hora e era um trabalhador confiável que se dava bem com os outros empregados. Mas Nick tinha um grave problema. A sua atitude era cronicamente negativa. Nick era conhecido no pátio de manobras como o homem mais pessimista do grupo. Ele temia o tempo todo o pior e estava constantemente preocupado, afligindo-se porque algo ruim poderia acontecer.

Certo dia de verão, os trabalhadores foram informados de que poderiam ir para casa uma hora mais cedo, a fim de comemorar o aniversário de um dos contramestres. Todos os funcionários foram embora, mas de algum modo Nick, acidentalmente, se trancou em um vagão frigorífico fechado que fora levado ao pátio de manobras para manutenção. O vagão estava vazio e não estava conectado a nenhum dos trens.

Nick entrou em pânico quando se deu conta de que estava trancado dentro do carro frigorífico. Começou a bater com tanta força nas portas que as suas mãos e punhos ficaram ensangüentados. Gritou sem parar, mas seus colegas já tinham ido para casa para se preparar para a festa. Ninguém pôde ouvir os gritos desesperados de Nick pedindo ajuda. Repetidamente berrou, até que sua voz se tornou um áspero sussurro.

Consciente de que estava em um carro frigorífico, Nick calculou que a temperatura devia estar bem abaixo do ponto de congelamento, possivelmente entre 12 e 15 graus negativos. Nick receou o pior. Ele pensou: *O que vou fazer? Se não sair daqui, vou morrer congelado. É impossível conseguir passar a noite aqui.* Quanto mais pensava nas circunstâncias, com mais frio ficava. Com a porta firmemente fechada e aparentemente sem ter como escapar, ele se sentou para esperar a morte inevitável por congelamento ou sufocação.

Para passar o tempo, decidiu narrar a própria morte. Encontrou uma caneta no bolso da camisa e achou um pedaço de papelão em um canto do vagão. Tremendo de uma forma quase incontrolável, Nick rabiscou uma mensagem para a família. Nela, anotou sua terrível perspectiva: "Estou ficando com muito frio. O corpo está dormente. Se eu não conseguir sair logo, estas serão provavelmente as minhas últimas palavras."

E foram.

Na manhã seguinte, quando os funcionários chegaram para o trabalho e abriram o carro frigorífico, encontraram o corpo de Nick caído em um canto. A autópsia revelou que Nick tinha de fato morrido congelado.

No entanto, existe um enigma fascinante: os investigadores descobriram que a unidade de refrigeração do vagão no qual Nick ficara preso não estava ligada! Na verdade, estava com defeito havia algum tempo e não estava funcionando quando o homem morreu. A temperatura do vagão na noite em que Nick morreu congelado era de 16 graus. Nick morreu congelado em uma temperatura levemente inferior à temperatura ambiente normal, porque acreditava estar em um carro frigorífico. Ele esperava morrer! Estava convencido de que não tinha nenhuma chance. Esperava o pior. Ele se viu sem saída, condenado a uma triste sina. Nick perdeu a batalha na sua própria mente.[1]

A coisa que Nick mais temia e esperava que acontecesse efetivamente ocorreu. O antigo ditado: "A vida é uma profecia auto-realizável", revelou-se verdadeiro para ele e será ordinariamente verdadeiro na sua vida também. Muitas pessoas hoje em dia se parecem com Nick. Estão sempre aguardando o pior, esperando a derrota, o fracasso. Esperam a mediocridade. E em geral obtêm o que esperam; elas se tornam aquilo em que acreditam.

Acredite em Coisas Boas

Mas você pode acreditar em coisas boas. Valendo-se das melhoras que está fazendo na sua auto-imagem, é possível acreditar mais, ver a si mesmo atuando em níveis cada vez mais elevados em todas as áreas da vida. Quando se vir diante de tempos difíceis, não espere permanecer neles. Espere resolver as dificuldades. Espere que Deus faça uma reviravolta na situação de modo sobrenatural. Quando os negócios ficarem um pouco lentos, não espere ir à falência; não faça planos para o fracasso. Reze e espere que Deus lhe trará clientes.

Se passar por dificuldades no casamento, não desista, frustrado, dizendo: "Eu devia ter sabido que este casamento estava destinado a não dar certo desde o início."

Se você fizer isso, estará reagindo como Nick. Essas baixas expectativas destruirão seu casamento; essa maneira errada de pensar o derrubará. Você tem de mudar o modo de pensar. Modifique o que você espera. Pare de esperar o fracasso. Comece a acreditar que vai ser bem-sucedido.

Mesmo que fique sem chão na vida, sua atitude deve ser: "Deus, sei que vai modificar essa situação e usá-la para o meu bem. Deus, acredito que vai fazer com que eu saia desta mais forte do que antes."

Como já definimos, é aqui que a auto-imagem realmente entra em jogo. É crucial que nos vejamos como Deus nos vê, desde que nunca subamos acima da imagem que temos de nós mesmos. Se nos virmos como mal conseguindo sobreviver, sempre tendo problemas, infelizes, subconscientemente andaremos em direção a esse tipo de vida. Para avançar na vida, precisamos mudar a ênfase. Precisamos acreditar.

Entenda o seguinte: Deus o ajudará, mas você dá o voto decisivo. Se escolher permanecer concentrado nos elementos negativos da vida, se se concentrar no que não pode fazer e no que não possui, estará concordando, por sua própria escolha, em ser derrotado. Você estará conspirando com o inimigo, abrindo a porta e deixando que pensamentos, palavras, ações e atitudes dominem sua vida.

Por outro lado, se fizer um acordo com Deus, se se concentrar nas suas possibilidades, sua fé poderá fazer Deus aparecer e atuar na sua vida de modo sobrenatural. A fé o ajudará a superar os obstáculos e possibilitará que você alcance novos níveis de triunfo. Mas a escolha é sua. Depende da sua perspectiva. Está dando ênfase a seus problemas ou a Deus?

Existe um fascinante relato no Novo Testamento sobre dois cegos que ouviram dizer que Jesus estava passando por ali, e a fé começou a crescer em seus corações. Eles devem ter pensado: *Não precisamos permanecer dessa maneira. Deus pode modificar essa situação. Existe a esperança de um futuro melhor.* Assim sendo, começaram a gritar: "Jesus, Filho de Davi, tem piedade de nós e cura o nosso sofrimento."

Quando Jesus ouviu os gritos deles, parou no caminho. Caminhou até os cegos e fez uma pergunta fascinante. "Acreditais que sou capaz de fazer isso?",[2] perguntou ele. Jesus sabia o que queriam; Ele queria saber em que acreditavam, se tinham uma fé genuína. Os cegos responderam com grande confiança: "Sim, Senhor; acreditamos. Sabemos sem a menor sombra de dúvida que Tu podes nos curar. Sabemos que és capaz. Confiamos em Ti."

A Bíblia diz: "Quando Jesus ouviu a fé deles, tocou em seus olhos e lhes disse: 'Que seja feito segundo a vossa fé.' E os olhos imediatamente se abriram."[3] Esses homens acreditavam que Deus podia fazer algo espetacular na vida deles... e receberam a visão!

Repare que foi a fé que modificou essa situação. Foi o fato de acreditarem que fez com que fossem curados. Ninguém pode ter fé por você. Sem dúvida, outras pessoas podem rezar e acreditar por você, podem citar a Escritura para você, mas você precisa exercer a fé por si mesmo. Se estiver sempre dependendo de outra pessoa para ser feliz, para se sentir estimulado ou para se livrar das dificuldades, viverá em um estado perpétuo de fraqueza e desapontamento. Você precisa tomar a decisão de que vai sempre acreditar. Assuma o comando da sua vida e decida: "Independentemente do que surgir contra mim, acredito em Deus. Terei uma perspectiva positiva diante da vida." A fé de outras pessoas pode efetivamente fortalecer a sua, mas é a sua fé que lhe trará um milagre muito mais rápido do que a de qualquer outra pessoa. Aquilo em que *você* acredita exerce um impacto muito maior na sua vida do que a crença de qualquer outra pessoa.

Aquilo em que *você* acredita exerce um impacto muito maior na sua vida do que a crença de qualquer outra pessoa.

A paráfrase bíblica atual *The Message* narra a história dos cegos com uma modificação interessante: "[Jesus] tocou os olhos deles e disse: 'Tornem-se aquilo em que vocês acreditam.'"

Que declaração poderosa! *Torne-se aquilo em que você acredita!* Em que você acredita? Acredita que se elevará na vida, que subirá acima dos obstáculos, que viverá com saúde, na abundância, na cura e na vitória? Você se tornará aquilo em que acredita. A verdade é que sou o que sou hoje por causa do que acreditava a meu respeito ontem. E serei amanhã o que acredito hoje a respeito de mim mesmo.

Tenha cuidado com o que você acredita. Se andar por aí com uma mentalidade de coitadinho de mim, pensando que não merece as bênçãos de Deus, concentrado nos seus defeitos, sempre se sentindo mal em relação a si mesmo, na melhor das hipóteses viverá uma vida lastimável. Mas se mudar a forma de acreditar e começar a ver a si mesmo como Deus o vê — como mais do que um conquistador, perfeitamente capaz de ter sucesso, forte no Senhor, por cima e não por baixo, vitorioso em vez de vítima —, você ascenderá a um novo nível de realização. A decisão é sua. Que seja feito a você segundo a sua fé.

Ouse Acreditar em Coisas Melhores

Você ousará começar a acreditar que Deus pode lhe trazer coisas melhores? Deus não quer que você se arraste pela vida, apenas conseguindo sobreviver. Não quer que você tenha de apertar o cinto e consiga as coisas com muito esforço, tentando ganhar dinheiro suficiente apenas para pagar por comida, moradia, transporte, nem que você se preocupe em como vai pagar as contas e mandar os filhos para a faculdade. Ele não quer que você seja infeliz no casamento. Não é a preferência Dele que você viva em perpétuo sofrimento.

Deus quer que você tenha uma vida boa, repleta de amor, alegria, felicidade e realização. Isso não significa que a vida sempre será fácil, mas quer dizer que sempre será *boa*. Deus faz com que todas as coisas atuem em conjunto para o bem daqueles que O amam.[4] Ouse começar a acreditar que Ele lhe trará um casamento melhor. Comece a acreditar que terá mais saúde. Acredite em mais alegria, paz e felicidade. Comece a acreditar no aumento e na abundância. Torne-se um verdadeiro crente, sabendo que você se tornará aquilo em que acreditar.

Deus disse a Abraão: "Vou abençoar-te para que possas ser uma bênção."[5] Deus está dizendo a mesma coisa para você. Ele deseja abençoá-lo com abundância, para que você possa ser uma bênção para outras pessoas.

Talvez você tenha sofrido terríveis desapontamentos. Coisas negativas inomináveis podem lhe ter acontecido, a ponto de você ter parado de acreditar que qualquer coisa boa venha a acontecer na sua vida. Você perdeu seus sonhos. Está vagando pela vida, aceitando qualquer coisa que venha na sua direção. E está tentado a dizer a si mesmo: "Já vivo assim há muito tempo. Nunca vou melhorar. Rezei, acreditei, fiz tudo que sei fazer. Nada mudou. Nada funcionou. É melhor desistir."

Pessoas já me disseram o seguinte: "Joel, não quero aumentar as esperanças. Já sofri muito no passado. Se eu não tiver mais esperanças e nada de bom me acontecer, pelo menos não ficarei desapontado."

Meu amigo, essa atitude contraria o que Deus deseja para você. Independentemente de quantos reveses você tenha sofrido, Deus ainda tem um grande plano para a sua vida. Você *precisa* ter mais esperança. Se não tiver esperança, não terá fé. E se não tiver fé, não poderá agradar a Deus e não verá o poder Dele revelado na sua vida. Mantenha acesa a esperança no coração. Nunca desista de seus sonhos. Não deixe que o desânimo ou outros reveses o impeçam de acreditar no que Deus diz a seu respeito.

RECOMPENSA EM DOBRO PELAS SUAS DIFICULDADES

Se você mantiver a atitude correta, Deus eliminará todos os seus desapontamentos, sonhos despedaçados, mágoa e sofrimento, adicionará todas as dificuldades e tristezas que lhe tenham sido infligidas, e o ressarcirá dando-lhe o dobro de paz, alegria, felicidade e sucesso. Diz a Bíblia: "Deus nos recompensará duplamente pela nossa vergonha anterior."[6] Se você simplesmente acreditar, se colocar sua confiança em Deus, Ele lhe recompensará em dobro pelas suas dificuldades.

Deus quer que a última parte da sua vida seja melhor do que a primeira. A sua situação nunca é irremediável para Deus. Algumas pessoas dizem: "Pode ser, mas acontece que não se pode fazer ovos mexidos ficarem inteiros de novo", o que sem dúvida é verdade. Mas Deus pode pegar os ovos mexidos e fazer uma magnífica omelete. Nada é difícil demais para o nosso Deus.

Eis o que a Bíblia diz a respeito de Deus: "Tende certeza do seguinte: Aquele que começou uma boa obra em vós continuará a executá-la até completá-la com perfeição."[7] Isso significa que Deus quer terminar o curso com você. Ele não ficará cansado e desistirá no meio do caminho; tampouco renegará as promessas que fez. Continuará até você chegar aonde Ele o está conduzindo. Deus não quer que você seja "um pouco" feliz. Não quer que você seja levemente abençoado. Não quer que você fique parcialmente curado. Deus quer que a sua vida se caracterize pela alegria e que seja plena. Quer que você viva na abundância. Quer lhe oferecer os desejos do seu coração. Ele quer que você seja completo e se sinta satisfeito.

Quando os tempos ficarem difíceis ou as coisas não saírem como você quer, permaneça confiante. Quando ficar desanimado ou quando as pessoas lhe disserem que os seus sonhos nunca se realizarão, que você nunca será feliz e nunca conseguirá mudar, lembre-se ousadamente de que Deus está em ação na sua vida. Ele está mudando as coisas a seu favor. Está abrindo portas de oportunidades para você. Está restaurando seus relacionamentos; está tornando o coração das pessoas mais suave em relação a você; Deus está concluindo o que começou. Você talvez não note com os olhos físicos que algo está acontecendo, mas precisa acreditar que, no mundo invisível, Deus está atuando em seu benefício.

Lembre-se de que nenhuma arma que surja contra você irá prosperar. Isso não significa que você não encontrará oposição na vida, porque surgirão armas que poderão ser descomunais e assustadoras. Mas, em última análise, elas não podem feri-lo. O seu futuro está intacto com Deus. Você não afundará; atravessará. A Escritura diz: "Muitas são as aflições do justo, mas o SENHOR o livra de todas."[8]

A Bíblia diz que depois que você fizer tudo que sabe fazer, você deve permanecer inabalável.[9] Você precisa mostrar ao inimigo que é mais determinado do que ele. Continue a rezar, a acreditar, a entoar cânticos de louvor. Continue a travar a boa luta da fé. Se fizer isso, Deus promete torná-lo vitorioso.

Gosto da maneira como *The Message* traduz Filipenses 1:6: "Nunca houve a menor dúvida na minha mente de que o Deus que iniciou a grande obra em você continuaria a desenvolvê-la e a levá-la a uma conclusão florescente no dia em que Jesus Cristo aparece." O melhor ainda está por vir. Você pode se levantar todas as manhãs esperando que as coisas mudem a seu favor. Comece a esperar a bondade de Deus. Passe a esperar as bênçãos Dele. Jesus disse que, se você acreditar, "todas as coisas são possíveis". Quero desafiá-lo a ser um crente. Que a fé ascenda no seu coração. Entre em acordo com Deus, e Ele fará mais do que você pode pedir ou pensar.

Você precisa acreditar que boas coisas estão a caminho. Precisa acreditar que Deus está em ação na sua vida, que Ele o está reconduzindo ao seu legítimo lugar. Em outras palavras, precisa ver todas essas coisas acontecendo.

Precisa ver seu casamento sendo restaurado, seu filho rebelde voltando para casa, aquele negócio dando uma reviravolta. Você tem de conceber essas idéias no coração. Contemple a vida através dos olhos de fé e observe o mundo invisível, visualize seus sonhos se tornando realidade.

Lembre-se: "A fé é a essência das coisas esperadas, a convicção das coisas não vistas."[10] Repare que a fé está relacionada com o mundo invisível. Você talvez não consiga ver com os olhos físicos nada de positivo acontecendo em sua vida. Na verdade, tudo pode estar desmoronando: as finanças, a saúde, o negócio, seus filhos. Você pode ter todos os tipos de problemas, e na ordem natural a impressão é que nada vai mudar. Mas não se deixe desencorajar. Contemple o mundo invisível, o mundo sobrenatural, e através dos olhos de fé, veja a situação dando uma reviravolta. Visualize a paz e a alegria sendo restabelecidas.

O mundo lhe diz: "É preciso ver para crer." Mas Deus afirma exatamente o oposto. Você só verá quando acreditar. Precisa olhar através dos olhos de fé para ver a coisa que quer. Quando a vir por meio da fé, ela passará a existir no mundo físico.

Em que você acredita sobre si mesmo? Você vê as coisas melhorando na sua vida? Ou está apenas se deixando levar, aceitando qualquer coisa que venha na sua direção? "Eu sabia que não ia conseguir aquela promoção. Nada de bom jamais me acontece. Essa é a minha sorte. Eu sabia que nunca me casaria. Sabia que nunca seria abençoado."

Meu amigo, Deus quer fazer uma coisa nova em sua vida. Não imponha limites a Ele com o seu pensamento insignificante. Tenha uma visão grandiosa para a sua vida. Tenha sonhos magníficos. Viva com fé e expectativas positivas. Você se tornará aquilo que acredita ser.

Adoro o relato do Antigo Testamento de quando Deus disse a Abraão que ele e a sua mulher, Sara, iam ter um filho, embora já estivessem com quase cem anos de idade. Sara riu quando ouviu a notícia. Ela provavelmente disse: "Abraão, você só pode estar brincando. Não vou ter um bebê. Sou velha demais. Isso nunca vai acontecer comigo. Além disso, olhe para você. Você também não é nenhum adolescente!"

Sara não tinha a visão correta. O estado do seu coração não era adequado. Ela não conseguia ver a si mesma tendo aquela criança; não conseguia conceber a idéia no coração.

E você provavelmente se lembra da história: passaram-se anos e Abraão e Sara não tiveram filhos. Depois de algum tempo, decidiram "ajudar" Deus a cumprir essa promessa. Sara disse a Abraão que dormisse com a sua empregada, Hagar. Esta concebeu e deu à luz um filho que se chamou Ismael. Mas isso não era o melhor para Deus. Ele queria dar a Sara um bebê, o qual ela própria desse à luz.

Passaram-se mais anos, e nada de filho. Finalmente, Sara ficou grávida. O que mudou? A promessa de Deus foi a mesma o tempo todo. Estou convencido de que a explicação para o fato de a promessa ter se tornado realidade foi que Sara precisou conceber no coração antes de ser capaz de conceber no corpo físico. Ela teve de acreditar que poderia engravidar antes de realmente ficar grávida.

Quase vinte anos depois de Deus ter feito a promessa, Abraão e Sara tiveram o pequeno Isaac. E acredito que a principal razão pela qual ele não nasceu antes, um dos principais atrasos no cumprimento da promessa que demorou tantos anos para se cumprir, foi simplesmente o fato de que Sara não conseguia concebê-la no coração. Não conseguia vê-la através dos olhos de fé. Eu me pergunto quantas coisas maravilhosas Deus não está tentando fazer na sua vida. Somos exatamente como Sara. Não conseguimos conceber a idéia. Não estamos em harmonia com Deus, de modo que estamos perdendo todas as Suas bênçãos. Jesus disse: "Quero que vivais plenamente a vida, e que a vivais em abundância."[11] Muitas vezes, quando lemos passagens da Escritura como essa, a primeira coisa que pensamos é por que isso não pode acontecer conosco. "Deus, nunca conseguirei ter saúde. Muitas coisas estão erradas comigo. Acabo de receber más notícias do médico." "Deus, nunca conseguirei ser próspero. Não tenho as qualificações necessárias. Nunca freqüentei a faculdade." E assim por diante, descrevemos para Deus todas as razões pelas quais as coisas boas não podem acontecer conosco. "Estou velho demais. Sou jovem demais. Sou do sexo errado. A minha pele tem a cor errada. Não sou suficientemente instruído." Durante todo o tempo em que ficamos dizendo tudo isso, Deus tenta plantar a nova semente da vitória dentro de nós. Tenta nos fazer conceber. Ele sabe que se não concebermos no coração por meio da fé, as coisas nunca acontecerão.

Muitas vezes, exatamente como Sara, retardamos a promessa de Deus. Retardamos a Sua graça por causa do nosso modo limitado de pensar. O estado do nosso coração não é adequado. Estamos repletos de dúvidas e descrença. A grande tragédia é que se não modificarmos nossa crença, poderemos passar a vida inteira deixando escapar as coisas magníficas que Deus tem reservado para nós.

Meu amigo, pare de impor limites a Deus com o seu modo tacanho de pensar. Aprenda a conceber. Mantenha diante de si a imagem do que quer se tornar. Você vai se tornar aquilo em que acredita. Talvez Deus lhe tenha dito alguma coisa que pareça totalmente impossível no mundo físico. Quando examina sua situação, da mesma maneira como Sara olhou para o corpo físico dela, você se sente tentado a pensar: *Deus, não consigo ver como vai fazer isso acontecer. Não vejo como vai afastar o meu filho das drogas. Não vejo como um dia poderei ficar curado. Não vejo como pode abençoar a minha carreira.*

Pare de se concentrar no que não pode fazer e comece a se absorver no que Deus pode fazer. A Bíblia diz o seguinte: "As coisas impossíveis para os homens são possíveis para Deus."[12] Deixe que essa semente crie raízes em você. Você não precisa descobrir como Deus vai resolver os seus problemas. Não precisa ver como Ele vai fazer as coisas acontecerem. Isso é responsabilidade Dele; não é sua função. A sua função é acreditar, é viver com fé e expectativas positivas. Entregue simplesmente a situação a Deus e confie em que Ele vai cuidar dela. Deus é um Deus sobrenatural. A Bíblia diz: "Os caminhos de Deus não são os nossos caminhos. São melhores e mais elevados do que os nossos caminhos."[13] Deus pode fazer o que os seres humanos não podem fazer ou não farão. Ele não está limitado pelas leis da natureza. E se você deixar que essa semente crie raízes para poder crescer, se colocar sua confiança no Senhor, Deus certamente fará as coisas acontecerem. Se conseguir enxergar o invisível, Deus fará o impossível.

Não restrinja sua visão; em vez disso, comece a se ver como filho de Deus. Veja a si mesmo recebendo coisas boas do seu Pai celeste. Meu amigo, se fizer a sua parte e acreditar, tendo uma grande visão para a sua vida, vivendo com fé e expectativa positiva e vendo a si mesmo como Deus o vê, Ele o levará a lugares que outras pessoas afirmaram ser impossível experimentar deste lado do céu. Você se tornará aquilo em que você acredita!

CAPÍTULO 10

DESENVOLVENDO UMA MENTALIDADE PRÓSPERA

Um dos aspectos mais importantes de nos vermos da maneira como Deus nos vê envolve desenvolver uma mentalidade próspera. Como já definimos, a forma como vemos a nós mesmos nos levará ao sucesso ou ao fracasso.

Entenda que Deus já o equipou com tudo que você precisa para viver uma vida de prosperidade. Ele plantou dentro de você "sementes" repletas de possibilidades, de um potencial incrível, de idéias criativas e de sonhos. No entanto, o fato de essas coisas estarem dentro de você não significa que serão benéficas. Você precisa começar a entrar em contato com elas. Em outras palavras, precisa acreditar sem uma sombra de dúvida que tem tudo que é preciso. Você precisa ter em mente o tempo todo que é um filho de Deus, o Altíssimo, e que foi criado para coisas magníficas. Deus não o criou para ser comum. Ele o criou para que você sobressaia e lhe deu a habilidade, o discernimento, o talento, a sabedoria e o poder sobrenatural Dele para fazer isso. Você tem tudo que precisa neste exato momento para realizar o destino que Deus lhe deu.

Deus não o criou para ser comum.

A Bíblia diz que "Deus nos abençoou com todas as bênçãos espirituais". Repare que a descrição está no passado. Deus já fez isso. Já depositou dentro de nós tudo que precisamos para ter sucesso. Cabe a nós agora começar a agir motivados por aquilo que já possuímos.

Lembre-se de que foi isso que Abraão teve de fazer. Vinte anos antes de ele ter um filho, Deus se dirigiu a ele e disse: "Abraão, fiz de ti o pai de muitas nações."

Abraão poderia ter dito: "Quem, eu? Não sou pai. Não tenho filhos." Em vez disso, escolheu acreditar no que Deus lhe dissera. A sua atitude foi: "Deus, isso não parece possível no mundo físico, mas não vou duvidar da Vossa palavra. Não vou tentar entendê-la racionalmente. Vou apenas concordar Convosco. Se Vós afirmais que Sara e eu podemos ter um bebê na nossa idade, por mais estranho que possa parecer, vou acreditar em Vós."

O interessante é que a promessa de Deus para Abraão ocorreu no tempo passado, e embora ela conduzisse uma realidade no tempo presente, bem como uma futura realização, Deus a encarou como se já tivesse acontecido. "Fiz de ti o pai de muitas nações." É óbvio que Deus planejava dar a Abraão um filho, mas no que dizia respeito a Ele, a questão já estava resolvida. Não obstante, Abraão tinha a responsabilidade de confiar em Deus e acreditar no que ele prometera. De fato, Abraão e Sara tiveram um filho 20 anos depois, a quem chamaram de Isaac.

Analogamente, em toda a Bíblia, Deus disse coisas maravilhosas a seu respeito. Mas essas bênçãos não acontecerão automaticamente. Você precisa fazer a sua parte, acreditando que é abençoado, vendo a si mesmo como abençoado, agindo como se fosse abençoado. Quando fizer isso, a promessa se tornará uma realidade na sua vida.

Por exemplo, a Bíblia diz o seguinte: "Somos mais do que conquistadores."[1] Ela não diz que seremos mais do que conquistadores quando ficarmos mais fortes, mais velhos ou atingirmos um nível superespiritual. A Escritura diz que somos mais do que conquistadores *neste momento.*

"Bem, Joel, essa afirmação não poderia ser verdadeira na minha vida" ouço você dizendo. "Tenho muitos problemas, muitas coisas vindo contra mim. Talvez quando eu sair dessa confusão possa ser mais do que um conquistador."

Não, Deus declara que você é mais do que um conquistador agora. Se começar a agir como se fosse, falar como se fosse, ver a si mesmo como sendo mais do que um conquistador, viverá uma vida próspera e vitoriosa. Você precisa entender que o preço para ter alegria, paz e felicidade já foi pago. Isso é parte do pacote que Deus tornou disponível para você.

Não Perca o Melhor que Deus Tem a Oferecer

Há alguns anos, antes que os vôos transatlânticos fossem comuns, um homem queria viajar dos Estados Unidos para a Europa. Ele trabalhou arduamente, economizou cada centavo que conseguiu e finalmente juntou dinheiro suficiente para comprar uma passagem em um navio de cruzeiro. Naquela época, a viagem levava cerca de duas ou três semanas. Ele comprou uma mala e encheu-a com queijo e biscoitos, porque era a única coisa que podia pagar.

Durante a viagem, todos os outros passageiros iam para a grande sala de jantar belamente decorada para fazer sofisticadas refeições. Nesse ínterim, o pobre homem ia para um canto e comia queijo com biscoitos. As coisas continuaram assim dia após dia. Ele conseguia sentir o delicioso aroma da comida que era servida na sala de jantar. Ouvia os outros passageiros elogiarem os pratos enquanto esfregavam a barriga, queixando-se do quanto estavam cheios e que teriam de fazer uma dieta assim que a viagem terminasse. O pobre viajante tinha vontade de se juntar aos outros na sala de jantar, mas não tinha dinheiro para isso. Às vezes ficava acordado à noite, sonhando com as esplêndidas refeições que os passageiros descreviam.

Perto do fim da viagem, um homem se aproximou dele e disse:

— Não pude deixar de notar que o senhor está sempre naquele canto comendo queijo com biscoitos na hora das refeições. Por que não se junta a nós no salão de festas e come conosco?

O viajante enrubesceu.

— Bem, para dizer a verdade, eu só tinha dinheiro suficiente para comprar a passagem. Não tenho nenhuma quantia adicional para pagar refeições requintadas.

O outro passageiro ergueu surpreso as sobrancelhas. Balançou a cabeça e disse:

— O senhor não entende que as refeições estão incluídas no preço da passagem? O senhor já pagou por elas!

Quando li essa história pela primeira vez, não pude deixar de pensar em quantas pessoas se parecem com esse ingênuo viajante. Elas estão perdendo o melhor que Deus tem a oferecer porque não compreendem que as boas coisas da vida já foram pagas. Essas pessoas podem estar a caminho do céu, mas não sabem o que foi incluído no preço da sua passagem.

Sempre que andamos por aí com a mentalidade de que somos o "pior dos vermes", estamos comendo mais queijo com biscoitos. Sempre que nos encolhemos e dizemos: "Não posso fazer isso; não tenho o que é preciso", estamos comendo mais queijo com biscoitos. Sempre que andamos por aí cheios de medo, preocupações e ansiedade, ou quando ficamos tensos por causa de alguma coisa, estamos no canto comendo mais queijo com biscoitos. Meu amigo, não posso falar por você, mas estou cansado de comer queijo com biscoitos! Deus lhe preparou um banquete fabuloso, completo, que contém todas as coisas boas imagináveis. E ele está pago. Deus tem tudo que você precisa lá — alegria, perdão, restauração, paz, cura —, qualquer coisa que você precise está lhe esperando na mesa do banquete de Deus, é só puxar a cadeira e se sentar no lugar que Ele lhe preparou.

Você pode ter sofrido grandes decepções na vida ou enfrentado alguns sérios reveses. Bem-vindo ao mundo real! Mas você precisa se lembrar de que é filho do Altíssimo. O fato de uma coisa não ter saído do jeito que você queria ou de alguém o ter desapontado não o torna diferente. Se um sonho morrer, sonhe com outra coisa. Se for derrubado, levante e dê a volta por cima. Quando uma porta se fecha, Deus sempre abre outra maior e melhor. Erga a cabeça e fique atento à novidade que Deus quer fazer na sua vida. Mas não vá para o canto da vida comer queijo e biscoitos.

Se um sonho morrer, sonhe com outra coisa.

Você pode ter tido um começo difícil na vida. Talvez tenha vivido uma extrema pobreza, desespero, abuso ou outras coisas negativas durante a infância. Pode estar tentado a deixar que essas experiências negativas definam o rumo que a vida vai tomar. No entanto, o fato de você ter começado sua vida dessa maneira não implica necessariamente que tenha de terminá-la assim. Você tem de obter uma nova visão do que Deus pode fazer e desenvolver uma mentalidade próspera.

O meu pai teve de fazer algo semelhante. Como mencionei anteriormente, papai cresceu com uma "mentalidade de pobreza". Isso era tudo que ele conhecia. Quando começou a servir como pastor, a igreja só podia lhe pagar 115 dólares por semana. O meu pai e a minha mãe mal conseguiam sobreviver com essa quantia, especialmente depois que meus irmãos e eu nascemos. No entanto, o aspecto mais perigoso da vida deles era o fato de que papai passara a esperar a pobreza. Durante vários anos, ele não era nem mesmo capaz de aceitar uma bênção quando ela aparecia.

Durante um período de serviços especiais, embora nossa família mal tivesse comida para sobreviver, meus pais hospedaram em casa, durante uma semana, o ministro convidado. No domingo seguinte, um homem de negócios que era membro da igreja disse:

— Pastor, sei que o senhor hospedou na sua casa, a semana inteira, o orador que veio nos visitar. As coisas estão difíceis e estou ciente de que o senhor não pode arcar com todas essas despesas adicionais. Quero lhe oferecer este dinheiro para que o utilize de uma forma pessoal; quero apenas ajudá-lo. — Ele entregou ao meu pai um cheque de mil dólares, o equivalente a dez mil dólares nos dias de hoje!

Papai ficou estupefato com a generosidade do homem, mas tinha um modo de pensar tão limitado naquela época que segurou o cheque bem pela pontinha, como se pudesse ser contaminado se o segurasse com mais força, e disse:

— Oh, não, irmão, eu nunca poderia aceitar este dinheiro. Precisamos incluí-lo nas doações à igreja.

Posteriormente, meu pai admitiu que, bem no fundo, realmente preferia ter ficado com o dinheiro. Ele sabia que ele e a mamãe precisavam do dinheiro, mas ele tinha um falso senso de humildade. Não era capaz de receber a bênção. Ele achava que estava prestando um favor a Deus permanecendo pobre.

Mais tarde, papai disse:

— Em cada passo que eu dava enquanto me encaminhava para a frente da igreja para colocar aquele cheque junto com as doações, algo dentro de mim dizia: *Não faça isso. Receba as bênçãos de Deus. Receba a bondade de Deus.*

Mas ele não ouviu. Relutantemente, colocou o cheque junto com as doações. Depois disse:

— Fiquei enjoado quando fiz aquilo.

Deus estava tentando fazer meu pai crescer. Estava tentando fazer com que ele prosperasse, mas por causa da sua mentalidade de pobreza profundamente arraigada ele não pôde receber o que Deus estava oferecendo. O que papai estava fazendo? Estava comendo mais queijo com biscoitos. Deus estava tentando fazer com que ele fosse para a mesa do banquete, mas devido à sua mentalidade limitada, meu pai não conseguia se ver possuindo mil dólares adicionais.

Estou muito feliz pelo fato de papai ter aprendido que, na qualidade de filhos de Deus, somos capazes de viver uma vida abundante, que é aceitável prosperar, que devemos até mesmo esperar ser abençoados. Na verdade é tão importante aprender a receber uma bênção quanto é estar disposto a oferecer uma bênção.

Talvez você tenha nascido em um ambiente pobre ou talvez não tenha muitos bens materiais no momento. Isso é aceitável; Deus tem boas coisas para você mais adiante. No entanto, quero adverti-lo de que não deve permitir que a imagem da pobreza se torne arraigada em você. Não se acostume a viver com menos, a fazer menos e a ser menos, a ponto de acabar aceitando menos. "Sempre fomos pobres. É assim que as coisas têm de ser."

Não, comece a olhar através dos olhos de fé, vendo-se ascender a novos níveis. Veja-se prosperando, e conserve essa imagem no coração e na mente. Você pode estar vivendo na pobreza neste momento, mas nunca deixe que a pobreza viva em você.

A Bíblia diz o seguinte: "Deus tem prazer em tornar Seus filhos prósperos." À medida que Seus filhos prosperam espiritual, física e materialmente, esse crescimento dá prazer a Deus.

O que você pensaria se eu lhe apresentasse nossos dois filhos e a roupa deles estivesse cheia de buracos, e se estivessem ainda com o cabelo despenteado, sem sapatos e com as unhas sujas? Você provavelmente diria: "Esse homem não é um bom pai. Ele não cuida dos filhos." De fato, a pobreza dos meus filhos se refletiria diretamente sobre mim que sou o pai deles.

Analogamente, o fato de passarmos pela vida com uma mentalidade de pobreza não é louvável para Deus. Não honra o Seu grande nome. Deus não fica satisfeito quando nos arrastamos pela vida, derrotados, deprimidos, eternamente abatidos pelas nossas circunstâncias. Não, Deus fica satisfeito quando desenvolvemos uma mentalidade próspera.

Com excessiva freqüência ficamos satisfeitos e nos acomodamos, aceitando qualquer coisa que venha na nossa direção. "Já fui até onde posso ir. Jamais conseguirei outras promoções. Esta é a minha sorte na vida."

Isso não é verdade! A sua "sorte na vida" é crescer continuamente. A sua sorte na vida é ser vitorioso, viver de uma maneira próspera em todas as áreas. Pare de comer queijo com biscoitos e entre no salão de festas. Deus o criou para coisas magníficas.

Como seria trágico você passar pela vida como um filho do rei aos olhos de Deus, mas como um pobre humilde aos seus próprios olhos. É precisamente isso que aconteceu a um jovem no Antigo Testamento chamado Mefibosete. (Não sei por que não poderiam tê-lo chamado de Bob!)

Não se Conforme com a Mediocridade

Mefibosete era neto do rei Saul e filho de Jônatas. Você talvez se lembre de que o filho de Saul, Jônatas, e Davi eram grandes amigos. Eles na verdade formaram um pacto de relacionamento, semelhante ao antigo pacto de ser "irmãos de sangue". Isso significa que o que era de um pertencia ao outro. Se Jônatas precisasse de comida, roupas ou dinheiro, podia ir à casa de Davi e pegar o que quisesse. Além disso, no pacto de relacionamento, se alguma coisa acontecesse a um dos dois homens, o "irmão" remanescente seria obrigado a cuidar da família do outro.

O rei Saul e Jônatas morreram em combate no mesmo dia, e quando a notícia chegou ao palácio um criado agarrou Mefibosete, o filho pequeno de Jônatas, e saiu correndo com ele. Ao sair com tanta pressa de Jerusalém, o criado tropeçou enquanto carregava a criança. Mefibosete ficou aleijado em decorrência da queda. O criado conduziu o filho de Jônatas a uma cidade chamada Lodebar, um dos locais mais pobres de toda a região. Foi lá que Mefibosete, neto do rei, viveu quase a vida inteira. Pense nisso. Ele era neto do rei, mas estava vivendo em condições horríveis.

Davi sucedeu Saul como rei e, anos mais tarde, quando Saul e Jônatas nada mais eram do que simples lembranças na mente da maioria das pessoas, fez a seguinte pergunta aos seus servidores:

— Ainda resta alguém da casa de Saul que eu possa ajudar em consideração a Jônatas? — Lembre-se de que a ajuda fazia parte do pacto feito entre Jônatas e Davi: Se alguma coisa me acontecer, você cuidará da minha família. Mas agora a maior parte da família de Saul estava morta, daí a pergunta de Davi.

— Sim, Davi. Jônatas tem um filho ainda vivo, mas é aleijado e mora em Lodebar — respondeu um dos servidores de Davi.

— Vá buscá-lo e traga-o ao palácio — disse Davi.

Mefibosete estava sem dúvida receoso ao chegar. Afinal de contas, o seu avô perseguira Davi por todo o país tentando matá-lo. Agora que a família de Saul fora dizimada e não representava mais uma ameaça para Davi, Mefibosete talvez tenha achado que Davi planejava executá-lo também.

No entanto, Davi lhe disse:

— Nada tema. Vou ser bondoso com você por causa do seu pai, Jônatas. Vou lhe devolver toda a terra que um dia pertenceu ao seu avô Saul. E, a partir de hoje, você comerá na minha mesa como se fosse um dos meus filhos. — Davi tratou Mefibosete como um membro da realeza. Afinal de contas, ele era neto do rei. E Davi tinha um pacto de relacionamento com o pai dele.

A vida de Mefibosete transformou-se imediatamente, e essa é a boa notícia. Não obstante, pense em todos os anos que ele viveu na cidade suja de Lodebar. Ele sabia o tempo todo que era membro da realeza; além disso, era de conhecimento geral que Davi e Jônatas tinham um pacto de relacionamento; com base nesses fatos, Mefibosete sabia que tinha direitos. Por que simplesmente não se dirigiu ao palácio e disse: "Rei Davi, sou filho de Jônatas. Vivo na pobreza em Lodebar e sei que fui criado para mais do que isso. Estou aqui para reivindicar o que me pertence através do pacto de relacionamento do meu pai com você."

Por que Mefibosete se conformou com a mediocridade? A primeira resposta que ele deu a Davi nos fornece uma pista. Quando Davi lhe disse que iria tomar conta dele, a Bíblia diz o seguinte: "Mefibosete inclinou a cabeça e disse: 'Quem sou eu para teres olhado para um cão morto como eu?'" Você percebe a auto-imagem dele? Ele se via como um derrotado, um perdedor, um cão morto. Ele se via como um proscrito. Sim, era neto do rei, mas a imagem que tinha de si mesmo o impedia de receber os privilégios que por direito lhe pertenciam.

Quantas vezes não fazemos a mesma coisa? A nossa auto-imagem é tão contrária à maneira como Deus nos vê que deixamos escapar o melhor que Ele tem a oferecer. Deus nos vê como campeões e nós nos vemos como cães mortos.

Mas assim como Mefibosete teve de abandonar a "mentalidade de cão morto" e substituí-la por uma mentalidade próspera, você e eu precisamos fazer algo semelhante. Você pode ter cometido alguns erros na vida, mas se sinceramente se arrependeu e fez o melhor para agir corretamente a partir de então, não precisa mais viver com culpa e vergonha. Você talvez não seja tudo que quer ser, podendo ser física, espiritual ou emocionalmente defeituoso, mas essa condição não muda o pacto de Deus com você. Você ainda é filho do Altíssimo. Ele ainda tem coisas magníficas reservadas para você. Você precisa ser audacioso e reivindicar o que lhe pertence. Você não dá nenhum prazer a Deus vivendo na sua "Lodebar" pessoal, na pobreza, com uma baixa auto-estima e uma mentalidade de cão morto.

Como se sentiria se os seus filhos tivessem esse tipo de atitude em relação a você? Imagine que está na hora do jantar e você se esforçou para preparar uma deliciosa refeição. A comida foi posta na mesa e você está pronto para comer. Mas um dos seus filhos entra cabisbaixo e se recusa a sentar à mesa com a família. Ele rasteja pelo chão, esperando que restos de comida ou migalhas caiam da mesa. Você diria: "Filho, o que está fazendo? Levante-se e sente-se no seu lugar. Preparei tudo isto para você. Você faz parte da família. Você me insulta agindo como um cachorro, implorando por migalhas."

Deus nos diz algo semelhante: "Você faz parte da família. Abandone o queijo com os biscoitos. Levante-se e receba o que legitimamente lhe pertence."

Em casa, Victoria e eu temos duas poltronas extremamente confortáveis em nosso quarto e, de vez em quando, quando quero assistir a um jogo, ler ou simplesmente ficar sozinho para pensar ou rezar, vou para o quarto, fecho a porta e afundo em uma das poltronas. É um lugar maravilhoso para relaxar.

Voltei para casa outro dia e não consegui achar o meu filho menor, Jonathan, em lugar nenhum. Ele tinha cerca de quatro anos na época, de modo que fiquei preocupado. Procurei nos lugares habituais; ele não estava no seu quarto, no quarto de brinquedos nem na cozinha. Saí até mesmo de casa e procurei na garagem, mas não consegui encontrá-lo. Finalmente, fui até o meu quarto e notei que a porta estava fechada. Eu a abri e lá estava o pequeno Jonathan na minha poltrona predileta. Ele estava reclinado com as pernas para cima. Tinha uma vasilha com pipoca em uma das mãos e o controle remoto da televisão na outra. Olhei para ele e sorri, aliviado por tê-lo encontrado.

Jonathan olhou para mim e disse: "Papai, isso é que é vida."

Fiz um esforço para não rir, mas o comentário de Jonathan fez com que eu me sentisse bem como pai. Fiquei feliz por ele se sentir confiante, ir para o meu quarto e sentar na minha poltrona favorita. Fiquei contente por ele saber que fazia parte da família e que tudo que eu tinha era dele.

Meu amigo, você quer fazer o seu Pai celeste feliz? Então comece a se sentar na mesa de jantar. Comece a desfrutar as bênçãos Dele. Livre-se do queijo e dos biscoitos, e entre no salão de festas. Você não precisa viver mais na culpa e na condenação; não tem de passar a vida preocupado e cheio de medo. O preço já foi pago. A sua liberdade está incluída na passagem, portanto basta você se levantar e assumir o seu lugar. Suba na "poltrona do papai" e desenvolva uma mentalidade próspera, vendo-se como o membro da realeza que Deus o criou para ser.

CAPÍTULO 11

SINTA-SE FELIZ COM QUEM VOCÊ É

Você pode ousar ser feliz com quem você é agora e aceitar a si mesmo com todos os seus defeitos e tudo o mais. Muitos de nós não o percebemos, mas a causa fundamental de um grande número de problemas sociais, físicos e emocionais é simplesmente o fato de que as pessoas não gostam de si mesmas. Elas se sentem mal com a sua aparência, com a maneira como falam ou agem. Não gostam da sua personalidade. Estão sempre se comparando com outras pessoas, desejando ser diferentes. "Se ao menos eu tivesse a personalidade dele..." "Se eu tivesse a aparência dela..." "Se as minhas coxas não fossem tão grandes..." "Se eu tivesse um pouco menos aqui e um pouco mais ali, seria feliz."

Não, você pode ser feliz com quem Deus o criou para ser e parar de desejar ser diferente. Se a vontade de Deus tivesse sido que você se parecesse com um modelo, um artista de cinema, um atleta famoso ou qualquer outra pessoa, Ele o teria criado dessa maneira. Se a vontade de Deus tivesse sido que você tivesse uma personalidade diferente, Ele lhe teria dado essa personalidade. Não se compare com outras pessoas; aprenda a ser feliz com quem Deus o criou para ser.

Muitas pessoas sentem-se inseguras com relação a quem são, de modo que procuram obter a aprovação de todos ao redor delas para poderem se sentir melhor a respeito de si mesmas. Elas acabam vivendo para agradar os outros, tentando se encaixar nos modelos deles, a fim de serem aceitas. Agem de uma maneira com o chefe, de outra com o parceiro e de outro modo com os amigos. Vivem uma vida de fingimento, vestindo várias máscaras e esperando conseguir agradar a todo mundo. Mas, no fundo, não estão sendo verdadeiras com ninguém, especialmente consigo mesmas.

No entanto, para que você desfrute plenamente a vida, precisa aprender a ser confiante como a pessoa que Deus o criou para ser. Entenda o seguinte: você não foi criado para imitar outra pessoa. Foi criado para ser você. O fato de andar por aí copiando e tentando ser outra pessoa não apenas o deprecia como também o priva de sua diversidade, criatividade e de seu caráter único.

Deus não quer um monte de clones. Quer variedade, e você não deve deixar as pessoas o pressionarem ou fazerem com que se sinta mal com relação a si mesmo pelo fato de não se encaixar na imagem de quem elas acham que você deveria ser. Algumas pessoas passam três quartos do tempo tentando ser outra pessoa. Que ridículo!

Seja original e não um macaco de imitação. Ouse ser diferente; sinta-se seguro em quem Deus o criou para ser e depois seja o melhor que você pode ser. Não precisa se parecer ou agir como qualquer outra pessoa. Deus nos conferiu deliberadamente dons, talentos e personalidades diferentes. Não precisa realmente da aprovação de ninguém para fazer o que você sabe que Deus quer que você faça.

Sem dúvida, você sempre deve estar aberto a conselhos sábios. Não estou sugerindo que seja tolo ou rebelde. Tampouco estou sugerindo que passe da liberdade para a licenciosidade na sua vida espiritual. Nunca temos permissão para viver uma vida profana. No entanto temos a bênção de Deus para ser confiantes, para não deixar que pressões externas nos moldem e nos transformem em algo que não somos. É sua prerrogativa querer usar um determinado penteado. Você não precisa conversar com seus amigos para se certificar de que pode usá-lo. Sinta-se seguro sendo quem você é. Se quiser ingressar no coral da igreja, começar um novo negócio ou comprar uma casa ou um carro novo, não precisa da aprovação de ninguém para fazer o que sabe que Deus quer que você faça. A sua atitude deve ser a seguinte: *Sinto-me confiante sendo quem eu sou. Não vou sair por aí fingindo ou desejando ser outra pessoa, tentando me encaixar no molde de todo mundo. Sou livre para cuidar da minha vida.*

É correto ser quem você é! Deus o fez do jeito que você é de propósito. Ele se esforçou muito para garantir que cada um de nós fosse original. Não devemos nos sentir mal porque nossa personalidade, nossos gostos ou *hobbies*, ou até mesmo nossas tendências espirituais não são as mesmas que a de outra pessoa. Algumas pessoas são expansivas e ativas. Outras são mais tímidas e descontraídas. Algumas gostam de usar terno e gravata. Já outras se sentem mais à vontade usando calça jeans. Algumas pessoas fecham os olhos e levantam as mãos quando rezam para Deus. Outras o fazem de maneira mais reservada. E Deus gosta de todas elas! Ele adora a variedade.

Não pense que você precisa se encaixar no molde de outra pessoa e, analogamente, não fique aborrecido se outras pessoas não se encaixarem no seus. Seja apenas a pessoa que Deus o criou para ser.

Curiosamente, Victoria e eu somos totalmente opostos sob muitos aspectos. Sou rotineiro, extremamente estruturado e organizado. Levanto-me à mesma hora todos os dias. Faço as mesmas coisas, mantenho a mesma programação todas as semanas. Vou aos mesmos restaurantes e como os mesmos pratos. Na maioria dos casos, nem mesmo preciso olhar o cardápio, porque sei que vou pedir as coisas que sempre peço. Victoria, por outro lado, não gosta de rotinas. Ela aprecia a variedade. É expansiva, ativa, divertida, empreendedora e ousada. Não há como prever o que ela fará a seguir! Sempre estou rezando: "Por favor, Deus, faça com que ela não seja presa!"

E aqui está a parte maravilhosa: Deus a fez desse jeito! Um dos motivos pelos quais temos um bom relacionamento é o fato de eu não passar o meu tempo tentando modificá-la e ela não tentar fazer com que eu me sinta mal por ser eu mesmo, ou me atazanar porque não sou como ela. Aprendemos a apreciar nossas diferenças. Aprendemos a gostar da pessoa que Deus nos criou para ser.

Nesse ínterim, equilibramos um ao outro. Sou estruturado e rotineiro; ela é divertida e empreendedora. Sem Victoria, minha vida seria tediosa; sem mim, ela estaria na cadeia! (Brincadeirinha.)

Aprenda a Apreciar as Diferenças

A verdade é que todos precisamos aprender a apreciar nossas diferenças. Não tente imprensar todo mundo na sua pequena caixa. E tampouco deixe que alguém tolha seu estilo. Sem dúvida sempre podemos aprender com outras pessoas e, às vezes, precisamos estar abertos à mudança. Mas você não tem de se sentir inseguro porque não tem as mesmas características físicas, emocionais ou intelectuais de outra pessoa. Sinta-se feliz com quem Deus o criou para ser.

A razão pela qual muitos de nós estão descontentes hoje é o fato de estarem sempre comparando. Você sabe como funciona. Você começa o dia de ótimo humor, muito feliz, mas aí vê um dos seus colegas de trabalho em um carro novinho em folha. Então começa a pensar: *Eu queria tanto ter um car-*

ro novo. Aqui estou eu, dirigindo este calhambeque. Passado algum tempo, o seu bom humor desaparece e você se sente desanimado e descontente. Ou talvez veja uma amiga entrar na sala acompanhada do marido boa-pinta que parece ter saído direto de uma revista de modelos masculinos. Você então olha para o seu marido... e... bem, você entende o que quero dizer.

Mas é tão tolo comparar seu parceiro com o de outra pessoa quanto o é comparar seus talentos, habilidades ou instrução. Essas comparações são quase sempre contraproducentes e o fazem ficar triste. Cuide de sua vida. Não se preocupe com mais ninguém.

Há relativamente pouco tempo, ouvi um pastor na televisão dizer que se levantava todos os dias às quatro da manhã e rezava durante duas horas. O meu primeiro pensamento foi: *Puxa, eu não rezo duas horas por dia e também não me levanto tão cedo.* Quanto mais eu pensava no assunto, pior me sentia!

Finalmente, tive de me controlar e dizer: "Isso é ótimo para ele, mas pelo amor de Deus, não é bom para mim! Vou cuidar da minha vida e não vou me sentir culpado ou mal com relação a mim mesmo, porque não faço o que ele faz."

Deus possui um plano individual para a vida de cada um de nós. Só porque uma coisa funciona para alguém não significa necessariamente que vai dar certo para você. Deus dá a cada um de nós uma graça especial para fazer o que Ele nos chamou para fazer. Se cometermos o erro de tentar copiar outras pessoas, com freqüência ficaremos frustrados e desperdiçaremos muito tempo e energia. E o que é ainda pior, poderemos deixar escapar as coisas boas que Deus tem para nós!

Já vi mães que estão sempre levando os filhos para todo lugar, que investem muito tempo neles. As crianças participam de todos os clubes e esportes, o que em geral é ótimo. Mas algumas mães simplesmente tentam copiar outra pessoa, ou então matriculam os filhos em todos os tipos de atividades devido a um sentimento de culpa e condenação. Alguns pais frenéticos e esgotados tentam tão desesperadamente acompanhar o ritmo de outros pais (o de outros *pais,* e não o dos filhos deles!), que deixam completamente de perceber o sentido dos programas destinados a expandir os horizontes das crianças. Além disso, toda essa atividade está deixando mãe e pai exaustos!

Eis algumas notícias boas. Você não precisa se preocupar em acompanhar o ritmo de ninguém. Deve cuidar da própria vida. Deus lhe deu a graça de fazer o que Ele o chamou para fazer. Ele não lhe deu a graça de fazer o que as outras pessoas estão fazendo. Você não precisa ser a melhor mãe do mundo, apenas a melhor mãe que é capaz de ser.

Posso não ser o maior pastor do mundo. Posso não ser o melhor marido ou o melhor pai, mas estou determinado a ser o melhor que *eu* posso ser. E não vou me sentir mal com relação a mim mesmo. Se alguém consegue fazer melhor o que eu faço, ótimo. Não estou em um concurso; não estou me comparando com ninguém. No que me diz respeito, sou o número um! Sei que estou fazendo o melhor que posso.

É isso que a Escritura ensina. Ela diz: "Que cada um examine a própria obra."[1] Em outras palavras, pare de olhar para o que todo mundo está fazendo e cuide de sua vida. Você pode ter orgulho de si mesmo sem se comparar com ninguém. Se cuidar de sua vida e for o melhor que *você* pode ser, poderá se sentir bem em relação a si mesmo.

Se for o melhor que você pode ser, poderá se sentir bem em relação a si mesmo.

É certo que você enfrentará uma enorme pressão para fazer o que todo mundo está fazendo, para tentar agradar a todos e satisfazer as expectativas deles. No entanto, se não tomar cuidado, sua vida pode se tornar um borrão, uma pálida imitação em vez de um original. Mas você não tem de agradar a todo mundo; só precisa agradar a Deus. A verdade é que se você decidir cuidar de sua vida, talvez não seja capaz de corresponder às expectativas das outras pessoas. Você não pode ser tudo para todo mundo. Terá de aceitar o fato de que algumas pessoas talvez não gostem de você. Nem todo mundo vai concordar com cada decisão que você tomar. Provavelmente não será capaz de manter felizes todas as pessoas que fazem parte de sua vida. Mas não pode deixar que as exigências, as pressões e as expectativas dos outros o impeçam de fazer o que Deus quer que você faça.

Melanie é uma jovem inteligente que consegue equilibrar muito bem as responsabilidades como esposa e mãe com o desejo de ter uma carreira fora de casa. Mas ela se sentiu pressionada a continuar a subir na empresa em que trabalha. Quando uma nova posição ficou vaga, seu chefe insistiu com ela para que aceitasse uma promoção. O seu marido a apoiou, e Melanie sabia que se tratava de uma excelente oportunidade. Mas algo dentro dela a fez parar um pouco para pensar. Ela estava com vontade de aceitar o novo cargo. Mas não queria trabalhar naquele ambiente estressante e, além disso, se sentia realizada e satisfeita na posição que ocupava. Ela era extremamente competente na função, gostava da sua carreira e tinha um horário flexível, o que lhe permitia passar bastante tempo com a família.

— Sinto-me honrada com o fato de o meu chefe desejar me promover — disse Melanie —, mas estou feliz com as coisas do jeito que estão. Por outro lado, tenho medo de desapontar todo mundo se não aceitar o novo cargo. Sinto que não estarei à altura das expectativas deles se recusar essa nova oportunidade. O que você acha que devo fazer?

— Melanie, você não pode viver para agradar todo mundo — disse eu a ela. — E embora essas pessoas possam estar repletas de boas intenções e lhe desejar o melhor, somente você sabe, bem no fundo, o que é certo para você. Tem de aprender a seguir seu coração. Você não pode deixar que os outros a pressionem para que você seja algo que não é. Se quer a graça de Deus na sua vida, precisa ser a pessoa que Ele a criou para ser e não a pessoa que seu chefe quer que você seja, a que seus amigos querem que você seja ou mesmo a pessoa que seus pais ou marido querem que você seja. Não pode deixar que expectativas externas a impeçam de seguir seu coração.

Melanie recusou a nova posição, e ela e a família estão em grande expansão. No caso dela, uma promoção teria sido um retrocesso.

Busque Bons Conselhos

Quando você enfrenta decisões difíceis ou escolhas incertas, é útil aconselhar-se com alguém que respeite. A Bíblia diz: "Há segurança em uma multiplicidade de conselheiros", e nunca devemos ser teimosos e obstinados. Devemos sempre permanecer abertos e estar dispostos a aceitar conselhos. No entanto, se depois de ter rezado sobre alguma coisa e examinado todas as opções, você mesmo assim não se sentir bem em relação a ela, seja corajoso o suficiente para tomar uma decisão que seja certa para você. Se estiver tentando agradar todas as outras pessoas fazendo coisas que na verdade não quer fazer, para não magoar alguém, ou se estiver tentando fazer todo mundo feliz, estará enganando a si mesmo. Você pode ficar rodando em círculos tentando ser algo que não é e correrá o risco de deixar escapar o que Deus tem de melhor para a sua vida.

Às vezes, você pode até receber conselhos demais. Se não tiver cuidado, as opiniões conflitantes simplesmente causarão confusão. Às vezes os amigos que o estão aconselhando nem mesmo podem controlar a própria vida, mas certamente são competentes em ensinar você a dirigir a sua! Certifique-se de que as pessoas que estão lhe dando o conselho sabem do que estão falando e conquistaram o seu respeito como uma fonte de sabedoria. Além disso, pessoas seguras confiam na sua orientação interna 75 por cento das vezes e na externa 25 por cento das vezes. Isso significa que no caso da maioria das decisões que você tomar, não deve procurar a opinião e a aprovação de outra pessoa. Você precisa seguir seu coração à luz da Palavra de Deus e fazer o que sente ser certo e bom para você.

Analogamente, vocês, pais, não devem pressionar seus filhos para realizar seus sonhos. Devem permitir que eles realizem os sonhos que Deus colocou no coração deles. É claro que é bom fornecer orientação aos nossos filhos, mas não sejam controladores ou manipuladores. Não coloquem expectativas irrealistas nos seus filhos.

Uma das coisas que eu apreciava no estilo de criar os filhos dos meus pais era que nunca planejaram a vida dos meus irmãos e a minha. Claro que nos indicavam qual a direção certa, oferecendo conselhos sábios. Eles nos ajudaram a descobrir onde estavam os nossos dons e talentos, até mesmo aqueles que estavam escondidos.. Mas eles sempre nos deixaram realizar nossos próprios sonhos. Desde bem pequeno eu sabia que meu pai queria que eu pregasse, mas eu nunca tive esse desejo. Apesar de estar desapontado, meu pai nunca tentou me impingir a idéia de que eu deveria ser pastor. Nunca tentou fazer com que eu me sentisse culpado ou inferior por não estar fazendo exatamente o que ele queria que eu fizesse. Na verdade, ele com freqüência me dizia: "Joel, quero que você realize os sonhos que tem para a sua vida e não aqueles que eu tenha para a sua vida." Hoje posso pregar com a liberdade de saber que não estou fazendo o que agrada ao meu pai ou a outros membros da família; estou fazendo o que agrada a Deus.

Você está sendo a pessoa que Deus o criou para ser?

Você está sendo a pessoa que Deus o criou para ser? Ou está apenas andando por aí fingindo, tentando ser o que os outros querem que você seja, vivendo à altura das expectativas deles e seguindo os sonhos deles para a sua vida? Quando meu pai foi ter com o Senhor e eu iniciei a missão de pastor da Lakewood Church, uma das minhas maiores preocupações era: "De que maneira as pessoas vão me aceitar?" Afinal de contas, papai ocupara o posto durante 40 anos e todos estavam acostumados com ele. O estilo e a personalidade dele eram muito diferentes dos meus. O meu pai era um pregador inflamado, sempre dinâmico e empolgante. Eu sou um pouco mais calmo.

Certa noite eu estava rezando, perguntando a Deus o que deveria fazer. "Devo tentar ser mais parecido com o meu pai? Devo copiar o estilo dele? Devo pregar as mensagens dele?" E continuei com o mesmo tipo de pergunta. Eu estava muito preocupado. Mas o Senhor falou comigo, não em voz alta, mas no fundo do meu coração, dizendo: *Joel, não copie ninguém. Seja você mesmo. Seja quem Eu criei você para ser. Não quero uma duplicata do seu pai. Quero um original.*

Essa verdade me libertou!

Adoro o lembrete no livro de Josué. Moisés acabara de morrer e Deus queria que Josué se tornasse o líder do Seu povo. Deus disse para Josué: "Assim como eu estava com Moisés, estarei contigo." Repare que Ele não disse: "Josué, você precisa tentar ser como Moisés porque então se tornará adequado." Não, Deus disse para Josué: "Seja original. Seja quem Eu o criei para ser, porque assim você será bem-sucedido."

Um dos segredos de qualquer sucesso que já tive em Lakewood — e sei que tudo vem de Deus — foi o fato de eu ter caminhado com os meus próprios pés. Não tentei fazer o que meu pai ou qualquer outra pessoa fazia. Não tentei ser algo que não sou nem tentei copiar ninguém. Não subo ao púlpito e ajo de uma maneira e depois vou para casa e ajo de outra. Não, no meu caso o que você está vendo é quem eu sou. Isso é tudo que Deus exige que eu seja.

E é isso que Ele também espera de você. Se aprender a ser o original que Deus o criou para ser, Ele o conduzirá a lugares com os quais você nunca sonhou. Você pode ter alguns defeitos, algumas áreas que você e Deus estão refinando. Mas lembre-se de que Deus o está modificando. E se ficar feliz com quem Deus o criou para ser e tomar a decisão de que vai ser o melhor que pode ser, Deus derramará a Sua graça na sua vida, e você viverá a vida triunfante que Ele tem reservada para você.

TERCEIRA PARTE

DESCUBRA O PODER DE SEUS PENSAMENTOS E PALAVRAS

CAPÍTULO 12

ESCOLHENDO OS PENSAMENTOS CERTOS

Uma guerra violenta se alastra ao seu redor e no entanto, surpreendentemente, você talvez nem a esteja notando. A batalha não disputa um pedaço de terra ou recursos naturais como gás, petróleo, ouro ou água. A recompensa dessa guerra é muito mais valiosa. A luta é pela sua mente.

O terceiro passo que você precisa dar, se quiser viver no seu pleno potencial, é *descobrir o poder dos pensamentos e das palavras*. Vamos analisar primeiro os pensamentos.

O alvo número um do seu inimigo é a esfera dos seus pensamentos.[1] Ele sabe que, se conseguir controlar e manipular a maneira como você pensa, será capaz de controlar e manipular toda a sua vida. De fato, os pensamentos determinam as ações, a atitude e a auto-imagem. Na verdade, os pensamentos determinam o destino. É por esse motivo que a Bíblia nos adverte que devemos defender nossa mente. Precisamos ser extremamente cuidadosos não apenas com o que absorveremos através dos olhos e ouvidos, mas também com o que pensamos. Se você se detiver em pensamentos depressivos, viverá uma vida depressiva. Se continuamente nutrir pensamentos negativos, será atraído por pessoas, atividades, filosofias e estilos de vida negativos. A sua vida sempre seguirá os seus pensamentos.

Quase como um ímã, atraímos o que pensamos com constância. Se você sempre alimenta pensamentos positivos, felizes e alegres, será alguém positivo, feliz e alegre, e atrairá pessoas felizes, otimistas e positivas.

Nossos pensamentos também afetam nossas emoções. Nós nos sentiremos exatamente da maneira como pensamos. Você nunca será feliz a não ser que antes tenha pensamentos felizes. Inversamente, é impossível ficar abatido se antes não tiver pensamentos desestimulantes. A quantidade de sucesso ou fracasso que temos na vida começa na nossa mente e é influenciada pelo que nos permitimos remoer.

Ponha a Mente em Coisas Elevadas

Muitos não o percebem, mas podemos escolher nossos pensamentos. Ninguém pode nos fazer pensar a respeito de alguma coisa. Deus não fará isso e o inimigo não é capaz disso. É você quem decide o que vai alimentar na sua mente. Simplesmente se o inimigo planta um pensamento negativo e desanimador no seu cérebro, não significa que você tenha de "regá-lo", alimentá-lo, mimá-lo e ajudá-lo a crescer.

De modo algum. Você pode escolher eliminá-lo da mente. Sem dúvida sua mente é semelhante a um computador gigante, já que o cérebro armazena todos os pensamentos que você já teve. Esse fato é animador quando você está tentando encontrar as chaves do carro, mas não é tão positivo quando você pensa na quantidade de obscenidades, grosserias, conceitos profanos e outras informações negativas que nos inundam todos os dias. Não obstante, o fato de um pensamento destrutivo estar armazenado no seu computador mental não significa que você precisa pegá-lo e processá-lo na tela principal da sua mente.

Se cometer esse erro e começar a remoer esse pensamento, ele afetará suas emoções, atitudes, e — se continuar a deixá-lo correr livre na sua mente — inevitavelmente influenciará suas ações. Você se inclinará muito mais ao desânimo e à depressão e, se continuar a ruminar esse pensamento negativo, ele terá o potencial para drenar sua energia e sua força. Você perderá a motivação de avançar em uma direção positiva.

Quanto mais remoemos as mentiras do inimigo, mais lixo estaremos voluntariamente permitindo que ele despeje na nossa mente. É como se tivéssemos aberto completamente a porta e colocado um cartaz com os seguintes dizeres: "Jogar o lixo aqui!"

Qualquer pessoa pode ficar temporariamente desanimada e deprimida. A vida é dura e às vezes nos custa muito caro. Todos somos derrubados de vez em quando. Mas você não precisa permanecer arrasado. Se está deprimido, precisa compreender que ninguém está *fazendo* você ficar deprimido.[2] Se não é feliz, ninguém o está obrigando a ser infeliz. Se está sendo negativo e tem uma má atitude, ninguém o está coagindo a não querer cooperar, a ficar entediado, sarcástico ou mal-humorado. Você está escolhendo permanecer nesse estado, e o primeiro passo para sair dessa confusão é reconhecer que a única pessoa que pode melhorar a situação é você!

Precisamos arcar com a responsabilidade pelas nossas ações. Enquanto continuarmos a arranjar desculpas e culpar a árvore genealógica, o ambiente, os relacionamentos passados com outras pessoas, as circunstâncias, Deus, Satã, *qualquer pessoa* ou *qualquer coisa,* nunca seremos verdadeiramente livres e emocionalmente saudáveis. Precisamos entender que podemos em grande parte controlar nosso destino.

Algumas pessoas dizem: "As minhas circunstâncias me oprimem. Você não faz idéia do que estou passando."

Na verdade, as circunstâncias não o oprimem. O que o oprime são os seus *pensamentos* com relação às circunstâncias. Por outro lado, você pode estar vivendo uma das maiores batalhas da sua vida e mesmo assim estar repleto de alegria, paz e vitória — se simplesmente aprender a escolher os pensamentos certos. Está na hora de refletir a respeito do que você está pensando.

Está na hora de refletir a respeito do que você está pensando.

O que você está permitindo que a sua mente rumine? Você está concentrado nos seus problemas? Está constantemente remoendo coisas negativas? A maneira como você encara sua vida faz toda a diferença do mundo — especialmente para você!

É óbvio que não podemos deixar de dar atenção aos problemas e viver fingindo que nada de ruim jamais nos acontece. Essa atitude é irreal. Coisas más de vez em quando acontecem às pessoas boas, assim como coisas boas freqüentemente ocorrem com pessoas más. Fingir não é a resposta nem jogar jogos semânticos, para fazê-lo parecer mais espiritual. Se você está doente, é aceitável admiti-lo; mas conserve os pensamentos no seu Agente de Cura. Se o seu corpo está cansado, se o seu espírito está fatigado, tudo bem; todos entendemos isso. Às vezes a coisa mais espiritual que você pode fazer é repousar. Mas concentre seus pensamentos Naquele que prometeu: "Os que dependem do SENHOR renovarão as suas forças."[3]

Os tempos difíceis chegam para todos nós. Jesus disse: "Nesta vida passareis por aflições, mas tende bom ânimo porque dominei o mundo."[4] Ele não estava dizendo que os tempos difíceis não chegariam; Ele estava dizendo que quando chegarem, podemos escolher nossas atitudes. Podemos decidir acreditar que Ele é maior do que todos os problemas; podemos escolher os pensamentos corretos.

Enquanto você se detiver nas promessas da Palavra de Deus, será preenchido pela esperança. Você desenvolverá uma atitude positiva de fé e atrairá a vitória. Como a limalha de ferro que é puxada através de uma mesa por um ímã, você atrairá as boas coisas de Deus.

Inúmeras pessoas dizem: "Assim que a minha situação mudar, ficarei mais animado. Tão logo eu conseguir sair dessa confusão, terei uma atitude melhor."

Infelizmente, isso não vai acontecer. Você inverteu o processo. Primeiro precisa ficar mais animado, e depois Deus modificará a situação. Enquanto você abrigar essa perspectiva medíocre e derrotista, continuará a viver uma vida medíocre e cheia de derrotas.

Curiosamente, a Escritura diz: "Despi a antiga natureza e vesti o novo homem." Ela diz: "Renovai-vos constantemente no espírito da vossa mente, tendo uma nova atitude mental e espiritual."[5] Você não pode ficar sentado de braços cruzados, passivamente, e esperar que essa nova pessoa surja de repente; tampouco pode passar pela vida com uma disposição de espírito negativa e esperar que as coisas mudem para melhor. Não, você precisa despir esses velhos pensamentos negativos e "vestir" uma nova atitude. Em outras palavras, precisa mudar seus padrões de pensamento e começar a se demorar nas coisas boas de Deus. Quando você se desconcentra e começa a remoer pensamentos negativos, é fácil ficar desanimado.

O primeiro lugar no qual precisamos conquistar a vitória é na nossa mente. Se você não acha que pode ser bem-sucedido, nunca será. Se não acredita que seu corpo pode ser curado, ele nunca será. Se não acha que Deus pode causar uma reviravolta na sua situação, Ele provavelmente não fará isso. Lembre-se: "Como a pessoa pensa no seu coração, assim ela se tornará."[6] Quando você nutre pensamentos de fracasso, está destinado a fracassar. Quando alimenta pensamentos de mediocridade, está destinado a viver uma vida comum na qual consegue apenas sobreviver. Mas, meu amigo, quando você alinha seus pensamentos com os pensamentos de Deus e começa a viver nas promessas da Palavra de Deus, quando se demora nos pensamentos da vitória, da graça, da fé, do poder e da força Dele, nada poderá detê-lo. Quando você tiver pensamentos positivos e excelentes, será lançado em direção à magnificência e inevitavelmente destinado ao crescimento, ao progresso e às bênçãos sobrenaturais de Deus.

Quando você tiver pensamentos positivos e excelentes, será lançado em direção à magnificência.

Precisamos escolher continuamente manter a mente voltada para as coisas mais elevadas. A Bíblia diz: "Pensai nas coisas do alto."[7] Repare novamente que existe algo que estamos aqui para fazer: precisamos decidir continuamente, todos os dias, 24 horas por dia, manter a mente voltada para as coisas mais elevadas. Quais são as coisas que estão no alto, as mais elevadas? Simplesmente falando, são as coisas positivas de Deus. O apóstolo Paulo fornece uma grande lista por meio da qual podemos avaliar nossos pensamentos: "Tudo que é verdadeiro, tudo que é nobre, tudo que é justo, tudo que é puro, tudo que é amável, tudo que é louvável, tudo que seja virtude ou digno de louvor, eis o que deve ocupar vossos pensamentos."[8]

As pessoas às vezes implicam comigo dizendo: "Joel, você fala tanto a respeito de ser positivo." Mas Deus é positivo! Não existe nada negativo a respeito Dele. Se você vai viver da maneira de Deus e ser a pessoa que Ele quer que você seja, precisa alinhar sua visão com a Dele e viver com uma disposição de espírito positiva. Aprenda a procurar o melhor em cada situação.

Independentemente do que você estiver passando, se examinar bem a situação e mantiver a atitude correta, conseguirá descobrir algo bom a respeito da experiência. Se for demitido do emprego, pode optar por ser negativo, amargo e culpar Deus. Ou então, você pode dizer: "Deus, sei que está no controle da minha vida, e quando uma porta se fecha, o Senhor sempre abre outra maior e melhor. Assim sendo, Pai, mal posso esperar para ver o que tem reservado para mim."

Quando você ficar preso no trânsito, pode escolher ficar zangado e frustrado, ou pode optar por dizer: "Pai, o Senhor disse que todas as coisas trabalham em conjunto para aqueles que O amam, de modo que eu Lhe agradeço por me orientar, proteger e me conservar na Sua vontade perfeita."

Você precisa fazer uma escolha e manter a mente concentrada nas coisas mais elevadas. Não vai acontecer automaticamente. É preciso ser determinado e fazer algum esforço para manter a mente voltada para as boas coisas de Deus e experimentar o que Ele tem de melhor a oferecer.

Precisamos ser especialmente precavidos durante os períodos de adversidade, de dificuldades pessoais. Quando surgem os problemas, com freqüência os primeiros pensamentos que nos vêm à mente não são elevados nem positivos. Pensamentos negativos nos bombardeiam vindos de todos os ângulos possíveis. É nesse momento que devemos escolher confiar que Deus nos trará boas coisas em vez de nos deixar abater, desanimar ou simplesmente desistir.

A nossa mente é semelhante à transmissão em um carro. Temos uma marcha para a frente e a marcha a ré; podemos escolher a direção que queremos tomar. Ir para a frente não exige mais esforço do que ir para trás. Está tudo no processo de decisão. Analogamente, determinamos, por meio das nossas escolhas, o caminho que a nossa vida vai seguir. Se escolher permanecer concentrado para o positivo e mantiver a mente voltada para as coisas boas de Deus, todas as forças das trevas reunidas não conseguirão impedi-lo de avançar e realizar seu destino. Mas se cometer o erro de se deter no negativo, concentrando-se em problemas e impossibilidades, estará fazendo algo semelhante a dar marcha a ré no carro e se afastar da vitória que Deus tem reservada para você. Você precisa decidir qual o caminho que deseja seguir.

Concentre-se no Positivo

Ouvi uma história a respeito de um agricultor otimista e um pessimista. Quando chovia, o agricultor otimista dizia: "Obrigado, Senhor, por regar a nossa colheita."

O agricultor pessimista dizia: "Mas, se a chuva continuar, ela vai apodrecer as raízes e nunca teremos uma colheita."

O sol aparecia e o agricultor otimista dizia: "Obrigado, Senhor, pelo sol. A nossa cultura está recebendo as vitaminas e os minerais de que precisa. Vamos ter uma excelente colheita este ano."

O agricultor pessimista dizia: "Mas, se o sol continuar a brilhar desse jeito, ele vai chamuscar essas plantas e nunca vamos conseguir ganhar a vida."

Certo dia, os dois agricultores foram caçar gansos juntos, e o agricultor otimista levou o seu novo cão adestrado para a caça. Ele estava tão orgulhoso do cão que mal conseguia esperar para mostrá-lo em ação. Eles partiram em um barco pequeno e esperaram. Em pouco tempo, um grande ganso passou voando. *Bum!* O agricultor otimista derrubou o ganso no meio do lago. Ele se voltou para o amigo e disse:

— Olhe só o que este cachorro é capaz de fazer. — O cão saltou do barco e correu *em cima da água,* pegou o ganso, voltou correndo por cima da água e depositou o pássaro perfeitamente no barco. O agricultor otimista sorria de orelha a orelha. Ele se voltou para o amigo e perguntou: — O que você achou disso?

O agricultor negativo balançou a cabeça indignado.

— Exatamente como eu pensava — disse ele. — O cachorro nem mesmo sabe nadar!

É claro que a história é apenas uma piada, mas você não conhece pessoas assim? Elas estão sempre concentradas no aspecto negativo das coisas. Se você for obrigado a ficar perto de um pessimista, tome cuidado para não deixar que as atitudes negativas dele contagiem seu modo de pensar!

Permaneça voltado para as coisas positivas na vida. Os psicólogos estão convencidos de que a vida avança na direção dos pensamentos dominantes. Se pensamentos de alegria, paz, triunfo, abundância e bênçãos dominam seus pensamentos durante o dia, você avançará em direção a essas coisas, atraindo-as ao mesmo tempo para você. A sua vida seguirá os seus pensamentos.

Quando os seus pensamentos seguem um certo padrão durante um longo tempo, é como se você estivesse cavando um leito profundo de rio e a água só pudesse correr em uma direção. Imagine uma pessoa que tenha habitualmente um modo negativo de pensar mês após mês, ano após ano. Cada vez que ela tem um pensamento pessimista, aumenta a profundidade desse leito. A corrente se acelera, ficando cada vez mais forte. Passado algum tempo, a água corre com muita força, todo pensamento que sai do rio é negativo; a água só flui dessa maneira. A pessoa programou a própria mente para um padrão de pensamento negativo.

Por sorte, podemos cavar um novo leito que faça o rio avançar em uma direção positiva. Fazemos isso com um pensamento de cada vez. Quando você vive na Palavra de Deus e começa a enxergar o melhor que existe nas situações, pouco a pouco, com um pensamento de cada vez, redireciona a correnteza do rio. No início, apenas uma pequena quantidade de água será desviada do fluxo negativo e escorrerá sobre o fluxo positivo. Pode não parecer muito, inicialmente, mas à medida que você continuar a rejeitar os pensamentos negativos e redirecionar o fluxo, à medida que escolher a fé em vez do medo, esperando coisas boas e assumindo o controle do seu modo de pensar, pouco a pouco esse fluxo negativo definhará e acabará secando, e você descobrirá um rio completamente novo que corre com pensamentos vitoriosos positivos e repletos de fé.

De vez em quando, você poderá se sentir tentado a ter pensamentos desanimadores, como: "Nunca vou conseguir; os meus problemas são grandes demais, são simplesmente insuperáveis."

Antigamente, você voltaria ao velho rio negativo e pensaria: *Ó céus. O que vou fazer? Deus, como vou sair dessa confusão?*

Porém não desta vez; um novo rio está correndo. Você pode se levantar e dizer: "Não, maior é Ele que está em mim do que ele que está no mundo. Posso fazer todas as coisas através de Cristo, e vou sair dessa."

Você pode começar a entrar em contato com esse novo rio, e cada vez que o fizer, estará aumentando a profundidade do leito desse novo rio positivo e a água correrá mais livremente.

Você é atacado por pensamentos negativos: *Jamais conseguirei pagar essa dívida. Nunca serei bem-sucedido. Sempre viverei na pobreza e na penúria.*

Nos velhos tempos, você voltaria àquele rio deprimente e diria: "Bem, a minha família sempre foi pobre. Ninguém nunca deu em nada. Acho que essa é a minha sorte na vida."

Mas não desta vez. Agora, você retorna ao rio positivo de fé. Você diz: "Obrigado, Pai, por ter me chamado para seguir à frente e não atrás. Estou acima e não embaixo. O Senhor disse que serei capaz de emprestar dinheiro e que não precisarei pedi-lo emprestado. Disse que tudo que eu decidir fazer prosperará. Assim Pai, eu Lhe agradeço por eu ser abençoado e por não poder ser amaldiçoado."

O que você está fazendo? Está reprogramando a sua mente.

Meu amigo, não seja passivo, não fique sentado de braços cruzados permitindo que pensamentos negativos, críticos e pessimistas influenciem sua vida. Aprenda a viver no positivo; reprograme sua maneira de pensar. A Bíblia nos diz que precisamos ser "transformados pela renovação da nossa mente".[9] Se você transformar sua mente, Deus transformará sua vida.

Se você transformar sua mente, Deus transformará sua vida.

No entanto, sejamos realistas. Você pode ter cavado um profundo rio de negatividade, e a mudança vai requerer uma vontade forte. Esse rio não se formou da noite para o dia, e tampouco será redirecionado sem um esforço consciente e árduo da sua parte. Deus o ajudará, mas você terá de tomar diariamente decisões de qualidade, escolhendo o que é bom e rejeitando o que é mau. Determine-se a manter a mente voltada para as boas coisas de Deus. Comece a esperar coisas boas. Levante-se todos os dias sabendo que Deus tem coisas magníficas reservadas para você. Quando sair da cama, diga: "Pai, estou emocionado com o dia de hoje. Este é um dia que o Senhor criou; vou exultar e me alegrar nele. Deus, sei que o Senhor recompensa aqueles que O procuram, de modo que desde já eu Lhe agradeço pelas bênçãos, graças e vitórias que trará hoje para a minha vida." A seguir saia e viva com uma expectativa positiva; viva com fé.

Os pensamentos encerram um tremendo poder. Lembre-se de que atraímos para a nossa vida as coisas a respeito das quais pensamos constantemente. Se estamos sempre repisando aspectos negativos, atrairemos pessoas, experiências e atitudes negativas. Se estamos sempre remoendo nossos receios, atrairemos mais medo. Você determina a direção da sua vida com os seus pensamentos.

A escolha é sua. Não precisa se deter em cada pensamento que passa pela sua cabeça. A primeira coisa que você precisa fazer é verificar de onde está vindo o pensamento. É um pensamento de Deus, é uma idéia sua ou é um pensamento destrutivo oriundo do inimigo?

Como você pode determinar isso? É muito fácil. Se for um pensamento negativo, ele vem do inimigo. Se for um pensamento desanimador, destrutivo; se provocar medo, preocupação, dúvida ou incredulidade; se o pensamento fizer com que você se sinta fraco, inadequado ou inseguro, posso garantir que esse pensamento não vem de Deus. Você precisa lidar imediatamente com ele.

A Bíblia diz o seguinte: "Devemos destruir todas as idéias erradas e dominar todos os pensamentos errados."[10] Isso significa simplesmente o seguinte: não se detenha nele. Livre-se dele imediatamente. Escolha pensar em algo positivo. Se você cometer o erro de repisar as mentiras do inimigo, deixará que o negativo lance raízes. E quanto mais você pensar nelas, mais elas crescerão, criando um baluarte inimigo na sua mente a partir do qual ataques poderão ser lançados. Noite e dia, o inimigo golpeará a sua mente com idéias como: *Você nunca será bem-sucedido. Ninguém na sua família realizou grandes feitos. Você não é suficientemente inteligente. Seus pais eram pobres. Sua avó estava sempre deprimida. Seu avô não conseguia parar em um emprego. Até mesmo seu cachorro de estimação estava sempre doente! Você simplesmente nasceu na família errada.*

Se você acreditar nessas mentiras, estabelecerá limites na sua vida praticamente intransponíveis. Você precisa adquirir o hábito de destruir os pensamentos do inimigo e começar a acreditar no que Deus diz a seu respeito. Deus não é limitado pela sua árvore genealógica. Não é limitado pelo seu grau de instrução, pela sua posição social, pela sua condição econômica ou pela sua raça. Não, a única coisa que limita Deus é a sua falta de fé.

Não existe para o nosso Deus algo como ter nascido na família errada ou no bairro errado. Se você confiar em Deus, Ele tornará a sua vida importante. Deus deseja tornar sua vida magnífica. Ele pegará um joão-ninguém e transformará essa pessoa em alguém. Mas você precisa cooperar com o plano de Deus; precisa começar a pensar em si mesmo como sendo o campeão que Deus o criou para ser.

Não existe para o nosso Deus algo como ter nascido na família errada ou no bairro errado.

Deus Confia em Você

Se você conseguir ter um vislumbre da confiança que Deus tem em você, nunca mais voltará a se encolher em um complexo de inferioridade. Você se levantará com coragem. O fato de sabermos que alguém que respeitamos tem confiança em nós, freqüentemente, sentimo-nos inspirados a acreditar mais em nós mesmos. Na maioria dos casos, mostramo-nos à altura da situação e correspondemos às expectativas da pessoa.

Certa vez, eu estava jogando basquete com um grupo de jogadores bem melhores do que eu. Quase todos tinham sido do time da faculdade; eu não. O jogo estava intenso, bruto e competitivo. Perto do final da partida, o escore estava empatado, e pedimos tempo. Enquanto nos juntávamos para uma última jogada, um jogador do meu time sussurrou no meu ouvido: "Joel, queremos que você tente fazer a última cesta. O bloqueio está muito fechado em cima de nós."

Puxa, aquilo foi um voto de confiança, mas para dizer a verdade, eu não fizera nem um arremesso durante o jogo inteiro! O cara que estava me bloqueando era mais ou menos 45 centímetros mais alto do que eu.

No início, pensei: *Esta não é uma boa idéia.* Mas logo a seguir, refleti o seguinte: *Se o meu time tem tanta confiança em mim, se acreditam em mim a ponto de querer que eu faça o arremesso mais importante do jogo, então eu devo ser capaz de fazê-lo.*

Pegamos a bola, fomos para a quadra e, como prevíamos, consegui me colocar em uma posição aberta. O cara que me bloqueava estava acima de mim, mas eu o driblei e arremessei a bola bem acima dos seus braços estendidos — eu não conseguia nem mesmo ver a cesta — e a bola ascendeu como um arco-íris, subindo muito mais do que era o normal no meu caso. Observei a bola viajar no ar, quase como se tivesse vendo a mim mesmo em câmera lenta. Acho que tive até mesmo tempo de rezar: "Deus, por favor, permita que eu faça a cesta!" A bola desceu bem no centro da cesta e ganhamos o jogo! (Eu tive certeza, naquela ocasião, de que Deus ainda atende a orações!)

Quando alguém confia e acredita em nós, coisas antes consideradas impossíveis tornam-se possíveis. Victoria, a minha mulher, acha que sou capaz de fazer qualquer coisa. Ela tem muita confiança em mim. Eu não estaria onde estou hoje se ela não tivesse constantemente me dito: "Joel, você vai conseguir. Você tem o que é preciso." Há alguns anos, quando ela e eu freqüentávamos os serviços da igreja em Lakewood, Victoria costumava me dizer:

— Joel, um dia você estará ali em cima, dirigindo esta igreja. Um dia será você.

— Victoria, por favor pare de dizer isso. Fico nervoso só de pensar a respeito. Além do mais, nem mesmo sei pregar — respondia eu.

— Claro que sabe — afirmava ela com uma centelha maliciosa no olhar. — Apenas pregue para as pessoas como você prega para mim!

Ano após ano, Victoria me estimulava: "Joel, você tem tanto a oferecer. Deus vai usá-lo. Você será o pastor da Lakewood Church." Essa semente estava sendo plantada dentro de mim. E quando papai foi ter com o Senhor, acredito que uma das principais razões pelas quais fui capaz de assumir tão rápido o controle da situação foi o fato de Victoria ter acreditado em mim, pois ela ajudara a incutir em mim a confiança necessária.

A confiança que Victoria tem em mim não apenas me ajudou a expandir minha visão; ela me ajudou a entender o quanto o Deus Todo-poderoso confia em mim. Uma das primeiras coisas que fiz assim que o meu pai faleceu foi cancelar nossa transmissão na televisão em rede nacional. Na época, apresentávamo-nos no Family Channel domingo à noite. Eu pensei: *Não sei pregar em nível nacional. Nem mesmo sei se sou capaz de pregar. Quem vai querer me ouvir?* Telefonei para o nosso representante, expliquei para ele que o meu pai tinha morrido e que teríamos de desistir daquele horário na televisão.

Quando contei a Victoria o que eu tinha feito, ela disse: "Joel, acho que você deve telefonar de novo para ele e dizer que mudamos de idéia e queremos o horário de volta. Não vamos andar para trás. Não vamos nos encolher com medo. Pessoas no mundo inteiro estarão assistindo para saber o que vai acontecer com a Lakewood, e precisamos daquele horário."

Eu sabia que ela estava certa. Algo aconteceu no meu espírito. Era uma tarde de sexta-feira quando telefonei para o homem, mas não consegui falar com ele. Deixei uma mensagem e também enviei alguns faxes e e-mails. Sabíamos que o tempo era crucial para recuperarmos o programa de televisão. Aquele horário era extremamente valioso; a rede de televisão a cabo conseguiria vendê-lo rápido para outro interessado.

Segunda-feira era feriado, mas na terça-feira de manhã cedo recebemos um telefonema do representante de vendas. Ele disse: "Joel, eu já tinha vendido o horário na semana passada. Mas quando fui assinar o contrato na sexta-feira, algo dentro de mim disse: *Não faça nada antes da semana que vem.*" Ele prosseguiu: "Quando cheguei aqui esta manhã, entendi o que era esse algo. Deus queria que você tivesse o horário de volta." Ele me informou que rasgara o outro contrato e depois acrescentou: "Você pode ter seu horário de volta." Acredito que essa decisão tenha sido providencial. Hoje nos apresentamos em mais de 200 canais de televisão em várias partes do mundo. Deus fez mais do que poderíamos pedir ou imaginar.

Mas o ponto que quero que você perceba é que uma parte fundamental desse processo aconteceu quando alguém incutiu confiança em mim. Victoria me ajudou a expandir minha visão, a mudar minha maneira de pensar. Ela acreditou em mim mais do que eu acreditava em mim mesmo. Uma coisa é as pessoas que amamos e respeitamos acreditarem em nós, mas quando compreendemos o quanto Deus acredita em nós, nada pode nos impedir de realizar nosso destino.

O inimigo na sua mente diz que você não tem as condições necessárias; Deus diz que você tem. Em quem vai acreditar? O inimigo afirma que você não é capaz de ter sucesso; Deus declara que você pode fazer todas as coisas através de Cristo. O inimigo diz que você nunca se verá livre das suas dívidas; Deus afirma que não apenas você se livrará delas, como também emprestará dinheiro em vez de pedi-lo emprestado. O inimigo diz que você nunca ficará bom; Deus garante que Ele restabelecerá sua saúde. O inimigo declara que você nunca será grande coisa; Deus afirma que Ele o levantará e tornará a sua vida importante. O inimigo diz que seus problemas são grandes demais, que não há esperança; Deus declara que Ele resolverá esses problemas e, além disso, dará uma reviravolta neles e os usará para o seu bem. Meu amigo, comece a acreditar no que Deus diz a seu respeito e comece a ter os pensamentos de Deus. Eles o inundarão de fé, esperança e vitória. Os pensamentos de Deus o fortalecerão e o encorajarão. Eles lhe darão a força de que você precisa para seguir em frente. Os pensamentos de Deus lhe conferirão a mentalidade de que você é capaz.

CAPÍTULO 13

REPROGRAMANDO O SEU COMPUTADOR MENTAL

Um menino foi para o quintal brincar com um taco de beisebol e uma bola. Ele disse para si mesmo: "Sou o melhor rebatedor do mundo." A seguir, arremessou a bola para cima e balançou o taco na direção dela, mas errou. Sem hesitar um só momento, pegou a bola e arremessou-a de novo para cima, repetindo enquanto balançava o bastão: "Sou o melhor rebatedor do mundo." O menino errou de novo. Segundo *strike*. Ele arremessou a bola de novo, concentrando-se ainda mais intensamente, ainda mais determinado, e disse: "Sou o melhor rebatedor do mundo!" Balançou o taco com toda a força, e errou! Terceiro *strike*. O menino largou o taco e deu um grande sorriso. "Vejam só!" disse ele. "Sou o melhor arremessador do mundo!"

Que atitude magnífica! Às vezes temos simplesmente que escolher enxergar o lado luminoso de uma situação. Quando as coisas não saem como você planejou, em vez de se queixar, procure alguma coisa boa nas circunstâncias. Encha a mente de bons pensamentos.

A sua mente é semelhante a um computador. O programa que você coloca nela determina como ela irá funcionar. Como seria tolo você se queixar assim: "Odeio este computador! Ele nunca me dá a resposta certa; nunca faz o que quero que faça." Pense o seguinte: você pode ter o computador mais poderoso do mundo, mas se programá-lo com o software inadequado ou alimentá-lo com informações erradas, ele nunca funcionará da maneira como o fabricante planejou.

Além disso, temos agora miríades de vírus de computador à espreita no ciberespaço, esperando uma oportunidade para destruir o seu disco rígido e as informações armazenadas nele. Esses vírus podem entrar em um computador em perfeitas condições e contaminar o software. Em pouco tempo, o computador ficará lento e funcionará defeituosamente. Você pode não ser capaz de abrir os programas que precisa ou acessar documentos importantes. Com freqüência, você involuntariamente passa adiante o vírus para um amigo, um membro da família ou um parceiro comercial, piorando a situação ao contaminar o sistema deles com o mesmo vírus que infectou o seu. Em geral esses problemas não ocorrem porque o computador é defeituoso e sim porque alguém reprogramou o software ou contaminou programas ou informações internas boas e valiosas.

Do mesmo modo, com excessiva freqüência permitimos que pensamentos, palavras e outros vírus sorrateiros tenham acesso à nossa mente, sutilmente modificando nosso software ou corrompendo nossas informações e valores. Fomos criados à imagem de Deus. Antes de sermos formados, Ele nos programou para viver uma vida abundante, para ser felizes, saudáveis e completos. Mas quando o nosso modo de pensar se contamina, deixa de estar alinhado com a Palavra de Deus. Cometemos sérios erros e fazemos escolhas equivocadas. Passamos pela vida com uma baixa auto-estima, preocupações, receios, sentimentos de inadequação e insegurança. Para tornar as coisas ainda piores, passamos nossas atitudes negativas para os outros.

Quando reconhecer que essas coisas estão acontecendo, você precisa reprogramar seu computador. Precisa mudar sua maneira de pensar. É fundamental que você entenda que *você* não é defeituoso. Deus o criou e o programou para o triunfo. Mas enquanto você não alinhar seu modo de pensar ao seu manual de instruções, a Palavra de Deus, nunca conseguirá operar em seu pleno potencial.

Deus o criou e o programou para o triunfo.

É um Problema no Modo de Pensar

Conversei recentemente com um homem que me disse:

— Joel, tenho assistido às suas mensagens na televisão a respeito de ser feliz e aproveitar a vida, mas elas não parecem funcionar para mim. — Ele me explicou que, há cinco ou seis anos, passou por um rompimento muito doloroso em um relacionamento. E estava muito ferido e arrasado. — Não consigo superar essas emoções. Eu me levanto deprimido todas as manhãs. Não consigo eliminar a tristeza durante o dia. Volto para casa e vou dormir deprimido. — Ele me informou que tivera várias sessões de aconselhamento, mas que não estava vendo nenhum progresso.

— Você acha que pode me ajudar a resolver esses problemas emocionais? — perguntou ele.

— Não acredito que tenha um problema emocional — respondi de uma maneira direta. — Creio que o senhor tem um problema no seu modo de pensar.

— O que você quer dizer com isso?

— Qual é a primeira coisa que pensa quando se levanta pela manhã?

— Penso em como estou sozinho e em como fui ferido — respondeu ele.

— O que o senhor pensa com mais freqüência durante a jornada de trabalho?

— Penso em como a minha vida está confusa, nos erros que cometi e em como gostaria de poder recomeçar.

— E o que o senhor pensa quando vai para a cama à noite?

— A mesma coisa.

— Senhor, não sou psicólogo nem psiquiatra, mas acho que as suas emoções estão funcionando perfeitamente, exatamente da maneira como Deus as programou. As nossas emoções não são positivas ou negativas. Elas meramente nos permitem sentir o que estamos pensando. Se o senhor andar por aí tendo pensamentos de raiva, vai ficar zangado. Mas se tiver pensamentos felizes, pensamentos vitoriosos, o senhor vai ser feliz. Vai ser vitorioso. O senhor não pode passar o dia inteiro pensando nas pessoas que o magoaram e em todos os erros que cometeu, e esperar viver algum tipo de vida feliz e positiva. Tem de abandonar o passado e começar a enfatizar o fato de que Deus tem um grande futuro reservado para o senhor. Ele também tem um novo começo. Comece a acentuar o fato de que Deus prometeu modificar essa situação e usá-la em seu benefício. Escolha pensar em coisas boas. O senhor precisa reprogramar seu computador mental, e quando o fizer, as suas emoções seguirão o exemplo.

A Bíblia diz: "Eu te propus a vida e a morte, a bênção e a maldição, o positivo e o negativo; Deus diz escolhe pois a vida."[1] Essa não é uma questão do tipo "de uma vez por todas". É uma escolha que temos de fazer a cada momento. Precisamos optar por permanecer no positivo, incentivar o que é bom. O negativo sempre vai estar por perto. Temos de escolher viver no que é certo em vez de no que é errado. Escolha acentuar o que você tem e não o que você não tem. Escolha ter os pensamentos corretos.

Você não pode impedir que pensamentos negativos batam à sua porta, mas tem o controle de decidir se vai ou não abrir a porta e deixá-los entrar. Se você montar guarda na entrada e permanecer concentrado nas coisas boas de Deus, a Bíblia diz que "Deus o conservará em perfeita paz".[2] Você pode ter paz no meio das suas tempestades, se simplesmente aprender a escolher os pensamentos corretos. Isso quer dizer que nos momentos difíceis da vida, em vez de repisar os problemas, você precisa decidir manter a atenção voltada para o seu Deus. Acentue o fato de que Deus Todo-poderoso está do seu lado. Enfatize o fato de que Ele prometeu lutar as suas batalhas por você. Reforce o fato de que nenhuma arma criada contra você é capaz de prosperar. Se você começar a alimentar esse tipo de pensamento, será coberto de fé e confiança, não importa o que se oponha a você na vida.

Você pode ter tido alguns desapontamentos e as coisas na sua vida podem não ter saído como esperava. As pessoas podem tê-lo maltratado. Você pode ter sofrido alguns reveses importantes. Mas você nunca chega a uma dificuldade insuperável quando está com Deus. Ele sempre tem um recomeço disponível para você. Comece a viver a solução. Concentre-se no fato de que Deus ainda tem um grande plano reservado para você. Quando uma porta se fecha, Deus sempre abre outra maior e melhor. Mas você precisa fazer a sua parte e permanecer em uma atitude de fé, continuar repleto de esperança.

Você deve entender que essa batalha é permanente. Nunca alcançamos uma situação em que não temos de lidar com pensamentos negativos e destrutivos. Assim sendo, quanto mais cedo aprendermos a defender nossa mente e controlar nossos pensamentos, melhor será nossa situação.

Mesmo que confiemos em Deus há muitos anos, mesmo que vivamos de uma maneira extremamente positiva, todos somos suscetíveis de ficar desanimados. Isso é parte do preço que pagamos por viver em um mundo pecaminoso. Por mais que eu tente manter uma atitude positiva, não sou imune a esses ataques.

Fique Quieto

Em dezembro de 2001, quando a Lakewood Church decidiu arrendar o Compaq Center em Houston, assinamos um contrato de 60 anos com a cidade para nos mudarmos para o estádio de basquete de 16 mil lugares do Rockets. A nossa congregação estava agitada e mal podia esperar para iniciar a reforma do estádio.

No entanto, outra empresa interessada na propriedade moveu um processo para impedir que nos mudássemos para lá. Claro que ficamos desapontados com a demora, mas depois de rezarmos, soubemos que Deus queria que déssemos seguimento aos nossos planos. Em março de 2002, nossa congregação assumiu um importante compromisso com essa finalidade.

Infelizmente, no outono daquele ano, a ação começou a esquentar. A disputa legal se arrastou por todo o inverno. Finalmente, fomos informados de que o julgamento teria lugar na primavera de 2003. Nossos advogados já tinham nos avisado de que não havia a menor chance de um acordo com a outra parte. Eles tinham muito a perder. Discutimos todas as opções, expondo as várias possibilidades, com os advogados explicando claramente as chances de ganhar ou perder, a enorme quantia que poderíamos ter de pagar e o tempo que levaria. À luz dos sombrios relatórios, a situação parecia impossível. Mesmo que ganhássemos a causa, ela poderia ficar presa durante anos nos tribunais por meio de recursos. E o tempo todo, grande parte do nosso dinheiro permaneceria em risco.

Durante esse longo período eu costumava acordar freqüentemente no meio da noite com a mente bombardeada por todos os tipos de pensamentos perturbadores: *Cara, você cometeu um erro terrível. Disse a todas essas pessoas que vai conseguir o Compaq Center. Mostrou seus planos para elas. Fez com que dessem dinheiro. O que vai acontecer se perder a causa? Você vai parecer um idiota. E o que é pior, o que vai acontecer se ela ficar presa durante oito ou nove anos na Justiça? Você tem uma quantia enorme em jogo. Não pode fazer planos. O que você vai fazer então?*

Pensamentos de perda e fracasso assediavam a minha mente: *É impossível. Nunca vai dar certo. É melhor você pegar o seu dinheiro de volta e seguir em frente.* E eu estava tentado a entender as coisas através do meu raciocínio. Estava tentado a perder a alegria. Mas durante esse tempo, tive de decidir se eu ia ficar repisando as mentiras do inimigo, ficar deprimido e impedir o trabalho de Deus, ou conservar a confiança e acreditar que Deus estava lutando as nossas batalhas por nós. Eu ia aceitar o fato de que Deus estava no controle e que Ele estava guiando e dirigindo nossos passos?

Tomei a decisão de ficar com Deus. Quando os pensamentos de dúvida e descrença me assaltavam, eu fazia o melhor para rejeitá-los e destruí-los. Tomei a decisão consciente de não me concentrar no problema e sim em Deus.

Quando surgia o pensamento que dizia: *é impossível,* eu o rejeitava e lembrava a mim mesmo que com Deus tudo é possível. Quando eles diziam: *foi uma decisão equivocada; nunca vai dar certo,* eu os repelia e lembrava a mim mesmo que todas as coisas trabalham juntas em prol do bem para aqueles que amam o Senhor. Quando eu era assediado por pensamentos que diziam: *A empresa rival é poderosa demais. Você nunca conseguirá derrotá-la,* eu os rejeitava e lembrava a mim mesmo que nenhum homem — ou empresa — pode se erguer contra o nosso Deus. Se Deus está do nosso lado, quem ousará estar contra nós? Quando surgiam pensamentos ameaçadores: *Isso vai gerar a maior confusão. Você vai arrastar a igreja na lama e tudo vai terminar em uma grande decepção,* aprendi a levantar as mãos e declarar: "Pai, o Senhor disse que, se caminhássemos na integridade, nos impediria de tropeçar. Assim, Pai, Lhe agradeço por estar evitando que cometamos um erro."

Todas as vezes que esses pensamentos negativos e desanimadores surgiam na minha cabeça, eu usava a oportunidade para agradecer a Deus pelo fato de a vitória estar a caminho. Eu sabia que se alimentássemos a dúvida e a descrença, Deus não poderia atuar naquela situação. E eu não queria fazer nada que pudesse impedi-Lo de nos dar aquela vitória.

Deus atua onde existe uma atitude de fé.

Quando estamos sempre preocupados, angustiados ou deprimidos, estamos na verdade fazendo com que Deus protele a vitória que queremos. Deus atua onde existe uma atitude de fé. Jesus disse: "Tudo é possível para aquele que crê", e o oposto disso também é verdade. Se você não acredita, se você é negativo, vive preocupado ou angustiado, as mudanças sobrenaturais não são possíveis para você. Quando estiver atravessando um momento difícil na vida, mesmo que não tenha vontade de assumir uma atitude positiva, o que às vezes é bastante provável, deve assumi-la de qualquer maneira, sabendo que cada minuto que você se permite deslizar para uma atitude negativa é um minuto que Deus fica impedido de atuar na situação.

Certa noite, no meio do processo do Compaq Center, acordei e peguei a Bíblia. O Senhor parecia estar me impelindo na direção de uma passagem da Escritura na qual o povo de Judá estava enfrentando um inimigo aterrador, uma situação realmente impossível. Deus lhes disse: "Não tereis que lutar esta batalha. Ficai quietos e vereis a salvação do Senhor."[3] E quando li essa passagem, duas palavras saltaram da página: *ficai quietos*. Elas querem dizer que devemos ficar calmos e em paz. Não fique frustrado. Não tente explicar as coisas com o raciocínio. Em vez disso, fique quieto. Tenha confiança. Mantenha uma boa atitude. Deus diz: "Lutarei as suas batalhas por você."

Algumas semanas depois, recebemos um telefonema dos nossos advogados, os mesmos que tinham nos dito que a outra parte nunca aceitaria um acordo. A empresa que tinha entrado com a ação queria conversar conosco na manhã seguinte. Chegamos a um acordo em menos de 48 horas e a questão foi completamente resolvida!

A Bíblia diz: "Quando os costumes de um homem agradam ao SENHOR, Ele faz até com que os seus inimigos fiquem em paz com ele."[4] E foi exatamente o que Deus fez por nós. Não apenas promoveu o acordo, como também a empresa que se opusera com tanta inflexibilidade a que nossa igreja arrendasse o estádio concordou em nos alugar quase dez mil vagas cobertas no Compaq Center nos próximos 60 anos. Além de nos permitir economizar milhões de dólares, esse contrato possibilitou que nos mudássemos para as novas instalações um ano antes do que o faríamos em outras circunstâncias.

Se você permanecer confiante em Deus, Ele lutará as suas batalhas por você. Se ficar quieto, verá a salvação do Senhor. Não importa o que está passando ou a força dos seus oponentes. Sustente uma atitude de fé. Fique calmo. Fique em paz. Permaneça nesse estado de espírito positivo. E não tente fazer tudo do seu jeito. Deixe que Deus o faça à maneira Dele. Se você simplesmente obedecer aos comandos Dele, Ele mudará as coisas a seu favor.

Você pode estar passando por grandes dificuldades e se sentir tentado a pensar: *Nunca vou conseguir sair dessa. As coisas nunca vão mudar. Nunca vou conseguir vencer essa situação.*

Não, a Bíblia diz: "Que o vosso espírito não fique fatigado e fraco."[5] Lembre-se de que você primeiro precisa vencer a batalha na sua mente. Erga-se firme e forte. Quando surgirem os pensamentos negativos, rejeite-os e substitua-os pelos pensamentos de Deus. Quando você se encontra nessa atitude de fé, abre a porta para que Deus atue na sua situação. Você talvez não veja nada acontecer com os olhos físicos, mas não deixe que isso o desanime. Na esfera invisível, no mundo espiritual, Deus está agindo. Ele está mudando as coisas a seu favor. E se você fizer a sua parte e continuar a ter fé, no momento devido, na hora certa, Deus lhe trará a vitória.

O segredo é escolher os pensamentos certos, manter a mente concentrada. Não apenas quando se sentir bem, quando as coisas estiverem saindo como você quer, quando não tiver problemas, mas até mesmo nos momentos difíceis da vida, especialmente neles, você deve manter a mente voltada para as coisas boas de Deus. Permaneça concentrado. Permaneça cheio de fé, de alegria e de esperança. Tome a decisão consciente de que vai permanecer em uma disposição de ânimo positiva.

Algumas pessoas dão um passo à frente e, a seguir, dois passos atrás. Em um determinado dia estão felizes e têm uma boa atitude; no dia seguinte, estão negativas e deprimidas. Fazem um pouco de progresso e depois recuam. Por causa da sua fé oscilante, nunca chegam ao lugar onde Deus quer que elas estejam. Nunca experimentam as vitórias que Ele tem reservadas para elas. Meu amigo, você precisa ser coerente. Volte a mente para o sucesso, o triunfo e o progresso. Rejeite tudo que é negativo, todos os pensamentos que provocam medo, preocupação, dúvida ou descrença. Sua atitude deve ser a seguinte: *Eu me recuso a recuar. Vou avançar com Deus. Vou ser a pessoa que Ele quer que eu seja. Vou realizar meu destino.*

Se fizer isso, Deus atuará continuamente na sua vida. Ele lutará as suas batalhas por você. Ele lhe dará paz no meio de uma tempestade e o ajudará a viver a vida vitoriosa que Ele tem reservada para você.

CAPÍTULO 14

O PODER DAS PALAVRAS

José Lima estrelou como arremessador do Houston Astros durante vários anos no final de década de 1990. José é um jogador jovem, extrovertido, dinâmico e simpático que em geral exibe uma atitude positiva. Mas quando os Astros construíram seu novo estádio de beisebol, hoje conhecido como Minute Maid Park, José ficou aborrecido. O Minute Maid Park tem uma das distâncias mais curtas entre o *home plate* e a *fence* de todos os estádios da Major League Baseball. Os rebatedores o adoram, mas a curta distância dificulta as coisas para os arremessadores, especialmente quando estão enfrentando rebatedores destros.

A primeira vez que José Lima pisou no campo novo, foi até a elevação do arremessador e, quando olhou para o campo de fora, disse: "Nunca conseguirei fazer um arremesso daqui."

Na temporada seguinte, apesar do entusiasmo da torcida e da emoção de jogar em um estádio novinho em folha, José teve o pior ano da sua carreira. Ele que tinha ganho 20 jogos passou a ser um perdedor de 16 partidas em temporadas consecutivas. Nunca na história da franquia da Astros um arremessador experimentou uma reviravolta negativa tão pronunciada.

Profecias Auto-realizáveis

O que aconteceu com José? A mesma coisa que acontece diariamente a todos nós, ou seja, recebemos o que dizemos. As nossas palavras se tornam profecias auto-realizáveis. Se você permitir que seus pensamentos o derrotem e depois criar idéias negativas por meios das palavras, suas ações seguirão o exemplo delas. É por esse motivo que precisamos ser extremamente cuidadosos com o que pensamos e especialmente cautelosos a respeito do que falamos. As palavras encerram um tremendo poder e, seja ou não essa a nossa vontade, tornaremos realidade as coisas que estamos dizendo, sejam boas ou más.

É triste, mas muitas pessoas sustentam vidas de desânimo devido às palavras que utilizam. Elas dizem coisas como:

- *"Nada de bom jamais me acontece."*
- *"Nunca terei sucesso."*
- *"Não tenho as condições necessárias. Não posso fazer isso."*
- *"Jamais conseguirei escapar dessa confusão."*

Algumas chegam a xingar a si mesmas! "Como fui idiota! Nunca consigo fazer nada direito." Elas não percebem, mas essas palavras estão preparando o caminho para o fracasso.

As palavras são semelhantes a sementes. Quando as pronunciamos em voz alta, são plantadas na mente subconsciente e adquirem vida própria; lançam raízes, crescem e produzem frutos da mesma espécie. Se dissermos palavras positivas, nossa vida avançará nessa direção. Conseqüentemente, palavras negativas produzirão resultados insatisfatórios. Não podemos pronunciar palavras de derrota e fracasso e esperar viver vitoriosos. Colheremos exatamente o que semeamos.

A Bíblia compara a língua ao leme de um enorme navio.[1] Embora o leme seja pequeno, ele controla a direção de todo o navio e, de uma maneira semelhante, a língua controla a direção da nossa vida. Se você normalmente pronuncia palavras de fracasso, seguirá na direção de uma vida de derrota e desânimo. Se a sua conversa normalmente contém frases como: "Não posso. Não sou capaz. Não tenho as condições necessárias", ou outros comentários negativos, você está se preparando para a derrota. Essas palavras negativas o impedirão de ser a pessoa que Deus quer que você seja.

Ouvi falar em um médico que compreendia o poder das palavras. Uma recomendação que ele fazia a todos os seus pacientes era que pelo menos uma vez por hora dissessem: "Estou melhorando cada vez mais todos os dias de todas as maneiras." Os pacientes do médico experimentaram resultados impressionantes, bem melhores do que os de pacientes tratados por muitos dos seus colegas.

Quando você diz alguma coisa com bastante freqüência, com entusiasmo e paixão, logo a sua mente subconsciente começa a agir de acordo com o que você está falando e a fazer o que for necessário para que esses pensamentos se tornem realidade. É triste, mas a maioria das pessoas insiste em repetir coisas negativas a vida inteira. Elas continuamente depreciam a si mesmas com palavras. Não percebem que essas palavras dizimam a confiança e destroem a auto-estima. Na verdade, se você tem a auto-estima baixa, precisa realmente cometer excessos na hora de dizer palavras positivas, vitoriosas e repletas de fé sobre a sua vida. Levante-se todas as manhãs, olhe no espelho e diga: "Tenho valor. Sou amado. Deus tem um grande plano para a minha vida. Recebo a graça aonde quer que eu vá. As bênçãos de Deus me perseguem e me alcançam. Tudo o que eu toco prospera e tem êxito. Estou entusiasmado com o meu futuro!" Comece a dizer palavras desse tipo e, em pouco tempo, você ascenderá em um novo nível de bem-estar, sucesso e vitória. As suas palavras realmente encerram poder.

Temos de ser particularmente cautelosos com as coisas que dizemos durante os períodos de adversidade ou infortúnio, quando as coisas não estão acontecendo do jeito que você quer. A maneira como você reage às adversidades da vida e o que diz na presença de dificuldades exercerá uma enorme influência no tempo que você permanecerá nessas situações. Por via de regra, quanto mais positivos seus pensamentos e palavras, mais forte você ficará e mais rápido superará o que o está afligindo. É bem verdade que quando os tempos ficam difíceis, a natureza humana tende a querer se queixar, falar sobre o problema, contar a todos que estiverem dispostos a ouvir como a vida está nos tratando mal. Mas essas conversas são derrotistas. Para atravessar mais rápido e com melhores resultados um período difícil, precisamos aprender a falar de uma maneira extremamente positiva.

O que você diz em momentos de dificuldades exercerá uma enorme influência no tempo que você permanecerá nessas situações.

Com excessiva freqüência cometemos o erro de adotar atitudes negativas e reclamar.

"Eu sabia que o meu casamento não ia dar certo."

"Não acredito que um dia eu vá conseguir me livrar das dívidas."

"Acho que vou ter de aturar este problema de saúde pelo resto da vida."

Quando você começa a falar dessa maneira, você se torna o seu pior inimigo. Se existe um momento em que precisa tomar cuidado com o que diz, é na hora das dificuldades. Quando se sente esmagado, estressado, quando tudo no mundo se voltou contra você, é quando precisa estar no nível de alerta máximo. É nessas ocasiões que você está mais vulnerável e apresenta a maior probabilidade de assumir uma atitude negativa e fazer comentários pessimistas. A mente subconsciente pega as suas palavras, trata-as como declarações verdadeiras e válidas, e se põe em campo para tentar torná-las realidade. Quando isso acontece, o único culpado é você; você foi debilitado pelos seus próprios pensamentos e palavras.

CUIDADO COM O QUE DIZ

Se você está hoje com problemas emocionais, mais do que nunca precisa tomar cuidado com o que diz e não permitir que palavras negativas e destrutivas saiam da sua boca. A Escritura diz: "A morte e a vida estão no poder da língua; e esse é o fruto que comereis."[2] Em outras palavras, você cria um ambiente para o bem ou para o mal com as suas palavras e terá de viver no mundo que você criou. Se estiver sempre resmungando, se queixando e falando a respeito de como a vida o está tratando mal, terá de viver em um mundo bastante miserável e deprimente. Você pode se sentir tentado a usar as palavras para descrever situações negativas, mas Deus quer que usemos as palavras para *modificar* as situações negativas. Não fale sobre o problema e sim sobre a solução.

A Bíblia nos diz claramente que devemos falar com as nossas montanhas.[3] Talvez a sua montanha seja uma doença; talvez seja um relacionamento turbulento; talvez seja um negócio em má situação. Seja qual for a sua montanha, você deve fazer mais do que apenas pensar nela, mais do que rezar a respeito dela; precisa falar com esse obstáculo. A Bíblia diz o seguinte: "Que os fracos digam que sou forte. Que os oprimidos digam que sou livre. Que os doentes digam que estou curado. Que os pobres digam que sou rico."[4]

Comece a dizer que está curado, que é feliz, completo, abençoado e próspero. Pare de falar com Deus a respeito de como as suas montanhas são grandes e comece a falar com as suas montanhas a respeito de como é grande o seu Deus!

Pare de falar com Deus a respeito de como as suas montanhas são grandes e comece a falar com as suas montanhas a respeito de como é grande o seu Deus!

Adoro o que Davi fez quando enfrentou o gigante Golias. Ele não resmungou e se queixou dizendo: "Deus, por que eu sempre tenho esses problemas enormes?" Não, ele modificou toda a sua atmosfera através das palavras que saíram da sua boca. Não ficou remoendo o fato de que Golias tinha três vezes o seu tamanho. Tampouco ficou repisando o fato de que Golias era um guerreiro experiente e ele apenas um menino pastor. Não, ele não se concentrou na magnitude do obstáculo que tinha diante de si. Em vez disso, optou por se fixar na grandeza do seu Deus.

Quando Golias viu como Davi era jovem e pequeno, começou a rir. Ele zombou: "Por acaso sou um cão para vires a mim com um bastão?"

Mas Davi o olhou direto nos olhos e declarou com grande determinação: "Ouça, Golias, tu vens a mim com uma espada e um escudo, mas eu vou contra ti em nome do Senhor Deus de Israel."[5]

Essas são palavras de fé! Repare também que ele disse as palavras em voz alta. Ele não *pensou* nelas apenas; não *rezou* apenas. Falou diretamente com a montanha de um homem que estava na frente dele. "Vou derrotar-te e alimentar hoje com a tua carne os pássaros do ar." E com a ajuda de Deus, foi exatamente o que ele fez!

É esse gênero de palavras que você precisa aprender a dizer nas circunstâncias do dia-a-dia e, especialmente, nos momentos de crise e adversidade. Quando você estiver enfrentando obstáculos no seu caminho, precisa dizer audaciosamente: "Maior é Ele que está em mim do que ele que está no mundo.[6] Nenhuma arma criada contra mim irá prosperar.[7] Deus sempre me faz triunfar." Pare de se preocupar e de se queixar do obstáculo, e comece a falar com ele. Para de reclamar da pobreza e da privação, e comece a declarar: "Deus supre com abundância todas as minhas necessidades." Pare de atazanar aquele amigo ou parente que não está servindo Deus e comece a declarar: "Nós, na minha casa, serviremos o Senhor." Para de se queixar de que nada de bom lhe acontece e comece a declarar: "Tudo que eu toco prospera e alcança o sucesso." Precisamos parar de amaldiçoar as trevas. Comecemos a ordenar que a luz se aproxime.

Meu amigo, há um milagre na sua boca. Se quiser mudar o seu mundo, comece por modificar suas palavras. Quando as coisas ficarem difíceis, não ceda à vontade de resmungar, discordar e se queixar. Converse com os problemas. Se você aprender a dizer as palavras certas e a manter a atitude correta, Deus modificará a situação.

Você talvez esteja pensando: *Parece bom demais para ser verdade, Joel.* Eu sei que é verdade! Vi o poder de pensamentos e palavras transformarem uma situação impossível na minha família em um milagre dos tempos modernos. Vou lhe contar como foi.

CAPÍTULO 15

PALAVRAS QUE MUDAM A VIDA

Em 1981, minha mãe foi diagnosticada com câncer e os médicos lhe deram apenas algumas semanas de vida. Jamais me esquecerei do choque que aquela notícia causou na nossa família. Eu nunca vira a minha mãe doente um único dia em toda a minha vida. Ela era extremamente saudável e ativa. Adorava ficar ao ar livre, trabalhando no jardim, cuidando dos canteiros de flores.

Eu estava longe, na faculdade, quando chegou o laudo do médico. Paul, meu irmão, telefonou-me e disse:

— Joel, mamãe está muito, muito doente.

— O que você quer dizer, Paul? Ela pegou uma gripe ou algo assim?

— Não, Joel — retrucou Paul. — Ela está perdendo peso. A sua pele está amarela e ela está muito fraca; algo está extremamente errado com ela.

Mamãe ficou hospitalizada durante 21 dias, enquanto os médicos faziam vários exames. Eles os enviaram para vários lugares no país, na esperança de encontrar uma solução que pudesse ajudá-la. Finalmente, chegaram à terrível conclusão de que ela tinha câncer metastático do fígado. Chamaram meu pai no corredor e disseram: "Pastor, sentimos muito lhe dizer isso, mas a sua esposa tem apenas algumas semanas de vida. Não são meses e sim semanas..."

A ciência médica chegara ao limite do que podia fazer. Os médicos mais competentes do mundo tinham esgotado seus esforços, de modo que basicamente enviaram mamãe para casa para morrer.

Expressamos um profundo respeito aos médicos e à equipe do hospital pelo seu esforço, mas nos recusamos a aceitar a opinião deles. Considero uma bênção termos médicos, hospitais, remédios e a ciência, mas os profissionais médicos só podem apresentar o que os seus boletins médicos lhes dizem. Graças a Deus, você e eu podemos recorrer a uma Autoridade superior. Sempre podemos ter outro laudo. O laudo de Deus diz o seguinte: "Restabelecerei a tua saúde e curarei as tuas feridas."

Servimos um Deus sobrenatural. Ele não é limitado pelas leis da natureza. Ele pode fazer o que os seres humanos não podem. Ele pode abrir um caminho na nossa vida quando parece que tudo está perdido. Foi o que rezamos para que Ele fizesse na vida de mamãe.

E ela nunca entregou os pontos. Recusou-se a pronunciar palavras de derrota. Não se queixou de como se sentia fraca e doente, ou de como sua vida era horrível, ou de como sua situação parecia sem esperança. E sim optou por colocar na mente e na boca as palavras de Deus.

Ela começou a dizer palavras repletas de fé. Começou a invocar a saúde e a cura. O dia inteiro a ouvíamos andar pela casa dizendo em voz alta: "Viverei e não morrerei, e declararei as palavras do Senhor." Ela era como uma Bíblia ambulante!

— Mamãe, o que você está fazendo? — perguntei eu.

— Joel, sou forte no Senhor e na força do poder Dele — respondia ela.

Ela examinou a Bíblia e encontrou cerca de 30 ou 40 passagens prediletas da Escritura relacionadas com a cura. Todos os dias as escrevia e as declarava corajosamente em voz alta. Nós a víamos percorrendo de um lado para outro a entrada de veículos, dizendo: "Com uma longa vida, Ele me sacia e me mostra a Sua salvação."

Mamãe misturava as palavras dela com as Palavras de Deus, e algo poderoso começou a acontecer. As suas circunstâncias começaram a mudar. Não da noite para o dia, mas paulatinamente ela começou a se sentir melhor. Recuperou o apetite e começou a ganhar peso. Aos poucos, porém sistematicamente, a sua força voltou.

O que estava acontecendo? Deus estava zelando pela Sua palavra para realizá-la. Deus estava restaurando a saúde da minha mãe e curando as suas feridas. Algumas semanas se passaram, e mamãe ficou um pouco melhor. Alguns meses se passaram, e ela melhorou ainda mais. Alguns anos se passaram, e ela continuou a declarar a Palavra de Deus. Hoje já faz mais de 20 anos que recebemos o laudo que dizia que minha mãe tinha apenas algumas semanas de vida, e enquanto escrevo estas linhas, mamãe está completamente livre do câncer, tendo sido curada pelo poder da Palavra de Deus!

E ela continua a declarar a Palavra de Deus. Ela se levanta todas as manhãs e lê as mesmas passagens sobre o tema da cura. Ainda pronuncia aquelas palavras de fé, vitória e saúde com relação à sua vida. Ela não sai de casa enquanto não faz isso. Além do mais, adora lembrar à "Sra. Morte" que ela não tem poder sobre a sua vida. Sempre que passa por um cemitério, literalmente grita: "Com uma longa vida Ele me sacia e me mostra a Sua salvação!" A primeira vez que fez isso quando eu estava no carro com ela, quase saltei do banco!

Mas mamãe se recusa a permitir que o inimigo alcance uma posição segura.

Declare com Coragem a Palavra de Deus

Mamãe usou as palavras para mudar seu mundo, e você pode fazer o mesmo. Talvez você esteja diante de uma situação "sem esperança". Não desista. Deus é um Deus que faz milagres. Ele sabe o que você está passando e não o desapontará. Ele é um amigo que permanece mais perto de você do que um irmão. Se confiar Nele e começar a dizer palavras de fé, suas circunstâncias começarão a mudar.

Deus é um Deus que faz milagres.

É claro que não precisamos estar com a vida ameaçada para usar a Palavra de Deus. Podemos declarar a Palavra de Deus na vida do dia-a-dia. Pais, todos os dias vocês devem declarar a Palavra de Deus sobre os seus filhos antes de eles irem para a escola. Digam apenas: "Pai, Você me prometeu no Salmo 91 que ordenará aos Seus anjos que nos guardem e que nenhum mal se aproximará de nossa família. Eu Lhe agradeço portanto por meus filhos receberem essa proteção sobrenatural e por o Senhor os estar guiando e cuidando deles. Pai, o Senhor disse que estamos na frente e não atrás, e que Você nos cercará de graça. Eu Lhe agradeço, portanto, porque meus filhos estão abençoados e se destacarão em tudo que fizerem."

Declarar a Palavra de Deus sobre os seus filhos pode fazer uma enorme diferença na vida deles. Sei que a minha mãe rezava todos os dias pelos meus irmãos e por mim antes de nos mandar para a escola. Ela rezava especificamente para que não tivéssemos fraturas. Ela criou cinco filhos saudáveis e muito ativos. Todos praticamos esportes e fizemos um monte de loucuras, mas até hoje, até onde eu sei, nenhum de nós jamais fraturou um osso.

Assim como é fundamental que nós nos vejamos como Deus nos vê e pensemos em nós como Deus o faz, é igualmente importante que digamos a nosso respeito o que Deus diz. As palavras são vitais para que nossos sonhos se tornem realidade. Não basta simplesmente vermos o resultado através da fé ou na imaginação. Você precisa começar a pronunciar palavras de fé sobre a vida. As palavras encerram um enorme poder criativo. No momento em que você fala alguma coisa, você a cria. Esse é um princípio espiritual e funciona quer você esteja dizendo algo bom ou mau, positivo ou negativo.

Sob esse aspecto, somos muitas vezes nossos piores inimigos. Culpamos tudo e todos, mas a verdade é que somos profundamente influenciados pelo que dizemos a nosso respeito. A Escritura diz o seguinte: "Somos enredados pelas palavras da nossa boca."[1]

"Nada de bom jamais me acontece. Os meus sonhos nunca se tornam realidade. Eu sabia que não seria promovido." Declarações como essas literalmente o impedirão de vencer na vida. É por esse motivo que você precisa aprender a controlar a língua e dizer apenas palavras repletas de fé sobre a vida. Esse é um dos princípios mais importantes que você pode assimilar. Expressas de uma maneira simples, as palavras podem torná-lo um sucesso ou um fracasso.

Deus nunca nos ordenou que repetidamente verbalizássemos a dor e o sofrimento. Ele não nos disse que saíssemos por aí comentando as situações negativas, expondo a "roupa suja" para todos os nossos amigos e vizinhos. Em vez disso, Deus nos disse que falássemos constantemente da Sua bondade, das Suas promessas na mesa do café da manhã, na hora do jantar e à noite antes de dormir, repisando continuamente as coisas boas de Deus.

Você poderia experimentar um novo sentimento de alegria em casa, se simplesmente parasse de comentar as coisas negativas da sua vida e começasse a falar sobre a Palavra de Deus.

Se você está sempre falando sobre seus problemas, não fique surpreso caso viva eternamente derrotado. Se tem o hábito de dizer: "Nada de bom me acontece", adivinhe o quê? Nada de bom vai acontecer a você! Você precisa parar de falar sobre o problema e começar a discursar sobre a solução. Pare de pronunciar palavras de derrota e comece a declarar palavras vitoriosas. Não use as palavras para descrever sua situação; use-as para *modificar* sua situação.

Todas as manhãs, quando saio da cama, eu digo: "Pai, eu Lhe agradeço por ser forte no Senhor e na força do Seu poder. Sou perfeitamente capaz de fazer o que me chamou para fazer." Além disso, cito várias outras passagens da Escritura relacionadas com a graça de Deus na minha vida. O que estou fazendo? Estou começando o dia em um tom positivo, alinhando os pensamentos e palavras com os Dele.

Defina o tom para o dia inteiro assim que sair da cama. Se você esperar para depois de ter lido o jornal, começará o dia com todos os tipos de notícias tristes e sombrias. Procure começar o dia com boas notícias declarando a Palavra de Deus sobre a sua vida! Não espere para depois de ter examinado o noticiário da bolsa, caso contrário ficará entusiasmado em um dia e deprimido no outro. No momento em que acordar, comece a conferir nova vida aos seus sonhos declarando palavras de fé e vitória.

É preciso que você entenda que evitar conversas negativas não é o bastante. Isso equivale a um time de futebol ter uma boa defesa e um péssimo ataque. Se o seu time joga o tempo todo na defesa, você tem poucas chances de marcar. Você precisa ter o domínio da bola e conduzi-la pelo campo; precisa atuar no ataque. Você tem de ser agressivo.

Evitar conversas negativas não é o bastante... Você precisa atuar no ataque.

Semelhantemente, você precisa começar a declarar com coragem a Palavra de Deus, usando as suas palavras para vencer na vida, para tornar realidade as coisas magníficas que Deus tem reservadas para você. A Escritura diz: "Com o coração se crê na justiça e com a boca declaramos a salvação."[2] Esse mesmo princípio é válido em outras áreas. Quando você acredita na Palavra de Deus e começa a declará-la, combinando-a à sua fé, está na verdade confirmando essa verdade e validando-a na sua vida.

Se você estiver hoje enfrentando uma doença, deve confirmar a Palavra de Deus no que tange à cura. Diga algo como: "Pai, eu Lhe agradeço por ter me prometido nos Salmos que viverei e não morrerei, e declararei as palavras do Senhor." Enquanto você corajosamente faz essa declaração, está confirmando essa verdade na sua vida.

Se estiver com dificuldades financeiras, em vez de falar sobre o problema, você precisa audaciosamente declarar: "Tudo a que me dedico prospera e alcança o sucesso!"

Meu amigo, quando você faz esse tipo de declaração audaciosa, o céu inteiro vem em respaldo na Palavra de Deus.

Deus nos ofereceu centenas de promessas apenas para a nossa leitura e prazer. Deus nos ofereceu as Suas promessas para que pudéssemos ousadamente declará-las, a fim de atrair para nós o triunfo, a saúde, a esperança e uma vida abundante.

Em 1997, Victoria e eu tivemos a oportunidade de desenvolver a última estação de televisão *full-power* disponível em Houston, o canal 55. Tratava-se de uma tremenda oportunidade, mas também de um enorme empreendimento. Tudo que tínhamos era uma concessão de construção, um pedaço de papel que nos dava o direito de construir a estação. Não tínhamos um estúdio, não tínhamos um transmissor e tampouco uma torre no qual colocá-lo; ah, nem tínhamos uma programação! Estávamos começando literalmente do nada. E tínhamos menos de um ano para colocar a estação no ar, caso contrário perderíamos a autorização. Realmente precisávamos da sabedoria sobrenatural de Deus para lidar com os detalhes diários da construção de uma estação de televisão.

Decidi fazer o que a minha mãe fazia e, todas as manhãs quando eu lia a Bíblia, eu anotava qualquer versículo ou passagem da Escritura que tivesse alguma relação com a sabedoria ou a orientação. Algumas semanas depois, eu tinha registrado 20 ou 30 passagens, e todos os dias, antes de sairmos de casa, Victoria e eu líamos essas passagens e corajosamente as declarávamos.

Uma das minhas favoritas era: "Deus confere a sabedoria! Cada palavra sua é um tesouro de conhecimento e entendimento. Ele outorga bom senso aos devotos — os seus santos. Ele é o seu escudo, protegendo-os e defendendo o seu caminho. Ele mostra como distinguir o certo do errado, como tomar sempre a decisão correta."[3] Nós dizíamos: "Pai, nós Lhe agradecemos por termos a Sua sabedoria sobrenatural, e de fato termos a habilidade de tomar sempre a decisão correta. Pai, o Senhor disse que os passos de um homem bom são dirigidos pelo Senhor, de modo que nós Lhe agradecemos por estar dirigindo e orientando nossos passos." E não sei dizer quantas vezes durante o desenvolvimento daquela estação de televisão Deus nos protegeu de um modo sobrenatural e evitou que cometêssemos erros.

Eu estava, por exemplo, prestes a pegar o telefone e fazer o pedido de um equipamento extremamente caro e crucial, provavelmente o mais importante de uma estação de televisão. Pouco antes de eu fazer a ligação, um homem me telefonou inesperadamente e conversamos a respeito de uma série de assuntos. Quando estávamos terminando a conversa, ele disse algo que me deu uma idéia e mudou completamente a decisão que eu estava prestes a tomar.

O que estava acontecendo? Deus estava usando aquele homem para nos ajudar; Deus estava nos protegendo e impedindo que tomássemos uma decisão insatisfatória, e estava nos conferindo o bom senso de tomar a decisão correta. Deus estava zelando pela Palavra Dele para fazer aquilo.

Deus deseja para você algo semelhante, mas você não pode ser preguiçoso. Pesquise as passagens da Escritura e destaque as que se aplicam particularmente à situação da sua vida. Anote-as por escrito e adquira o hábito de declará-las.

Deus já fez tudo o que Ele tinha de fazer. Agora cabe a você fazer alguma coisa. Se deseja o sucesso, a sabedoria, se quer ser próspero e saudável, vai ter de fazer mais do que apenas meditar e acreditar; você precisa declarar audaciosamente palavras de fé e vitória sobre si mesmo e sua família.

No próximo capítulo, vamos descobrir como você pode fazer exatamente isso!

CAPÍTULO 16

DIZENDO UMA BÊNÇÃO

Na condição de pais, podemos influenciar profundamente o rumo da vida dos nossos filhos através das palavras que dizemos a eles. Acredito que na condição de marido e mulher podemos definir a orientação da família inteira. E como dono de um negócio, temos a capacidade de ajudar a moldar o futuro de qualquer pessoa que esteja sob a nossa influência.

E cada um de nós tem influência sobre alguém. Você pode não se considerar um líder, mas mesmo assim possui uma esfera de influência, ou seja, alguém ou um grupo que se guia por você. Mesmo se você for adolescente, alguém valoriza sua opinião. É fundamental que declaremos "coisas boas" na vida daqueles sobre quem exercemos influência. Isso não significa que nunca discordaremos deles ou que não teremos de enfrentá-los ou corrigi-los. Mas o teor das palavras que dirigimos a eles e sobre eles deve ser positivo.

Certa mãe bem-intencionada constantemente atazanava o filho adolescente. "Você é tão preguiçoso; nunca vai dar em nada! Se não tomar jeito, nunca irá para a faculdade. Provavelmente acabará se metendo em apuros."

Esse tipo de palavras negativas destruirão uma pessoa mais rápido do que você imagina. Você não pode falar coisas negativas sobre alguém e ao mesmo tempo esperar que ele seja abençoado. Se você quer que seus filhos sejam produtivos e bem-sucedidos, precisa começar a declarar palavras de vida sobre eles em vez de externar prognósticos de destruição e desespero. A Escritura nos lembra que podemos abençoar ou amaldiçoar as pessoas com palavras.

No Antigo Testamento, as pessoas claramente entendiam o poder da bênção. À medida que o patriarca da família se aproximava da senilidade ou da morte, os filhos mais velhos se reuniam ao lado do pai. Ele colocava então as mãos na cabeça de cada filho e dizia palavras amorosas e repletas de fé sobre o futuro. Essas declarações compreendiam o que a partir de então passou a ser conhecido como "a bênção". A família entendia que aquelas palavras representavam mais do que os desejos do pai que estava morrendo; elas conduziam uma autoridade espiritual e tinham a capacidade de produzir o sucesso, a prosperidade e a saúde em seu futuro.

Muitas vezes, os filhos até brigavam por causa da bênção do pai. Eles não estavam brigando pelo dinheiro que poderiam herdar. Tampouco estavam discutindo por causa do negócio da família. Não, estavam brigando por palavras repletas de fé. Compreendiam que se recebessem a bênção do pai, a riqueza e o sucesso seriam um subproduto natural. Além disso, desejavam profundamente a bênção de alguém que amavam e respeitavam.

Um dos registros bíblicos mais impressionantes relacionados com o poder da bênção tem origem na vida de Jacó e Esaú, os dois filhos de Isaac.[1] Jacó queria a bênção do pai — não uma bênção qualquer, mas a bênção que por direito pertencia a Esaú, o primogênito da família. Isaac estava velho, prestes a morrer e praticamente cego. Certo dia, ele chamou o filho Esaú e disse:

— Esaú, vai caçar e prepara-me uma refeição, porque vou dar-te a bênção que pertence ao primogênito. — Mas Raquel, a mãe de Jacó, ouviu por acaso a conversa. Ela gostava mais de Jacó do que de Esaú, de modo que disse a Jacó que vestisse as roupas de Esaú para tentar enganar Isaac e fazer com que ele lhe desse a bênção. A seguir, ela preparou uma das refeições prediletas de Isaac.

Enquanto Esaú estava caçando, ela disse a Jacó:

— Vai até o teu pai e apresente-lhe esta comida. Ele então te dará a bênção que na verdade pertence ao teu irmão.

Jacó reconheceu a gravidade dessa duplicidade e disse:

— Mas, mãe, e se ele descobrir que estou mentindo e amaldiçoar-me em vez de me abençoar? Serei amaldiçoado pelo resto da minha vida!

Pense nisso. Jacó compreendeu que estava arriscando todo o seu futuro nessa artimanha. Reconheceu que as palavras que o pai dissesse sobre ele o afetariam, para o bem o para o mal, pelo resto da sua vida.

Declare a Graça de Deus

Quer o percebamos ou não, nossas palavras afetam o futuro de nossos filhos para o bem ou para o mal. Elas têm o mesmo tipo de poder que as de Isaac tinham. Precisamos expressar palavras amorosas de aprovação e aceitação, que estimulem, inspirem e motivem nossos filhos a tentar alcançar novas alturas. Estamos falando da abundância e do crescimento. Estamos declarando a graça de Deus na vida deles.

Nossas palavras afetam o futuro de nossos filhos para o bem ou para o mal.

No entanto, com excessiva freqüência, somos duros e críticos com nossos filhos, constantemente encontrando defeitos no que estão fazendo. "Por que você não pode tirar notas melhores? Você não cortou a grama direito. Vá limpar seu quarto, ele está parecendo um chiqueiro! Você não consegue fazer nada direito, não é mesmo?"

Essas palavras negativas farão com que nossos filhos percam o senso de valor que Deus colocou neles. Na condição de pais, temos a responsabilidade diante de Deus e da sociedade de educar nossos filhos, de puni-los quando eles desobedecerem, de corrigi-los carinhosamente quando fizerem as escolhas erradas. Mas não devemos ficar repisando nossas admoestações. Se você fala o tempo todo palavras desanimadoras e desalentadoras, em pouco tempo destruirá a auto-imagem do seu filho. Além disso, com as palavras negativas, você abrirá uma porta, possibilitando que o inimigo introduza todos os tipos de insegurança e inferioridade na vida do seu filho. Milhões de adultos hoje em dia ainda sofrem em decorrência das palavras negativas que os pais lhes disseram na infância.

Lembre-se de que, cometendo o erro de constantemente dizer palavras negativas aos filhos, você estará amaldiçoando o futuro deles. Além disso, Deus o responsabilizará por destruir o destino deles. A autoridade caminha de mãos dadas com a responsabilidade, e você tem a responsabilidade, na qualidade de autoridade espiritual com relação a seu filho, de garantir que ele se sinta amado, aceito e aprovado. Você tem a responsabilidade de abençoar seus filhos.

Além disso, a maioria das crianças recebe dos pais os conceitos de quem é Deus e de como Ele é. Se o pai delas é mesquinho, crítico e duro, inevitavelmente elas crescerão com uma visão distorcida de Deus. Se o pai é amoroso, bondoso, compassivo e justo, a criança compreenderá melhor o caráter de Deus.

Uma das razões pelas quais falo tanto a respeito da bondade de Deus é o fato de eu tê-la visto exemplificada no meu pai. Ninguém poderia ter representado Deus de uma melhor maneira para nós, crianças da família Osteen, do que meu pai. Mesmo quando cometíamos erros ou nos desviávamos do caminho, papai era amoroso e delicado, se bem que ao mesmo tempo firme. Ele carinhosamente nos reconduzia ao caminho certo. Nunca bateu em nós para que entrássemos na linha; ele nos amava para que entrássemos na linha. Apesar de muito ocupado, papai sempre tinha tempo para nós. Ele nos estimulava a fazer coisas importantes, a realizar nossos sonhos. Ele costumava dizer: "Joel, não faça o que eu quero que você faça. Fala o que você quer fazer. Siga os seus sonhos."

Papai acreditava no meu irmão, nas minhas irmãs e em mim. Ele nos dizia que éramos formidáveis, mesmo quando sabíamos que não éramos. Ele nos chamava de bênçãos quando sabíamos que não estávamos agindo como tal. Às vezes o deixávamos furioso, ele dizia: "Estou prestes a espancar uma pequena bênção!"

A minha mãe e o meu pai criaram cinco filhos. E quando estávamos crescendo, não tínhamos programas para crianças, como muitas igrejas têm hoje. Reuníamo-nos todos no mesmo auditório. Minha irmãzinha, April, e eu costumávamos nos sentar na primeira fila de uma pequena loja de suprimentos agrícolas que tinha capacidade para 200 pessoas. Jogávamos jogo-da-velha durante todo o serviço. (Estou fazendo essa confissão para que vocês saibam que ainda existe esperança para os seus filhos. Eu não prestava atenção ao serviço e Deus fez de mim um pastor. Quem sabe o que Deus vai fazer com os seus filhos!)

Papai estava no púlpito, e mamãe colocava nós cinco em uma fila. Ela erguia as mãos para adorar a Deus com os olhos completamente fechados. No entanto, ela tinha a incrível habilidade de saber quando nós estávamos fazendo travessuras, mesmo de olhos fechados. Isso me deixava impressionado. Acho que foi a minha primeira experiência com o poder sobrenatural de Deus! Eu observava mamãe para ter certeza de que os olhos dela estavam fechados antes de fazer alguma coisa para irritar meu irmão, Paul. Sem titubear, ela baixava devagar a mão, pegava delicadamente o meu braço e me dava um enorme beliscão! Eu tinha vontade de gritar, mas sabia que era melhor não fazê-lo. A seguir, ela levantava de novo o braço e continuava a adorar o Senhor.

Eu costumava pensar: *Mamãe, você tem um dom sobrenatural!*

Estou brincando (um pouco), mas o que estou querendo dizer é que meus irmãos e eu não éramos crianças perfeitas. Cometíamos muitos erros. Mas os meus pais nunca se concentraram nas fraquezas ou problemas. Sempre se voltavam para as soluções. Constantemente nos diziam que éramos as melhores crianças do mundo. E crescemos confiantes, sabendo que além de amar um ao outro, os nossos pais nos amavam e acreditavam em nós. Eles estariam do nosso lado nos bons e nos maus momentos. Sabíamos que nunca iriam nos criticar e condenar, e que sempre acreditariam no melhor a nosso respeito.

Como cresci com a aceitação e a aprovação dos meus pais, hoje, na condição de pai, estou praticando as mesmas coisas com os meus filhos. Declaro palavras de bênção na vida deles que serão transmitidas a outra geração. E sei que meus filhos passarão a bondade de Deus para os filhos deles e assim por diante.

Uma das primeiras coisas que faço quando vejo meu filhinho, Jonathan, pela manhã é dizer: "Jonathan, você é o máximo." Digo constantemente para ele: "Jonathan, você é o presente de Deus para a mamãe e para mim. Nós o amamos. Temos orgulho de você. Sempre estaremos do seu lado." Digo as mesmas coisas para a nossa filha, Alexandra.

Antes de ir para a cama, declaro aos meus filhos: "Papai sempre será o seu melhor amigo." Victoria e eu constantemente dizemos a eles: "Não existe nada que não possam fazer. Vocês têm um futuro brilhante à sua frente. Estão cercados pela graça de Deus. Tudo que vocês tocam irá prosperar."

Victoria e eu acreditamos que temos a oportunidade e a responsabilidade de dizer as bênçãos de Deus aos nossos filhos agora, enquanto são crianças. Por que deveríamos esperar que se tornem adolescentes ou jovens adultos, prestes a se casarem, para começar a rezar pelas bênçãos de Deus na vida deles? Não, estamos declarando as bênçãos de Deus sobre eles todos os dias de suas vidas. E estamos convencidos de que essas palavras influenciarão nossos filhos muito tempo depois de eles estarem crescidos e terem os próprios filhos.

O que você está transmitindo para a próxima geração? Não basta pensar no assunto; você precisa verbalizá-lo. Uma bênção não é uma bênção enquanto não for pronunciada. Seus filhos precisam ouvi-lo você dizer palavras como: "Eu o amo. Acredito em você. Acho que você é o máximo. Não há ninguém como você. Você é especial." Eles precisam ouvir sua aprovação. Precisam sentir seu amor. Precisam da sua bênção.

Uma bênção não é uma bênção enquanto não for pronunciada.

Os seus filhos podem estar crescidos e ter ido embora, mas isso não deve impedi-lo de telefonar para eles e estimulá-los, de lhes dizer que sente orgulho deles. Talvez você não tenha sido competente em abençoar seus filhos quando eles eram crianças e adolescentes. Não é tarde demais. Comece a fazê-lo agora.

Palavras Não Podem Ser Retiradas

Jacó se apresentou diante do pai, Isaac, que estava quase cego, fingindo ser o irmão, Esaú. Embora a visão de Isaac estivesse fraca, seu intelecto estava perfeito. Ele perguntou:

— Esaú, és realmente tu?

— Sim, pai, sou eu — mentiu Jacó.

Isaac não estava convencido, de modo que pediu que o filho se aproximasse. Somente quando cheirou as roupas de Esaú que Jacó estava vestindo, finalmente se convenceu. Ele deu então a Jacó a bênção que na verdade pertencia a seu irmão mais velho. Ele disse algo assim: "Que tu sempre tenhas grãos e vinho em abundância. Que as nações se curvem diante de ti e as pessoas sempre te sirvam. Que tu sejas o senhor sobre os teus irmãos. Que qualquer pessoa que te amaldiçoe seja amaldiçoada, e qualquer pessoa que tu abençoes seja abençoada."[2] Repare que na sua benção, Isaac declarou coisas magníficas a respeito do futuro de Jacó e um exame da história lhe mostrará que todas essas coisas aconteceram.

Por outro lado, pouco depois de Jacó deixar o quarto do pai, Esaú entrou. Ele disse:

— Pai, sente-te; tenho a comida que preparei para ti.

— Quem és tu? — perguntou Isaac, confuso.

— Pai, sou Esaú, seu primogênito. — Nesse ponto, a Bíblia registra que Isaac começou a tremer violentamente. Ele compreendeu que fora enganado. Explicou a Esaú que o irmão dele, Jacó, o procurara e o enganara para receber a bênção.

Essa horrível história de traição encerra um aspecto impressionante. Esaú começou a chorar e a gritar bem alto e perguntou:

— Pai, não podes mais me dar a bênção que pertence ao primogênito?

A resposta de Isaac foi penetrante e poderosa:

— Não, as palavras já foram pronunciadas e não posso retirá-las. Eu disse que Jacó será abençoado e ele será sempre abençoado.

Você percebe o poder das palavras? Compreende o poder de declarar bênçãos sobre os seus filhos? Isaac disse: "Uma vez pronunciadas as palavras, não posso retirá-las." Ele deu a Esaú uma bênção inferior, que não era nem de perto tão importante quanto a que dera a Jacó.

Precisamos ser extremamente cautelosos com relação ao que deixamos sair de nossa boca. Na próxima vez em que você se vir tentado a menosprezar alguém, a depreciar ou diminuir seu filho, lembre-se de que essas palavras nunca poderão ser retiradas. Depois que você as pronuncia, elas adquirem vida própria.

Use as palavras para abençoar as pessoas. Pare de criticar seu filho e comece a declarar que coisas magníficas estão reservadas para o futuro dele.

Nunca devemos dizer palavras negativas e destrutivas para ninguém, especialmente pessoas sobre as quais temos autoridade ou influência. O simples fato de você ter o próprio negócio ou supervisionar um grande número de funcionários não lhe dá o direito de diminuí-los e fazer com que se sintam mal em relação a si mesmos. Muito pelo contrário! Deus vai responsabilizá-lo pelo que você diz a essas pessoas que estão sob a sua autoridade e vai julgá-lo segundo um padrão mais rígido. Você deve se esforçar ao máximo para dizer palavras positivas que fortalecem e estimulam.

Analogamente, é importante que o marido entenda que suas palavras exercem um enorme poder na vida da esposa. Ele precisa abençoá-la com palavras. Ela dedicou a vida a amá-lo e ajudá-lo, a criar uma família com ele, a cuidar dos seus filhos. Se ele sempre encontrar defeitos no que ela estiver fazendo, sempre rebaixando-a, colherá problemas horríveis em seu casamento e sua vida. Além disso, muitas mulheres hoje em dia vivem deprimidas e sentem que estão sofrendo abuso emocional, porque seus maridos não as abençoam com palavras. Uma das principais causas do colapso emocional nas mulheres casadas é o fato de não se sentirem valorizadas. Uma das principais razões dessa deficiência é o fato de os maridos deliberada ou inconscientemente refrearem as palavras de aprovação de que as mulheres desesperadamente necessitam. Se você quer que Deus faça maravilhas no seu casamento, comece a elogiar sua mulher. Comece a valorizá-la e estimulá-la.

"Ora, a minha mulher sabe que eu gosto dela", declarou um homem idoso. "Não preciso dizer isso a ela. Eu lhe disse quando nos casamos há 42 anos."

Não, ela precisa ouvir repetidamente essas palavras. O marido deve dizer todos os dias à sua mulher: "Eu a amo. Reconheço seu valor. Você é a melhor coisa que já me aconteceu." A mulher deve fazer o mesmo em relação ao marido. O seu relacionamento melhoraria imensamente se você simplesmente começasse a dizer palavras delicadas e positivas, se abençoasse seu marido ou sua mulher, em vez de amaldiçoá-lo(a).

Declare a Bondade de Deus

Você precisa começar a declarar a bondade de Deus na sua vida. Comece corajosamente a dizer: "O rosto de Deus está sorrindo para mim e Ele anseia por ser bom para mim." Isso não é vangloriar-se. É assim que Deus diz que vamos ser abençoados — quando começamos a declarar a bondade Dele.

Permita-me fazer algumas declarações na sua vida.

- *Declaro que você é abençoado com a sabedoria sobrenatural de Deus e tem uma orientação clara para a sua vida.*
- *Declaro que você é abençoado com criatividade, coragem, habilidade e abundância.*
- *Declaro que você é abençoado com uma vontade forte, coragem, autocontrole e disciplina.*
- *Declaro que você é abençoado com uma grande família, bons amigos, boa saúde, fé, graça e realização.*
- *Declaro que você é abençoado com sucesso, poder sobrenatural, capacidade de empreendimento e proteção divina.*
- *Declaro que você é abençoado com um coração obediente e com uma perspectiva positiva na vida.*
- *Declaro que qualquer maldição que jamais tenha sido feita a você e qualquer palavra negativa que já tenha sido pronunciada contra você estão neutralizadas neste momento.*
- *Declaro que você é abençoado na cidade. Você é abençoado no país. Você é abençoado quando entra. Você é abençoado quando sai.*
- *Declaro que tudo que você decidir fazer irá prosperar e ter sucesso.*
- *Declaro que você é abençoado!*

Eu o incentivo a receber essas palavras e meditar sobre elas; deixe que penetrem profundamente no seu coração e na sua mente e tornem-se uma realidade na sua vida. Exercite-se fazendo algo semelhante com a sua família. Aprenda a dizer bênçãos sobre a sua vida, os seus amigos e o seu futuro. Lembre-se de que uma bênção não é uma bênção enquanto não for verbalizada. Se fizer a sua parte e começar a corajosamente dizer bênçãos sobre a sua vida e a vida dos que o cercam, Deus suprirá tudo que você precisa para viver a abundância que Ele quer que você viva.

Aprenda a dizer bênçãos sobre a sua vida, os seus amigos e o seu futuro.

QUARTA PARTE

LIBERTE-SE DO PASSADO

CAPÍTULO 17

LIVRE-SE DAS FERIDAS EMOCIONAIS

Vivemos em uma sociedade que adora arranjar justificativas, na qual uma das frases favoritas é a seguinte: "Não é minha culpa."

"Joel, sou uma pessoa negativa porque fui criado em um ambiente familiar pernicioso", disse-me certo homem.

"O meu marido me deixou. Fui rejeitada. Por isso estou sempre tão deprimida", declarou uma mulher de 40 e poucos anos.

"Perdi minha mulher e não consigo entender por quê. Por isso sinto tanta raiva", afirmou outro rapaz.

Não, na verdade estamos amargos e ressentidos porque nos permitimos continuar dessa maneira. Coisas negativas já aconteceram a todos nós. Se procurar bem, facilmente encontrará razões para ficar zangado o tempo todo. Qualquer pessoa pode arranjar desculpas e culpar o passado pelas suas atitudes nocivas, más escolhas ou temperamento explosivo.

Você pode ter razões válidas para se sentir do jeito que se sente. Pode ter passado por coisas que ninguém merece passar na vida. Talvez tenha sofrido abuso físico, verbal, sexual ou emocional. Talvez tenha tido dificuldades para lidar com uma doença crônica ou outro problema físico irreversível. Talvez alguém tenha passado a perna em você nos negócios e você tenha perdido tudo, inclusive a auto-estima. A minha intenção não é minimizar essas tristes experiências, mas se você quiser viver vitorioso, não pode usar as feridas emocionais do passado como desculpa para fazer escolhas insatisfatórias hoje. Você não deve usar o passado como uma desculpa para a sua atitude perniciosa de hoje nem como uma racionalização para a sua má vontade de perdoar alguém. O quarto passo para você viver melhor neste momento é *livrar-se do passado*.

Está na hora de deixar que as feridas emocionais cicatrizem, de se livrar das justificativas e parar de sentir pena de si mesmo. Está na hora de você se livrar da mentalidade de vítima.

Ninguém, nem mesmo Deus, jamais prometeu que a vida seria justa. Deixe de comparar a sua vida com a dos outros e pare de ficar repisando o que poderia ter sido ou deveria ter sido. Pare de fazer perguntas como: "Por que isto?" "Por que aquilo?" "Por que eu?"

Aproveite ao máximo o que Deus lhe deu.

Em vez disso, aproveite ao máximo o que Deus lhe deu. Você pode ter sofrido muito, suportado grandes infortúnios ou passado por muitas coisas negativas. As suas feridas emocionais podem ter deixado cicatrizes profundas, mas não permita que o passado determine seu futuro. Você não pode fazer nada a respeito do que lhe aconteceu, mas pode escolher como irá enfrentar o que tem diante de si. Não se apegue a sentimentos de amargura e ressentimento, e não permita que esses sentimentos envenenem seu futuro. Livre-se das mágoas e das dores. Perdoe as pessoas que o fizeram sofrer. Perdoe a si mesmo pelos erros que cometeu.

Você talvez até precise perdoar Deus. Talvez você O tenha estado culpando por ter levado um dos seus entes queridos. Talvez esteja zangado com Deus por Ele não ter atendido as suas preces ou porque alguma situação não funcionou do jeito que você esperava. Independentemente do que possa ter acontecido, você nunca será feliz de verdade enquanto abrigar a amargura no coração. Você ficará imerso na autocomiseração, sempre sentindo pena de si mesmo, achando que a vida não foi justa com você. É preciso abandonar essas atitudes negativas e o medo concomitante. Troque o canal e comece a se concentrar na bondade de Deus.

TROQUE O CANAL

Todos sabemos como usar o controle remoto para trocar os canais na televisão. Se vemos algo de que não gostamos, simplesmente mudamos o canal. Precisamos aprender a trocar mentalmente os canais quando imagens negativas do passado surgirem inesperadamente em nossa mente. Infelizmente, quando algumas pessoas vêem essas experiências negativas na "tela" de sua mente, em vez de rapidamente trocar o canal elas pegam uma cadeira e providenciam um pouco de pipoca, como se fossem assistir a um bom filme. Deliberadamente se permitem reviver toda a mágoa e todo o sofrimento. Depois, elas se perguntam por que estão deprimidas, perturbadas ou desanimadas.

Aprenda a trocar o canal. Não deixe que sua mente ou suas emoções o arrastem para o desespero. Ao contrário, detenha-se nas coisas boas que Deus fez na sua vida.

Você provavelmente conhece algumas pessoas que vicejam na autocomiseração. Elas adoram a atenção que essa atitude lhes proporciona. Vivem dessa maneira há tanto tempo, que a autocomiseração tornou-se parte da sua identidade. A pessoa é conhecida como tendo passado por uma grande luta, uma terrível experiência, alguém que realmente passou por algo pavoroso. Sem dúvida, quando uma pessoa passa por uma experiência traumática, essa pessoa deve ser tratada com compaixão e carinho durante o período necessário para que ela recupere a saúde e as forças. Mas a verdade é que algumas não querem ficar boas. Elas gostam demais de receber atenção.

Há 15 anos, o único filho de Phil e Judy morreu em um acidente fora do comum no trabalho. Foi um desses acidentes sem sentido e inexplicáveis para os quais não existem palavras de conforto. A família e os amigos acompanharam o casal durante vários meses, mostrando-se solidários na sua dor e tentando reconduzi-los a um certo grau de normalidade.

Mas, apesar dos esforços daqueles que tentavam confortá-los, Phil e Judy recusavam-se a abandonar a dor que sentiam. Sempre que o nome do filho era mencionado, os olhos do casal se enchiam de lágrimas e recomeçavam as lamentações. Pouco a pouco as pessoas pararam de ir à casa deles. Pararam de telefonar. Os membros da família deixaram de visitá-los.

Sempre que alguém corajosamente tentava animar o casal, a tentativa era recebida com uma expressão triste e um bombardeio de insultos.

— Você não sabe o que é perder um filho — protestava Phil.

— Não, mas Deus sabe — alguém lhes diria.

Mas Phil e Judy permaneceram intocáveis. Na cabeça deles, ninguém jamais tinha sentido a dor que eles sentiam. Nenhum consolo parecia adequado às suas necessidades. Eles seriam eternamente conhecidos como o casal que perdeu o filho de modo trágico. Por conseguinte, 15 anos depois do ocorrido, Phil e Judy continuam a penar na autocomiseração e no isolamento auto-induzido. Por quê? Porque não querem se curar.

Se algo doloroso lhe aconteceu, não deixe que essa experiência seja o ponto central da sua vida. Pare de falar nela; pare de mencioná-la aos seus amigos. Você precisa transcendê-la. Se não se livrar do velho, Deus não introduzirá o que é novo. É natural sentir dor e tristeza, mas você não deve continuar a sofrer cinco ou dez anos depois. Se realmente quer ser inteiro, se de fato quer ficar bom, você precisa levar a sua vida adiante.

Com excessiva freqüência repisamos as lembranças dolorosas do passado, refutando o desejo de Deus de que fiquemos curados. Assim que estamos prestes a ficar curados, começamos a falar de novo sobre a experiência dolorosa. Conversamos sobre ela com os amigos. Começamos a revivê-la, vendo-a na nossa imaginação. De repente, podemos sentir de novo as mesmas emoções, como se estivéssemos abrindo a antiga ferida, que nunca ficará adequadamente cicatrizada enquanto não aprendermos a deixá-la em paz. Lembre-se de que as emoções seguem os pensamentos. Quando você remói experiências dolorosas do passado, suas emoções recuam com você, e você sente a dor no presente. Você pode reviver uma coisa na sua mente e senti-la tão vividamente como quando ela aconteceu há 20 anos.

Certo dia, alguns anos depois da morte do meu pai em 1999, eu estava sozinho na casa dos meus pais. Havia algum tempo que não ficava ali sozinho, e quando passei pela sala da televisão, sem nenhum motivo aparente, comecei a pensar na noite em que meu pai morreu. Papai teve um ataque do coração bem ali naquela sala. Na minha imaginação, pude ver tudo acontecendo. Vi o papai no chão. Vi os paramédicos esforçando-se para salvá-lo. Vi o olhar do meu pai e comecei a sentir as mesmas emoções de desespero, tristeza e desânimo que eu sentira na noite em que ele morreu.

Durante 15 ou 20 segundos fiquei paralisado, dominado pelas emoções. Finalmente me controlei e pensei: *O que estou fazendo? Aonde a minha mente está indo? Aonde essas emoções estão me levando?*

Precisei tomar a decisão que não iria me permitir reviver aquela noite. Eu sabia que aquilo não iria me fazer nenhum bem e só me faria ficar perturbado e desanimado. Em vez de remoer a dor do passado, tive de deliberadamente começar a recordar os bons momentos que tive com o meu pai naquela sala. Sorri enquanto me lembrava de que costumávamos assistir juntos ao programa *Wheel of Fortune* [Roda da Fortuna] ali. Papai sempre conseguia resolver as charadas bem antes dos participantes do programa. Pude vê-lo na minha mente brincando com os nossos filhos na sala da televisão. Ele adorava ter as crianças por perto, e elas adoravam estar com ele.

Eu me lembrei de como, às vezes, eu entrava na sala da televisão e o papai estava na sua poltrona favorita. Ele olhava para mim e dizia: "Joel, conte-me tudo que você sabe. Só vai levar um segundo." Pai se julgava muito engraçado. E era. Ele tinha um grande senso de humor.

Enquanto permaneci na sala da televisão tive de deliberadamente me recusar a deixar que minha mente repisasse as recordações dolorosas da morte do meu pai e, em vez disso, relembrasse momentos felizes da vida dele. Mas entenda bem: isso não aconteceu naturalmente; foi uma decisão que eu tive de tomar.

Você precisa fazer algo semelhante com relação às experiências dolorosas do seu passado. Recuse-se a voltar lá emocionalmente; recuse-se a buscar lembranças emocionais negativas. Elas não lhe farão bem; na verdade, emoções negativas fortemente sentidas podem conter o potencial de reprimir de maneira grave o seu progresso.

Pense na questão da seguinte maneira: toda pessoa possui dois arquivos principais no seu sistema de memória. O primeiro contém as coisas boas que nos aconteceram. Ele está repleto com os triunfos e as realizações, com todas as coisas que nos trouxeram alegria e felicidade ao longo dos anos.

O segundo arquivo é exatamente o oposto. Encerra as mágoas e as dores do passado, todas as coisas negativas que nos aconteceram. Está transbordando com as derrotas e os fracassos, coisas que nos trouxeram tristeza e sofrimento. Podemos escolher na vida o arquivo que queremos acessar. Algumas pessoas repetidamente voltam ao arquivo número dois e revivem as coisas dolorosas que lhes aconteceram. Estão sempre pensando nas ocasiões em que alguém as fez sofrer, nas vezes em que foram magoadas ou sofreram uma grande dor. Elas praticamente consomem o arquivo número dois. Estão tão preocupadas com as coisas negativas que nunca chegam a examinar o arquivo número um. Elas raramente pensam nas boas coisas que viveram.

Se você quiser ser livre, se quiser superar a autocomiseração, jogue fora a chave do arquivo número dois. Não volte a acessá-lo. Mantenha a mente concentrada nas coisas boas que Deus fez na sua vida.

NÃO VÁ LÁ

Uma antiga piada diz: "Se você quebrar o braço em três lugares, não vá mais a esses lugares." Essa frase antiquada pode encerrar mais verdades do que imaginamos. Quando as dores do passado chamam a sua atenção, não volte lá. Em vez disso, lembre a si mesmo o seguinte: *Não, obrigado, vou pensar em coisas boas, coisas que vão me fortalecer em vez de me deixar arrasado, coisas que vão me encorajar e me encher de paz e felicidade em vez de coisas que vão tentar me tirar a esperança e esvaziar o meu espírito.*

LEVANTE-SE E VÁ EM FRENTE

A Bíblia fala de um homem em Jerusalém que fora aleijado durante 38 anos. Ele passou todos os seus dias deitado em uma esteira perto de um tanque em Betesda, esperando por um milagre. Esse homem tinha um distúrbio arraigado e prolongado.

Creio que muitas pessoas hoje em dia sofrem de distúrbios prolongados. A doença delas pode não ser física e sim emocional, mas assim mesmo são distúrbios arraigados e prolongados. Podem ter sido causados pela relutância em perdoar, pelo fato de a pessoa se agarrar a ressentimentos do passado, culpando-o pelo seu comportamento ou por outras feridas emocionais. Esses distúrbios prolongados podem afetar a personalidade, os relacionamentos e a autoimagem da pessoa. Assim como o homem sentado à beira do tanque, algumas pessoas ficam sentadas ano após ano, esperando que um milagre aconteça, esperando que um grande acontecimento que melhorará as coisas tenha lugar.

Certo dia, Jesus viu o homem deitado na esteira. Era óbvio que ele era aleijado, mas Jesus fez a ele o que pareceu uma pergunta estranha: "Queres ficar curado?"[1]

"Queres ficar curado?"

Creio que Deus nos está fazendo hoje uma pergunta semelhante: "Você quer ficar curado ou quer continuar a ficar por aí sentindo pena de si mesmo?"

Jesus fez uma pergunta simples e direta, mas a resposta do homem foi interessante. Ele começou a relacionar todas as suas desculpas. "Estou sozinho. Não tenho quem me ajude. Outras pessoas me desapontaram. Outras pessoas parecem sempre estar à minha frente. Não tenho a menor chance na vida."

É de causar surpresa que ele tenha permanecido naquela condição durante 38 anos?

Adoro a maneira como Jesus respondeu a ele. Ele nem mesmo deu atenção à história triste do homem. Ele não disse: "Meu amigo, concordo com você. Você realmente passou por momentos difíceis. Aceite a minha solidariedade."

Não, Jesus olhou para ele e disse o seguinte: "Se queres realmente ficar bom, se queres realmente colocar a tua vida em ordem, se queres realmente escapar dessa confusão, eis o que tens de fazer: levanta-te, saia do leito e anda." Quando o homem fez o que Jesus lhe dissera para fazer, ficou milagrosamente curado!

Essa é uma mensagem para nós hoje em dia. Se você realmente quer ficar bom, se realmente quer ficar física e emocionalmente saudável, você precisa se levantar e dar um rumo à sua vida. Nada de ficar por aí sentindo pena de si mesmo. Você precisa parar de voltar o tempo todo ao arquivo número dois. Pare de inventar desculpas; de culpar as pessoas e as circunstâncias que o desapontaram. Em vez disso, comece a perdoar quem o magoou.

Hoje pode ser um ponto crítico na sua vida, um momento de reinício. Não gaste mais nenhum minuto tentando descobrir por que certas coisas ruins aconteceram a você ou a seus entes queridos. Recuse-se a viver com uma mentalidade de vítima.

Você talvez esteja dizendo: "Não consigo entender por que isso me aconteceu. Não compreendo por que fiquei doente. Por que a pessoa que eu amo morreu? Por que meu casamento acabou? Por que fui criado em um ambiente tão violento?"

Você talvez nunca venha a saber a resposta. Mas não use tudo isso como desculpa para mergulhar na autocomiseração. Não pense mais no ocorrido, levante-se e siga adiante com a sua vida. Muitas das perguntas da vida permanecem um enigma, mas confie em Deus e aceite o fato de que sempre haverá perguntas sem resposta. Tenha em mente que o fato de você não saber a resposta não significa que ela não exista. Você simplesmente ainda não a descobriu.

Geralmente, conseguimos lidar com uma situação quando localizamos uma pasta no nosso pensamento na qual podemos colocá-la. "Ele se meteu em confusão porque estava andando com a turma errada..."

Mas o que acontece quando as coisas não fazem sentido? Quando uma pessoa boa é atacada por uma grave doença? Ou quando um bebê vem ao mundo com um problema de nascença? Ou quando o marido ou a mulher abandona o casamento? O que acontece quando a vida não se encaixa harmoniosamente nas nossas categorias?

Cada um de nós deveria ter uma pasta que eu chamo de "Não Consigo Entender". Quando acontecer uma coisa para a qual você não tenha uma resposta razoável, em vez de ficar repisando a situação para tentar compreendê-la, simplesmente coloque-a na pasta Não Consigo Entender.

Nesse ínterim, você precisa reunir bastante fé e dizer: "Deus, não consegui entender, mas confio no Senhor. E não vou ficar o tempo todo tentando descobrir por que certas coisas aconteceram. Estou certo de que o Senhor vai retirar algo bom do ocorrido. Sei que é um Deus bom e que quer o melhor para mim. O Senhor prometeu que todas as coisas atuariam juntas para o meu bem."

Isso é fé e é a atitude que Deus reverencia.

A minha mãe teve poliomielite na infância. Ela precisou usar um aparelho pesado na perna durante muitos anos e, até mesmo hoje, uma das pernas é menor do que a outra. A minha mãe poderia facilmente ter dito: "Deus, isso não é justo. Por que teve de acontecer comigo?"

Mas em vez disso, ela saiu de seu leito e levou a vida adiante. Em 1981, quando foi diagnosticada com um câncer terminal, ela não desmoronou e disse: "Coitada de mim. Eu devia ter imaginado. Tive poliomielite; agora estou com câncer. As piores coisas sempre me acontecem."

Mamãe não fez isso. Ela se manteve firme e com fé. Não ficou se queixando. Pronunciou o tempo todo palavras de fé e vitória. Ela se recusou a se ver como vítima. Mamãe se viu vencedora. E Deus a tirou daquela dificuldade. As suas adversidades podem torná-lo amargo ou podem inspirá-lo a tentar alcançar novas alturas.

O meu pai poderia ter dito: "Deus, por que deixou que eu nascesse em uma família tão pobre? Não temos a menor chance."

Mas ele não usou essa situação como desculpa para se sentir derrotado ou ter pena de si mesmo. Não, ele se levantou e seguiu adiante com sua vida. Quando ele começou a pregar aos 17 anos, ele não tinha uma igreja, de modo que pregava nas ruas, nas clínicas de repouso, nas prisões e cadeias, em qualquer lugar que pudesse. Ele não tinha carro, de modo que andava ou ia de carona a todos os lugares. Ele poderia facilmente ter desistido e dito:

"Deus, já passamos por muitas provações na vida. Por favor, não me peça para fazer mais. Somos apenas pessoas pobres e dignas de pena."

Mas papai saiu do seu leito e seguiu em frente; e você tem de fazer o mesmo. O seu passado não precisa determinar o futuro. Podemos ficar sentados de braços cruzados e inventar desculpas para ter uma má atitude ou uma auto-imagem insatisfatória. Qualquer pessoa pode fazer isso. Mas se quisermos viver vitoriosos, precisamos sacudir a autocomiseração e seguir adiante com a nossa vida.

Foi exatamente o que a minha irmã Lisa teve de fazer. Seu casamento passou por uma dissolução muito dolorosa. Ela não o merecia; ela foi maltratada e injustiçada. No entanto, durante sete anos Lisa rezou e acreditou que o seu casamento poderia ser restaurado. Fez tudo que sabia fazer. Mas por algum motivo, as coisas não deram certo.

Lisa poderia facilmente ter se tornado uma pessoa amarga. Poderia ter ficado deprimida e dito: "Deus, isso não é justo. Por que aconteceu comigo?"

Mas ela decidiu que não ia ficar sentada perto do tanque durante 38 anos sentindo pena de si mesma. Não ia permanecer no buraco negro da depressão. E decidiu que estava na hora de seguir adiante com a sua vida. Minha irmã não ficou amarga; ela melhorou. Ela se ergueu das cinzas. E disse: "Deus, não entendo, mas vou confiar no Senhor, que conhece o meu coração. O Senhor sabe que eu fiz tudo que pude. Estou me entregando nas Suas mãos."

Pouco tempo depois de ela tomar essa decisão, Deus colocou alguém na sua vida, e ela e o meu cunhado, Kevin, estão casados e felizes há muitos anos.

Por favor entenda que não estou dizendo para você desistir do seu casamento. Você precisa fazer o que Deus está lhe dizendo para fazer. O ponto que quero que você perceba é que, às vezes, passamos por coisas que não entendemos. Devemos sempre aprender a manter uma boa atitude e ter confiança de que Deus ainda está no controle de nossa vida, mesmo quando os eventos não estão saindo do jeito que planejamos ou esperamos.

A Bíblia apresenta um interessante relato da ocasião em que o bebê do rei Davi estava muito doente, à beira da morte.[2] Davi estava atormentado; rezava noite e dia, acreditando que Deus poderia curar seu filho. Ele não comia nem bebia; não se barbeava nem tomava banho. Não cuidava dos negócios. Recusava-se a fazer qualquer coisa exceto rezar, gritando por Deus.

Apesar das preces ardentes de Davi, a criança morreu no sétimo dia. Os criados de Davi estavam preocupados por não saber como iam dizer ao rei que o bebê estava morto. Eles acharam que ele ficaria tão arrasado e perturbado que não conseguiria lidar com a dor. Mas, quando finalmente compreendeu o que tinha acontecido, Davi surpreendeu a todos. Ele se levantou do chão, lavou o rosto e vestiu roupas limpas. A seguir, pediu aos criados que lhe trouxessem uma refeição e sentou-se e comeu.

Os criados estavam estupefatos e disseram:

— Davi, quando seu filho estava vivo, o senhor jejuou e orou. Mas agora que ele partiu, o senhor age como se nada estivesse errado.

— De fato, jejuei e rezei quando meu filho estava doente, achando que Deus poderia curá-lo. Mas agora que ele se foi, não posso trazê-lo de volta. Ele não voltará para mim; eu é que um dia irei ter com ele. — Observe a atitude de Davi. Ele não ficou amargo. Não questionou Deus. Ele poderia ter ficado furioso e dito: "Deus, pensei que me amava. Por que não atendeu às minhas preces?"

Davi não fez isso. Ele ousou confiar em Deus no meio do seu desapontamento. Ele lavou o rosto e seguiu adiante com a sua vida.

Meu amigo, você e eu temos de aprender a mesma coisa. As pessoas podem tê-lo tratado mal. Alguém pode tê-lo abandonado ou talvez você tenha rezado com ardor, mas Deus não atendeu a sua prece da maneira como você esperava. Isso já acabou. Você não pode mudar o passado; não há nada que se possa fazer a respeito disso agora. Mas você pode tomar uma decisão. Você vai ficar sentando perto do tanque durante 38 anos ou vai se levantar e cuidar da vida? Vai ficar voltando ao arquivo número dois, revivendo todas as memórias dolorosas, ou vai adotar uma atitude de fé? Deus está perguntando: "Você realmente quer ficar curado?"

Se quiser, é preciso se afastar de qualquer sujeição emocional na qual esteja vivendo. Ninguém pode fazer isso para você. Você tem de se erguer das cinzas. Precisa perdoar as pessoas que o magoaram. Tem de abandonar toda essa dor e sofrimento. Deixe o passado para trás. Quando você passar por situações que não entende, não fique amargo. Não questione Deus. Aprenda a fazer o que Davi fez: lave o rosto, assuma uma boa atitude e siga em frente. Prepare-se para as novas coisas que Deus tem reservado para você.

Se você permanecer em uma atitude confiante e vitoriosa, Deus dará uma reviravolta nas suas feridas emocionais. Ele as usará em seu benefício, e você ressurgirá melhor do que se elas não tivessem acontecido.

CAPÍTULO 18

NÃO DEIXE A AMARGURA CRIAR RAÍZES

Coisas injustas sempre acontecem a todos nós; isso faz parte da vida. Quando estamos feridos, podemos escolher agarrar-nos à dor e ficar amargos ou podemos optar por deixá-las de lado e acreditar que Deus irá nos trazer uma compensação.

Ouvi em algum lugar que 70 por cento das pessoas hoje em dia estão zangadas por causa de alguma coisa. Imagine só! Sete em cada dez pessoas que você encontrar hoje estarão zangadas. E isso sem contar as que vão cruzar por você na auto-estrada!

As pessoas que alimentam a raiva muitas vezes não se dão conta de que estão envenenando a própria vida. Quando não perdoamos, não estamos ferindo a outra pessoa. Não estamos fazendo mal à empresa que foi injusta conosco. Não estamos magoando Deus. Só estamos ferindo a nós mesmos.

Se você quiser viver o melhor possível agora, precisa perdoar com rapidez. Aprender a se livrar das mágoas e dores do passado. Não deixe a amargura lançar raízes na sua vida. Talvez algo tenha lhe acontecido quando você era mais novo, alguém pode tê-lo maltratado, alguém pode ter se aproveitado de você. Talvez alguém o tenha enganado para conseguir ser promovido no seu lugar ou mentido a seu respeito. Talvez um bom amigo o tenha traído e você tenha uma boa razão para sentir raiva e amargura.

Para o bem da sua saúde emocional e espiritual, você precisa esquecer tudo isso. Sentir ódio de alguém não é nem um pouco saudável. Tampouco faz sentido ficar zangado pelo que alguém já fez a você. Você não pode fazer nada a respeito do passado, mas certamente pode fazer alguma coisa com relação ao futuro. O melhor que tem a fazer é perdoar e começar a acreditar que Deus vai lhe trazer uma compensação.

A Escritura diz: "Tomai cuidado para que nenhuma raiz de amargura, brotando, vos perturbe e por meio dela muitos sejam contaminados."[1] Observe que a amargura é descrita como uma raiz. Pense nisso. Você não pode ver a raiz; ela está profundamente enterrada no solo. Mas de uma coisa você pode ter certeza: uma raiz amarga produzirá frutos amargos. A nossa amargura interior afetará todas as áreas da sua vida.

Muitas pessoas tentam enterrar a mágoa e a dor bem no fundo do coração ou na mente subconsciente. Elas alimentam a falta de perdão e a amargura, e depois se perguntam por que não podem realmente viver triunfantes, por que não conseguem se dar com as pessoas, por que não conseguem ser felizes. Elas não percebem que tudo isso acontece porque o coração delas está envenenado. A Bíblia diz: "Do coração procedem os problemas da vida."[2] Em outras palavras, quando somos amargos por dentro, contaminamos nossa personalidade e nossas atitudes, assim como a maneira como tratamos as pessoas.

Uma raiz amarga produzirá frutos amargos.

Muitas pessoas tentam melhorar a vida lidando com o fruto externo. Tentam corrigir os maus hábitos, as atitudes perniciosas, o mau gênio ou uma personalidade negativa e azeda. Elas estão lidando com o fruto da vida delas, tentando mudar essas coisas, o que certamente é nobre. Mas a verdade é que se não chegarem à raiz, nunca conseguirão mudar o fruto, porque enquanto a raiz amarga estiver se desenvolvendo dentro delas, o problema persistirá e voltará a surgir de tempos em tempos. Você pode ser capaz de controlar seu comportamento durante algum tempo ou manter uma boa atitude por um curto período, mas já parou para pensar em por que não consegue realmente se libertar? Por que não consegue dominar esse hábito destrutivo?

Você precisa ir mais fundo. Precisa descobrir por que está tão zangado, por que não consegue se dar com os outros, por que é sempre tão negativo. Se você fizer um exame profundo e chegar à raiz, será capaz de lidar com o problema, superá-lo e realmente começar a mudar.

Venenos do Passado

Lembro-me de uma mulher jovem que procurou meu pai em busca de ajuda espiritual. Ela se casara e havia vários anos não conseguia ter um relacionamento normal com o marido. Por alguma razão, ela não conseguia se entregar completamente àquele homem. Ela o amava, mas não conseguia suportar a aproximação e a intimidade dele. Como você pode imaginar, esse problema estava destruindo o relacionamento do casal.

Ela tentava mudar, mas não conseguia, e se perguntava: "Deus, o que está errado comigo? Por que estou agindo dessa maneira? Por que não posso ser uma esposa normal?"

Certo dia, ela teve um sonho que a remeteu a algo que acontecera quando era mocinha. No sonho, ela se viu nadando num lago e vários meninos praticaram abuso sexual contra ela. Ela ficou com tanta raiva e sentiu tanto ódio deles, que começou a gritar: "Eu odeio vocês! Odeio vocês! Nunca mais deixarei que um homem chegue perto de mim enquanto eu viver."

Ao acordar, ela percebeu que ainda alimentava no coração toda aquela raiva e todo aquele ódio contra esses meninos. O sentimento estava enterrado bem profundamente e muitos anos depois estava afetando seu relacionamento com o marido. Ela soube que não ia ser fácil, mas reconheceu que teria de lidar com o fato de não conseguir perdoar, caso contrário nunca teria um relacionamento saudável. Ela decidiu se livrar de toda aquela mágoa e dor, e disse: "Deus, o Senhor sabe que não foi certo. Sabe o que eles me fizeram. Mas não vou mais me agarrar a esse sentimento; não vou mais deixar que a dor do passado envenene meu presente e meu futuro. Deus, perdôo neste momento aqueles meninos."

O interessante é que a partir desse momento, ela foi capaz de desfrutar um relacionamento saudável com o marido. Ela não conseguia mudar lidando com o fruto; precisou chegar à raiz. E quando a amarga raiz foi eliminada, ela conseguiu se libertar do passado.

Claro que você não precisa voltar e reviver todas as suas experiências negativas, relembrando as memórias dolorosas do passado. Mas você deve examinar seu coração para ter certeza de que não enterrou dentro dele a raiva e a falta de perdão. Se sua vida contém áreas nas quais você está constantemente lutando, tentando mudar sem sucesso, você precisa pedir a Deus que lhe mostre o que o está impedindo de ser livre. Peça a Ele para lhe mostrar se você tem raízes amargas que precisam ser arrancadas. Se Deus trouxer alguma coisa à tona, lide imediatamente com ela. Esteja disposto a mudar. Não deixe que os venenos do passado contaminem sua vida.

Anos atrás, uma terrível doença acometeu uma pequena aldeia em uma parte remota da África. Crianças e adultos estavam contraindo a doença e sofrendo de um enjôo horrível. Várias semanas se passaram, a doença se espalhou e as pessoas começaram a morrer. As notícias sobre a doença chegaram à principal cidade da região e especialistas foram enviados ao local para descobrir a causa do problema. Eles logo constataram que a água estava contaminada. O suprimento de água da aldeia vinha de um rio na montanha que era alimentado por uma fonte, de modo que os especialistas decidiram seguir rio acima na esperança de descobrir a origem da poluição. Eles viajaram durante dias e finalmente chegaram à nascente do rio. No entanto, não descobriram nada de errado na superfície. Perplexos, decidiram enviar alguns mergulhadores para examinar o mais perto possível a entrada da fonte.

Os especialistas ficaram surpreendidos com o que os mergulhadores descobriram. Uma porca avantajada com os seus filhotes tinha ficado presa bem na entrada da fonte. Era óbvio que eles tinham caído, afundado e de algum modo ficado presos. Toda a água cristalina da fonte na montanha estava sendo contaminada quando passava pelos restos mortais em decomposição dos porcos. Pouco tempo depois de os mergulhadores conseguirem soltar os animais, a água começou a correr novamente limpa e pura.

Algo semelhante tem lugar na nossa vida. Coisas negativas já aconteceram a todos nós. Talvez na semana passada, no mês passado ou dez anos atrás alguém nos magoou. E com excessiva freqüência, em vez de esquecer o assunto e o entregarmos a Deus, nós nos agarramos a ele. Não perdoamos e, exatamente como aqueles porcos poluíram a água cristalina da fonte, nossa vida ficou contaminada. A raiz da amargura se consolidou.

O que é ainda pior é que depois de certo tempo nós a aceitamos. Abrimos espaço no coração para essa amargura; aprendemos a conviver com ela. "Bem, sou apenas uma pessoa colérica. Essa é a minha personalidade. Sou sempre assim. Sou sempre amargo. É assim que eu sou."

Não, com o devido respeito, devo dizer que você não é assim. Você precisa se livrar do veneno que está poluindo sua vida. Você foi feito para ser um rio cristalino. Deus o criou à Sua imagem. Ele quer que você seja feliz, saudável e completo. Deus quer que você desfrute plenamente a vida e não que viva com amargura e ressentimento, uma pessoa poluída e putrefata que contamina todas as outras que é capaz de influenciar.

Imagine-se como um rio cristalino. Não importa o quão poluído o rio possa estar ou o quão turva ou escura a água possa parecer agora na sua vida. Se começar a perdoar as pessoas que o ofenderam e a se livrar de toda a mágoa e toda a dor, a amargura o abandonará e você começará a ver novamente a água cristalina, começará a experimentar a alegria, a paz e a liberdade que Deus tencionou que você tivesse.

Talvez tenha sido por esse motivo que Davi disse: "Examina o meu coração, ó Deus, e aponta o que em mim Te deixa triste."[3] Precisamos examinar nosso coração e certificar-nos de que não deixamos que nenhuma raiz de amargura se consolidasse.

O que polui o seu rio pode não ser uma grande coisa. Talvez seu parceiro ou parceira não esteja passando com você tanto tempo quanto você gostaria, e você percebe que está começando a ficar ressentido. Você está sendo rude, sarcástico, enigmático ou hostil. Está deliberadamente tornando a convivência difícil.

Cuidado! Essa raiz de amargura está contaminando sua vida. Mantenha puro o seu rio. Não deixe o seu coração ser contaminado. A Bíblia diz que devemos perdoar rápido, e quanto mais esperamos, mais difíceis as coisas se tornam. Quanto mais nos apegamos ao ressentimento, mais profunda se torna a raiz da amargura.

Às vezes, em vez de esquecer rápido, abandonando as mágoas e dores do passado, nós silenciosamente as enterramos bem no fundo do coração e da mente. Recusamo-nos a falar sobre o problema. Não queremos pensar nisso. Queremos evitá-lo na esperança de que vá embora.

Mas ele não irá. Assim como os porcos presos debaixo da água, um dia a contaminação se manifestará na sua vida e tudo ficará confuso. Esse assunto lhe causará ainda mais dor e tristeza, e se você se recusar a lidar com ele, a amargura poderá matá-lo.

Há algumas décadas, várias empresas americanas autorizadas pelo governo dos Estados Unidos tentaram enterrar lixo tóxico debaixo da superfície. Encheram grandes recipientes de metal com resíduos químicos e outros produtos nocivos à vida, lacraram hermeticamente os tambores e os enterraram debaixo da camada superior do solo. Eles acharam que o que estavam fazendo resolvia definitivamente a questão. Pouco tempo depois, no entanto, muitos dos recipientes começaram a vazar e o lixo tóxico começou a se infiltrar na superfície, causando os mais diversos tipos de problemas. Em alguns lugares, o lixo tóxico matou a vegetação e arruinou o suprimento de água. As pessoas foram obrigadas a sair de suas casas. Em uma área perto de Niagara Falls, conhecida como Love Canal, um número incomum de pessoas começou a morrer de câncer e de outras doenças incapacitantes. Muitas comunidades até hoje sofrem os efeitos do lixo tóxico que foi enterrado.

O que deu errado? Eles tentaram enterrar uma coisa que era tóxica demais. Que não podia ser contida. Acharam que podiam enterrá-la e se livrar dela de uma vez por todas. Mas não se deram conta de que as substâncias que estavam enterrando eram poderosas demais. Eram tóxicas demais para serem contidas pelos recipientes. Nunca imaginaram que um dia aqueles contaminadores voltariam à superfície e que teriam de voltar a ser eliminados. Só que dessa vez, o lixo tóxico estava disperso e eles teriam muito mais dificuldade para lidar com ele. Se tivessem se descartado da maneira adequada desde o início, não teriam tido esse horrível problema.

A mesma coisa acontece conosco. Quando alguém nos magoa, quando alguém é injusto conosco, em vez de nos esquecermos do ocorrido e acreditar que Deus vai nos trazer uma compensação, enterramos bem fundo o sentimento. Tentamos comprimir a ausência do perdão, o ressentimento, a raiva e outras reações destrutivas nos nossos recipientes "à prova de vazamento". Lacramos hermeticamente as tampas. A seguir colocamos de lado esses sentimentos e dizemos: "Ótimo. Não vou mais precisar lidar com isso. Estou livre de uma vez por todas."

No entanto, infelizmente, assim como o lixo tóxico tende a voltar à superfície, um dia as coisas que você encerrou no seu subconsciente ou enterrou profundamente no recôndito do seu coração subirão à superfície e começarão a contaminar sua vida. Não podemos viver com veneno dentro de nós sem esperar que ele um dia vá nos fazer mal.

Enfrente os fatos. Você não é forte o suficiente para conter a toxicidade existente na sua vida. Você precisa da ajuda de alguém maior e mais poderoso do que você. É por essa razão que você precisa entregar a Deus a amargura, o ressentimento e outros contaminadores. O perdão é a solução para você se livrar da amargura tóxica. Perdoe as pessoas que o feriram. Perdoe o chefe que foi injusto com você. Perdoe o amigo que o traiu. Perdoe o pai ou mãe que o maltratou quando você era pequeno. Livre-se desse veneno. Não deixe que a raiz da amargura se aprofunde e continue a contaminar sua vida.

Qual a aparência desse lixo tóxico na nossa vida? No caso de algumas pessoas, ele exsuda como raiva. No de outras tem o cheiro da depressão. No de outras ainda, fede a baixa auto-estima. Ele pode se manifestar de várias maneiras, às vezes causando dano antes mesmo de percebermos que ele reapareceu.

O famoso boxeador James "Lights Out" Toney era conhecido pela sua agressividade no ringue. Ele lutava como um homem possuído. Tinha um soco poderoso e, durante muitos anos, foi o campeão mundial de peso médio. Certo dia, após uma das suas vitórias, um repórter lhe perguntou:

— James, o que faz de você um lutador tão bom? Por que você luta com tanta agressividade e paixão quando entra no ringue?

O repórter esperava a resposta clássica, algo como: "Bem, você sabe, sou uma pessoa competitiva. É assim que eu sou. Adoro lutar boxe."

Mas não foi isso que Toney respondeu. Ele retrucou:

— Você quer mesmo saber por que eu luto com tanta raiva e agressividade? — perguntou o boxeador. — Porque o meu pai me abandonou quando eu era criança. Ele abandonou a mim e os meus irmãos, e a minha mãe teve de nos criar sozinha. E agora, quando entro no ringue, visualizo o rosto do meu pai sobre o do meu oponente. E o ódio e a raiva que sinto dele são tão grandes que simplesmente tenho de explodir.

Toney era motivado pela raiva. Ele se deixara dominar pela amargura que estava envenenando e contaminando sua vida. Sem dúvida ele tinha conquistado o aplauso do público, a aclamação do mundo do esporte, mas sentia-se desgraçado por dentro. Você pode ter um sucesso exterior, mas, se sentir amargura no seu íntimo, isso corromperá e contaminará todos os seus triunfos. Você precisa lidar primeiro com o fator interno. Precisa chegar à raiz do problema para depois poder ser realmente feliz. Então poderá experimentar uma vitória verdadeira, não contaminada e pura na sua vida.

Você talvez esteja pensando: *Joel, eu não consigo. É difícil demais. Simplesmente não posso perdoar. Eles me magoaram muito.*

Espere um minuto! Você não está perdoando em consideração a *eles,* mas pelo seu próprio bem. Você está perdoando para que esse veneno não continue a contaminar sua vida. Se alguém lhe fez um mal enorme, não se agarre ao ocorrido, permitindo assim que essa pessoa continue a magoá-lo. Você não a está ferindo nem um pouco. Só está fazendo mal a si mesmo.

Lembro-me de certa vez quando eu era pequeno em que eu e meu pai saímos para almoçar com um homem. Ele estava dirigindo e notamos que não estava tomando o caminho mais curto para o restaurante. Meu pai comentou educada e inocentemente:

— Há um trajeto mais curto.

O homem que estava dirigindo respondeu:

— Oh, não. Não passamos por ali. Anos atrás, uma pessoa que mora naquela rua ofendeu minha família e agora não passamos mais pela casa deles.

Eu não disse nada, mas mesmo sendo um menino de dez anos, tive vontade de perguntar a ele: "Você acha mesmo que está ferindo aquele homem? Você de fato acha que ele está na janela, olhando para fora e sentindo-se deprimido porque você não está passando pela casa dele?"

Quem estamos iludindo? Quando nos agarramos a um veneno do passado, estamos apenas ferindo a nós mesmos. Não estamos magoando mais ninguém. Precisamos esquecer para poder ser livres. Perdoe para poder ser curado.

PERDOE PARA SER LIVRE

Assisti recentemente a um programa de televisão a respeito de Rudy Tomjanovich, o ex-técnico do time de basquete dos Houston Rockets. O programa narrou um evento ocorrido em 1973, em que Rudy, um jogador robusto de 20 anos, estava jogando para os Rockets. No meio de um jogo apertado, ocorreu uma briga no meio da quadra. Rudy precipitou-se para o local, correndo a toda a velocidade, para tentar dissolver a briga. No momento em que chegou lá, um jogador deu meia-volta e, sem mesmo olhar para o que estava fazendo, desfechou o murro mais forte que conseguiu. Infelizmente, o soco acertou direto o rosto de Rudy. Ele foi chamado de o soco ouvido ao redor do mundo. Ele fraturou o crânio de Rudy, quebrou seu nariz e as maçãs do rosto, e quase o matou. Rudy ficou encostado durante meses após o murro devastador, mas acabou se recuperando.

Certo dia, depois que Rudy tinha se recuperado, um repórter lhe perguntou:

— Rudy, você perdoou o jogador que fez aquilo com você?

Sem hesitar, Rudy respondeu de imediato:

— Sem dúvida. Eu o perdoei totalmente.

O repórter balançou a cabeça, perplexo:

— Vamos lá, Rudy, aquele cara quase o matou. Ele lhe causou uma imensa dor. Prejudicou parte da sua carreira. Você está querendo me dizer que não sente mais raiva, ódio ou amargura com relação a ele?

— Não sinto nada disso — disse Rudy, sorrindo.

O repórter olhou para ele, incrédulo, e finalmente perguntou:

— Rudy, me diga, como você fez isso? Como pôde perdoar um homem que o feriu dessa maneira?

— Eu sabia que se quisesse seguir adiante com a minha vida, eu tinha de esquecer. Não o fiz por ele e sim por mim. Fiz isso para poder ser livre — retrucou Rudy.

Trata-se de um bom conselho. Você precisa perdoar para poder ser livre. Perdoe para poder ser feliz. Perdoe para se livrar dessa sujeição. Temos de nos lembrar de que quando perdoamos não o estamos fazendo apenas para a outra pessoa e sim para nosso próprio bem. Quando decidimos não perdoar e vivemos com rancor no coração, tudo que estamos fazendo é construir muros de separação. Achamos que estamos nos protegendo, mas na verdade não estamos. Estamos simplesmente excluindo pessoas da nossa vida. Ficamos isolados, sozinhos, desvirtuados e aprisionados pela amargura. Esses muros não estão apenas mantendo as pessoas do lado de fora; estão o mantendo encurralado.

Você percebe que esses muros também impedem que as bênçãos de Deus se derramem sobre a sua vida? Eles podem atrapalhar o fluxo da graça de Deus. Os muros da ausência do perdão impedirão que suas preces sejam atendidas e que seus sonhos se tornem realidade. Você precisa derrubar os muros. Precisa perdoar as pessoas que o magoaram para poder sair da prisão. Você nunca será livre enquanto não fizer isso. Esqueça as ofensas feitas a você. Expulse a amargura de sua vida. Essa é a única maneira pela qual você será verdadeiramente livre. Você ficará impressionado com o que pode acontecer na sua vida quando liberar todo esse veneno.

Quando eu era criança, havia um ex-pastor metodista na nossa igreja. As mãos dele estavam tão mutiladas pela artrite que ele mal podia usá-las. Elas davam a impressão de ter murchado e estavam deformadas. Ele não conseguia abrir a porta do carro. Não era capaz de dar um aperto de mão ou qualquer coisa desse tipo. Desde que eu o conhecera, as mãos dele eram assim. No entanto, certo dia, ele procurou o meu pai e lhe mostrou as suas mãos. Elas estavam perfeitamente normais! Ele podia movê-las como qualquer um de nós, quase como se tivesse recebido um novo par de mãos.

Meu pai ficou surpreso, mas extremamente feliz por ele, e lhe perguntou:

— Puxa, o que aconteceu?

— Bem, é uma história interessante — retrucou o ex-pastor. — Vários meses atrás, você estava falando sobre a ausência do perdão. Você estava falando sobre como essa atitude impede que o poder de Deus atue na nossa vida, não permitindo que nossas preces sejam atendidas. Enquanto eu ouvia, comecei a pedir a Deus que me mostrasse se havia ressentimento e falta de perdão em minha vida. E Deus começou a me ajudar. Ele trouxe à tona diversas situações que haviam acontecido comigo durante os anos em que pessoas tinham me causado um grande mal. Eu nem mesmo estava consciente daquilo, mas ainda sentia raiva e ressentimento em relação a essas pessoas. Essa era a parte esquisita; eu não tinha consciência de que estava carregando esses sentimentos. Mas tão logo o percebi, tomei a decisão de perdoá-las e de esquecer completamente o assunto. Foi quando a coisa mais impressionante começou a acontecer. Um por um, os meus dedos começaram a se endireitar. Uma semana se passou e um dedo ficou curado. Na semana seguinte, outro dedo ficou bom. Na terceira semana, outro. À medida que continuei a examinar meu coração e a eliminar toda a amargura e todo o ressentimento, Deus me trouxe a cura completa, e agora veja as minhas mãos. Sou perfeitamente normal!

Você também ficará impressionado com as coisas magníficas que começarão a acontecer na sua vida quando se livrar da amargura e do ressentimento. Quem sabe? Talvez, como aquele pastor metodista, você possa experimentar uma cura física e emocional genuína enquanto examina seu coração e mostra-se disposto a perdoar. Você poderá ver a graça de Deus de uma nova maneira. Suas preces poderão ser atendidas mais depressa quando você se livrar do passado e de todo o veneno que hoje guarda no coração.

Quando a minha mãe descobriu que estava com câncer em 1981, uma das primeiras coisas que ela fez foi se certificar de que não tinha mais nada a perdoar no coração. Ela se sentou e escreveu cartas para os amigos e para os parentes, pedindo que a perdoassem caso ela tivesse feito algum mal. Ela queria ter certeza de que seu coração estava puro, de que nada que estivesse fazendo ou tivesse feito iria interferir no poder de cura de Deus que a penetrava.

Você pode estar em uma encruzilhada em sua vida. Pode ter problemas para resolver; pessoas que precisa perdoar. Você pode tomar dois caminhos. Pode desconsiderar o que agora sabe ser verdade e continuar a enterrar a amargura na sua vida, empurrando-a mais para o fundo e permitindo que ela envenene e contamine você mesmo e as pessoas ao seu redor. Ou pode fazer uma escolha muito melhor, trazendo-a à tona e pedindo a Deus que o ajude a esquecê-la completamente.

— Mas, Joel — posso ouvi-lo você dizendo. — Você não sabe o que eles me fizeram.

— Não, não sei. Mas você precisa entregar a questão a Deus. Ele lhe trará uma compensação. Deus consertará as coisas. Ele trará a justiça para a sua vida. Não seja teimoso e obstinado, caso contrário perderá o melhor que Deus tem a oferecer. Mostre-se disposto a mudar.

Ouvi uma velha história a respeito do capitão de um navio que estava zarpando em uma noite muito escura. De repente, o capitão notou uma luz brilhante bem à sua frente, e soube que o navio estava em uma rota de colisão com a luz. Ele correu para o rádio e enviou uma mensagem urgente, exigindo que a embarcação mudasse a rota dez graus para leste.

Alguns segundos mais tarde, o capitão recebeu a resposta. A mensagem dizia: "Não posso fazer isso. Mude a sua rota dez graus para oeste."

O capitão ficou zangado. E enviou outra mensagem em código. "Sou um capitão da marinha. Exijo que você mude a sua rota."

Segundos depois, recebeu uma mensagem que dizia: "Sou um marinheiro de segunda classe. Não posso fazer o que o senhor está pedindo. Mude a sua rota."

O capitão agora estava furioso. Ele enviou uma última mensagem. "Sou um encouraçado e não vou mudar a minha rota!"

Ele recebeu uma breve resposta que dizia: "Sou um farol. A escolha é sua, senhor."

Muitas vezes somos como esse capitão da marinha; podemos ser teimosos e obstinados. Podemos pensar em milhões de razões pelas quais não vamos mudar: *Eles me magoaram demais. Eles foram excessivamente injustos comigo. Não vou perdoar.*

Este livro é o seu farol pessoal, que irradia a verdade na sua vida, dizendo que você precisa mudar a sua rota. O perdão é uma escolha, mas não é uma opção. Jesus disse o seguinte: "Se não perdoardes as outras pessoas, vosso Pai que está no céu não irá perdoar-vos."[4] Se você se recusa a perdoar, certamente terá problemas. Você está em um caminho destrutivo. E Deus está lhe dizendo para mudar sua rota.

O perdão é uma escolha, mas não é uma opção.

Se você quer ser feliz, se quer ser livre, tire esse lixo da sua vida. Pare de se agarrar a ele; livre-se dele. Não deixe que a raiz da amargura continue a envenenar sua vida. Examine seu coração. Quando Deus trouxer à luz algum assunto, lide rapidamente com ele. Mantenha seu riacho cristalino. Meu amigo, se fizer a sua parte e mantiver o veneno fora da sua vida, verá a graça e as bênçãos de Deus de uma nova maneira.

Você quer que Deus leve justiça para a sua vida? Gostaria que Deus lhe devolvesse tudo que lhe foi roubado? Venha comigo; vou lhe mostrar como isso pode acontecer.

CAPÍTULO 19

DEIXE QUE DEUS LEVE JUSTIÇA PARA A SUA VIDA

Deus prometeu que se confiarmos Nele, Ele nos ressarcirá de todas as coisas injustas que nos aconteceram.[1] Talvez você tenha sido passado para trás em uma transação comercial e tenha perdido muito dinheiro. Talvez alguém tenha mentido a seu respeito e essa informação incorreta tenha atrapalhado a sua promoção. Ou talvez um amigo íntimo o tenha traído.

Sem dúvida, esse tipo de perda deixa cicatrizes indeléveis, fazendo com que você queira se agarrar à dor. Seria lógico que você procurasse se vingar. Muitas pessoas até mesmo o incentivarão a fazer isso. O *slogan "Don´t get mad, get even!"* [Não fique zangado, acerte as contas!] é um princípio bem aceito hoje em dia.

Mas esse não é o plano de Deus para você. Se você quiser viver da melhor maneira possível agora, precisa aprender a acreditar que Deus promoverá a justiça na sua vida. A Bíblia diz o seguinte: "Deus é justo e Ele resolverá as questões do Seu povo."[2] Isso quer dizer que você não precisa sair por aí tentando se vingar das pessoas. Deus é o seu defensor. Você tem de começar a permitir que Ele lute as suas batalhas por você. Deixe que Deus resolva os seus problemas. Deus prometeu que se você Lhe entregar essas questões e deixar que Ele lide com elas da Sua maneira, Ele corrigirá a situação. Deus promoverá a justiça em sua vida.

Acredite que Deus promoverá a justiça em sua vida.

Alguém pode não estar tratando-o bem. Essa pessoa pode estar dizendo inverdades a seu respeito, espalhando rumores odiosos, contando mentiras, tentando destruir sua reputação. Se você for como a maioria das pessoas, provavelmente está tentado a acertar as contas com o seu agressor e a puni-lo!

É preciso ter fé para acreditar que Deus quer defendê-lo, mas é o que Ele realmente quer. Não cometa o erro de regredir ao nível do seu ofensor, discutindo e brigando, porque isso só piorará as coisas. Deixe Deus resolver o assunto. Tome o caminho mais ético, responda com amor e observe o que Deus irá fazer. Se você fizer as coisas à maneira de Deus, não apenas Ele lutará por você as suas batalhas, como também, no final, você estará melhor do que antes.

Deus Mantém um Bom Registro

Às vezes Deus nos permite passar por certas coisas para nos pôr à prova. Se nesse momento alguém não o está tratando bem, essa situação pode muito bem ser um teste da sua fé. Deus está interessado em ver como você vai reagir. Se vai ficar pessimista, amargo ou zangado. Se vai desenvolver uma atitude vingativa, sempre tentando ir à forra. Ou se vai entregar o problema a Deus, acreditando que Ele corrigirá as coisas. Você vai passar nesse teste para que Deus possa promovê-lo?

Talvez o seu chefe não o esteja tratando bem. É você que faz todo o trabalho, mas parece que não está sendo reconhecido. Todo mundo na empresa está sendo promovido menos você. Você pode se sentir tentado a ficar deprimido e com uma atitude mal-humorada, alimentando uma mentalidade de coitadinho de mim.

Em vez disso, você precisa manter uma boa atitude e começar a acreditar que Deus vai resolver as coisas para você. Você precisa entender que não está trabalhando apenas para aquela pessoa. Você não é apenas funcionário daquela empresa. Você está trabalhando para Deus! E Deus vê cada injustiça cometida contra você. Deus mantém um bom registro. Ele está observando de perto a sua situação e disse que vai ressarci-lo. Meu amigo, quando Deus nos ressarce, Ele o faz em abundância.

Quando Deus quer que você seja promovido, não importa se o seu chefe gosta ou não de você; o seu futuro não depende do que o seu chefe faz ou deixa de fazer. Deus está no comando. A Bíblia diz que o progresso não vem do norte, do sul, do leste ou do oeste. Em outras palavras, o progresso não vem do seu chefe, do seu supervisor ou da sua empresa. De jeito nenhum. A verdadeira promoção vem do Deus Todo-poderoso. E quando Ele diz que está na hora de você subir a escada, todas as forças das sombras reunidas não podem detê-lo. Você será promovido.

Além disso, Deus não permitirá que alguém continuamente o trate mal. Se você fizer a sua parte, mantiver uma boa atitude e entregar a Deus as suas circunstâncias, mais cedo ou mais tarde Ele levará justiça à sua vida. Às vezes, quando não vemos nada acontecer mês após mês, talvez até ano após ano, somos tentados a tornar-nos manipuladores, a tentar fazer as coisas acontecerem por nós mesmos. Quando fazemos isso, corremos o risco de interferir nos planos e desígnios de Deus, criando assim outra confusão para Ele resolver, e possivelmente até impedindo-O de fazer o que Ele realmente quer fazer nessa situação.

"Mas, Joel, todo mundo está me deixando para trás", queixou-se Darla. "Quando vai chegar a minha vez? Todos os meus amigos estão se casando; todos os meus colegas que se formaram junto comigo estão ganhando bastante dinheiro e vivendo uma vida confortável; todos estão sendo promovidos na minha empresa *exceto eu*."

Você talvez tenha preocupações semelhantes às de Darla, mas entenda que Deus é um Deus sobrenatural. Um toque da Sua graça pode recuperar qualquer terreno perdido e dar-lhe ainda muito mais coisas. Um toque da graça de Deus pode atrair a pessoa certa para a sua vida ou colocá-lo no comando de toda a sua empresa.

Um toque da graça de Deus pode atrair a pessoa certa para a sua vida.

Conheci um homem há pouco tempo que trabalhava como mecânico em uma grande oficina que fazia a manutenção de caminhões a diesel e tratores. Ele me disse que durante muitos anos não foi tratado corretamente no local onde trabalhava. Era um ambiente de trabalho extremamente negativo e os seus colegas com freqüência o ridicularizavam, porque ele não saía para se divertir com eles depois do trabalho. Ano após ano ele suportou todos os tipos de injustiça e zombaria. Esse homem era um dos melhores mecânicos da equipe, sistematicamente um dos que mais produziam, mas durante sete anos não recebeu um único aumento de salário, uma gratificação ou qualquer tipo de incentivo, simplesmente porque o seu supervisor não gostava dele.

Esse mecânico poderia ter se tornado uma pessoa amarga. Ele poderia ter pedido demissão e ido trabalhar em outro lugar, como também ter desenvolvido uma atitude hostil e ficado de mal com o mundo. No entanto, em vez disso, continuou a dar o melhor de si. Trabalhava arduamente e ficava calado, sabendo que Deus era seu defensor. Ele não estava trabalhando para agradar o seu supervisor e sim para agradar a Deus.

Certo dia, de forma inesperada, o dono da empresa telefonou para ele. O proprietário não estava envolvido nas operações do dia-a-dia, de modo que o mecânico não o conhecia. No entanto, o dono da firma disse-lhe que estava pronto para se aposentar e que estava procurando uma pessoa para assumir o comando do negócio.

— Eu gostaria que você ficasse com ele — disse o proprietário ao mecânico.

— Senhor, eu adoraria aceitar sua proposta — retrucou o mecânico —, mas não tenho dinheiro para comprar o negócio.

— Você não está entendendo — replicou o dono. — Você não precisa de dinheiro. Eu tenho dinheiro. Estou procurando alguém em quem eu possa confiar e que seja capaz de continuar o trabalho que comecei. Quero *dar* o negócio para você.

Hoje, esse mecânico é simplesmente o dono da empresa!

Durante a nossa conversa, perguntei a ele:

— O que levou o dono da firma a ligar para você?

— Joel, até hoje não sei como ele conseguiu o meu nome. Não tenho a menor idéia de por que me escolheu. Tudo que sei é que praticamente da noite para o dia, deixei de ser o homem na base do sistema hierárquico e passei a ser a pessoa no comando da empresa inteira! — Ele riu e continuou: — Sabe, Joel, eles não riem mais de mim na oficina...

Meu amigo, esse é um bom exemplo de como Deus pode levar a justiça para a vida de um homem. Deus o ressarciu de todas as injustiças cometidas contra ele, resolveu o problema e corrigiu as injustiças. E Deus quer fazer a mesma coisa para você.

Você poderá dizer: "Joel, tudo isso parece meio distante para mim."

Entenda que servimos a um Deus que quer fazer mais do que você pode pedir ou pensar. Não importa como as pessoas o estão tratando. Continue a fazer a coisa certa; não fique ofendido; não deixe que o perturbem; não tente se vingar, pagando na mesma moeda.

Em vez disso, continue a oferecer perdão; continue a reagir com amor. Se você fizer isso, quando chegar a hora de ser promovido, Deus tomará as providências certas para que isso aconteça. Ele tomará medidas para que você receba tudo que merece e muito mais!

Entregue Tudo a Deus

O segredo é entregar tudo a Deus. Deixe que Ele faça as coisas da maneira Dele. A Escritura diz o seguinte: "Não vos vingueis vós mesmos, mas deixai o caminho aberto para a ira [de Deus]."[3] Repare que, se você tentar se vingar, estará fechando a porta para que Deus possa fazê-lo. Se você vai deixar Deus cuidar das coisas, não pode ter esta atitude: *Vou mostrar a eles do que sou capaz,* porque isso impedirá que Deus o defenda da maneira Dele. Se quiser manter a porta aberta para que Deus possa levar a verdadeira justiça para a sua vida, precisa entregar completamente a situação nas mãos Dele.

Alguém pode estar dizendo coisas desagradáveis sobre você pelas suas costas. A sua atitude deve ser: *Não tem importância. Deus está me protegendo. Ele vai me trazer uma compensação.*

Se alguém o enganar e roubar seu dinheiro, diga: *Não tem problema. Deus me prometeu o dobro. Eles não me devem nada. Deus, dou o que perdi de presente para eles, porque sei que o Senhor pode me ressarcir em dobro. Não vou me preocupar com o assunto; estou me libertando dele neste momento.*

Se alguém convidar todos os seus amigos para jantar, mas o excluírem, a sua atitude deve ser a seguinte: *Não tem importância. Deus sabe o que preciso. Ele atrairá novos amigos para a minha vida.*

Como é livre viver assim! Quando você realmente compreende que não tem de consertar tudo que lhe acontece, você não precisa se aborrecer e tentar ir à forra pelo que uma pessoa fez ou deixou de fazer a você. Não precisa ficar preocupado nem tentar manipular a situação. Quando você sabe que Deus está lutando as suas batalhas e que prometeu corrigir as injustiças cometidas contra você, pode andar com mais confiança, com passos mais elásticos, com um sorriso no rosto e uma música no coração. Você é livre!

Quando você tem esse tipo de atitude, está deixando a porta aberta para que Deus o indenize. E lembre-se de que o ressarcimento de Deus é abundante.

Há alguns anos, Victoria e eu convivemos com uma pessoa que realmente nos prejudicou em uma transação comercial. Essa pessoa não cumpriu a sua parte do acordo, fez algumas coisas questionáveis e acabou nos roubando muito dinheiro.

Muitas vezes, Victoria e eu nos sentimos tentados a travar a luta com nossas próprias forças. Sentimos vontade de pagar a ele na mesma moeda e infernizar a sua vida. Afinal de contas, ele nos tinha feito sofrer; por que não fazer a mesma coisa com ele? Foi difícil, mas nos obrigamos a agir da maneira correta, que era entregar o assunto a Deus.

Nós dissemos: "Deus, o Senhor está vendo o que está acontecendo. Sabe que estamos sendo passados para trás. Sabe que o que esse homem está fazendo é errado. Mas, Deus, não vamos tentar ir à forra. Não vamos tentar nos vingar. Vamos deixar a porta aberta, contando que o Senhor resolverá a questão para nós."

Esse processo continuou por vários anos e não víamos nenhuma mudança. Tínhamos de continuar a lembrar a nós mesmos que Deus é justo. *Deus vai nos ressarcir por fazermos a coisa certa. Deus vai resolver nossa questão.*

Certo dia, inesperadamente, Deus interveio de um modo sobrenatural e deu uma reviravolta na situação. Ele não apenas retirou aquele homem da nossa vida, como também nos ressarciu em abundância de tudo que ele tinha nos tomado. Tristemente, o homem que tentou nos passar para trás acabou perdendo a família, o negócio, a reputação, tudo enfim. E eu certamente não desejo isso para ninguém, mas essa também é a justiça de Deus. Não podemos sair por aí constantemente fazendo o mal, tapeando as pessoas, plantando sementes nocivas sem esperar que as coisas um dia se virem contra nós. Colheremos exatamente o que semeamos.

Victoria e eu estávamos recentemente conversando a respeito de como Deus nos ressarcira. Não o estou dizendo de um modo arrogante, mas Deus nos abençoou com abundância. Ele nos fez prosperar através de vários negócios imobiliários, de modo que moramos em uma casa encantadora e temos todos os bens materiais de que precisamos. Ele nos abençoou com filhos maravilhosos e uma fantástica família estendida. Ele nos promoveu e nos conferiu posições de liderança. Deus fez mais do que podemos pedir ou imaginar. Mas se não tivéssemos aprendido a passar por esse tipo de teste, não acredito realmente que estivéssemos onde estamos hoje. Se tivéssemos sido obstinados e brigado com o homem que nos estava prejudicando, se tivéssemos ficado zangados e amargos ou alimentado ressentimentos no coração contra ele, Deus não teria nos feito progredir.

Se você entregar a sua situação a Deus, no final ficará em uma situação muito melhor. Você estará bem mais adiante do que estaria se tivesse tentado resolver o assunto com a própria força. Deus verdadeiramente pode trazer a justiça para a nossa vida.

Talvez você venha se esforçando para resolver uma situação e tenha feito a coisa certa durante um longo tempo. Você tem trilhado o caminho ético e perdoado repetidas vezes uma pessoa, fazendo vista grossa para os defeitos dela. Você sempre se contém quando ela é rude com você e manteve uma boa atitude apesar de ela o ter tratado mal. Talvez isso já venha acontecendo há meses, ou quem sabe anos, e agora você está tentado a ficar desanimado. Você começa a se perguntar: *Será que Deus um dia vai mudar essa situação? Será que Deus vai fazer justiça? Será que Ele ao menos se importa com o que estou passando?*

Não desista! Continue fazendo a coisa certa. Deus está formando o seu caráter, e você está passando no teste. Lembre-se de que quanto maior a luta, maior a recompensa.

Diz a Escritura: "Não vos canseis de fazer o que é certo porque no devido tempo ceifareis se não esmorecerdes."[4] Não fique cansado; Deus levará justiça à sua vida.

Precisamos acreditar que Deus trará justiça no tempo Dele e não no nosso. Às vezes as coisas não acontecem da noite para o dia. Às vezes você terá de amar durante um longo tempo uma pessoa detestável. Às vezes terá de fazer a coisa certa quando a coisa errada está acontecendo com você, e um longo tempo poderá se passar antes que você veja qualquer tipo de mudança. Você poderá precisar de uma vontade forte e da determinação de acreditar apesar das adversidades.

Quando Davi era apenas um rapaz, foi ungido pelo profeta Samuel para que viesse a ser o próximo rei de Israel. Pouco tempo depois, ele derrotou o gigante Golias e tornou-se instantaneamente um herói em todo o reino. O povo o adorava, e os seus índices de popularidade estavam nas alturas. Mas o rei Saul, que governava Israel na época, ficou com muita inveja de Davi e começou a cometer inúmeras injustiças contra ele.

Às vezes Saul ficava doente, e Davi tocava harpa para ele, acalmando a mente do rei e ajudando-o a se sentir melhor. No entanto, em um dia em que Davi estava tocando harpa para ele, Saul, de repente, pegou a lança e atirou-a contra Davi! A arma quase o acertou. Davi saiu correndo com medo de perder a vida. Quando ele se deu conta de que Saul estava tentando matá-lo, foi se esconder nas montanhas. Durante meses, teve de viver fugindo de caverna em caverna.

Pense bem. Davi nada fizera de errado. Ele tratara Saul com respeito e dignidade, mas Saul se voltou contra ele e tentou matá-lo. Davi poderia facilmente ter se tornado amargo e dito: "Deus, por que esse cara está tentando me ferir? Eu não fiz nada a ele. Deus, pensei que o Senhor tivesse me escolhido para ser rei. Afinal, o que está acontecendo por aqui?"

Mas Davi não fez nada disso. Ele manteve uma boa atitude, recusando-se a ferir Saul, mesmo quando teve a oportunidade de fazê-lo. Embora Saul não o estivesse tratando corretamente, Davi continuou a respeitar a posição de autoridade do rei.

Alguém na sua vida que tenha autoridade sobre você — um chefe, um supervisor, seu pai ou sua mãe, ou alguém em uma posição de liderança — pode estar tratando-o injustamente. Você sabe que o que a pessoa está fazendo é errado, e ela provavelmente também sabe. Por conseguinte, você pode se sentir tentado a tratá-la com desprezo ou desrespeito. É fácil racionalizar ou justificar uma atitude errada com relação a essa pessoa. Afinal de contas: *O meu chefe é rude. Ele é agressivo. Não tenho que tratá-lo com respeito.* Ou então: *Os meus pais discutem e brigam o tempo todo. Não vou lhes obedecer.* Ou ainda: *O meu marido (ou esposa) não vai à igreja comigo. Como posso respeitar uma pessoa desse tipo?*

A verdade é que, quer a pessoa esteja se comportando corretamente ou não, Deus espera que respeitemos a posição dela de autoridade. Não arranje desculpas, tentando justificar na sua mente por que você é livre para falar ou agir desrespeitosamente com relação a essa pessoa. Se você se recusar a viver debaixo da autoridade, Deus nunca o promoverá a uma posição de maior autoridade.

É fácil respeitar as pessoas que ocupam posições de autoridade desde que elas sejam agradáveis conosco ou quando concordamos com elas. Mas o verdadeiro teste tem lugar quando temos um "Saul" na nossa vida, quando alguém nos trata injustamente sem motivo aparente.

Como Davi, muitas pessoas hoje em dia foram escolhidas por Deus para fazer algo importante. Deus quer colocá-las em posições de honra, de liderança, mas por alguma razão elas não passam no teste. Em vez de confiar em Deus, estão sempre tentando manipular as circunstâncias, fazer justiça por conta própria. Em vez de não se importarem com as ofensas, perdoando o ofensor e acreditando que Deus corrigirá as coisas, elas estão sempre querendo acertar as contas com os "Sauls" de suas vidas. Mas existe uma maneira melhor.

No fim da década de 1950, as coisas estavam correndo muito bem para o meu pai. Ele era um pastor de sucesso de uma próspera igreja de Houston e a congregação acabara de construir um prédio novo, bonito e grande. Papai fazia parte do conselho diretor da sua congregação, e todo mundo via John

Osteen como um líder em ascensão, em seu caminho nos altos escalões da hierarquia da igreja. No entanto, em 1958, papai sentiu o desejo de pesquisar mais profundamente os assuntos de Deus. Ele não estava satisfeito em ficar estagnado na sua jornada espiritual e tampouco queria que a igreja se tornasse enfatuada.

À medida que estudava as Escrituras, meu pai compreendeu que Deus queria mais para o povo Dele do que a maioria das pessoas estava acostumada a receber. Papai ficou entusiasmado com o que estava aprendendo na Bíblia e começou a compartilhar suas descobertas com a igreja. Ele disse à congregação que estava vendo com clareza que Deus era um Deus bom, um Pai celeste, e não um juiz exigente, impossível de ser satisfeito. Papai ensinou às pessoas que Deus queria que elas fossem felizes, saudáveis e completas, e começou a rezar por quem estava doente ou com alguma necessidade.

Para grande surpresa, muitas pessoas da congregação não gostaram do que ele descobrira. Elas estavam impregnadas das suas tradições, e como as mensagens ardentes e entusiásticas do papai não eram exatamente o que estavam acostumadas a ouvir, isso as deixava um pouco constrangidas. Embora papai estivesse pregando a partir da Bíblia, as pessoas estavam perturbadas porque o Deus sobrenatural que o meu pai descrevia não se encaixava nas diretrizes da denominação delas.

A congregação organizou uma votação para determinar se queriam que papai ficasse ou fosse embora. A maioria dos votos foi a favor da sua permanência, mas nos meses seguintes algumas pessoas o trataram tão mal e o desrespeitaram tanto que ele sentiu que a melhor coisa que poderia fazer pela igreja seria partir. Claro que ele ficou desapontado e desanimado. Derramara o coração e a alma naquele lugar e agora teria de começar tudo de novo.

Não era justo; não era certo. A congregação não o tratou como ele merecia, e papai poderia facilmente ter ido embora cheio de amargura. Poderia ter guardado raiva e ressentimento no coração contra algumas daquelas pessoas. Mas ele não se agarrou a esses sentimentos desagradáveis. A atitude dele foi a seguinte: *Deus, sei que vai me trazer uma compensação. Sei que vai me fazer prosperar aonde quer que eu vá e promoverá a justiça na minha vida.*

Papai tomou a decisão de seguir com Deus e, em 1959, deixou a segurança daquela igreja grande e de renome, e foi para uma pequena loja de suprimentos agrícolas abandonada e em ruínas chamada East Houston Feed & Hardware. Era um prédio dilapidado e sujo, com buracos no chão, mas papai e mais ou menos 90 pessoas o limparam, e no Dia das Mães, fundaram o que chamaram de “Lakewood Church”.

Os críticos disseram:

— Não vai dar certo, John. Você não tem a menor chance. Não vai aparecer ninguém.

O meu pai e os que o ajudaram disseram:

— Vai ser um sucesso.

E foi o que aconteceu. A igreja foi um sucesso na cidade inteira e hoje é um sucesso em todo o mundo! Mais de 45 anos depois, a Lakewood Church ainda é forte, ainda presencia os milagres, as bênçãos e a graça de Deus, ainda toca pessoas no mundo inteiro.

Deus também sabe como levar justiça para a sua vida. Se você deixar suas preocupações nas mãos de Deus, Ele resolverá seus problemas, corrigirá as coisas para você. Ele prometeu pegar esse mal e usá-lo a seu favor. Não importa o quanto uma pessoa o tenha ferido, ou o quanto as ações ou as palavras dela possam ter atrapalhado seu progresso, Deus pode dar uma reviravolta na situação e compensar tudo para você, e muito mais!

Deus corrigirá as coisas para você.

Deixe que Deus resolva a situação. Viva uma vida de perdão. Não ande por aí tentando acertar as contas com as pessoas, tentando se vingar. Deus vê todos os males que foram cometidos contra você e cada pessoa que já o magoou. Ele está registrando tudo, e a Escritura diz que se você não se vingar, Deus o ressarcirá. E, meu amigo, Ele não apenas o ressarcirá; Ele o ressarcirá em *abundância*.

CAPÍTULO 20

VENCENDO AS DECEPÇÕES

Um dos segredos mais importantes para viver o melhor possível agora, bem como para avançar em direção ao magnífico futuro que Deus tem para você, é *aprender a superar as decepções da vida*. Como as decepções podem colocar obstáculos imensos à sua vontade de se libertar do passado, você precisa ter certeza de que lidou com essa área antes de dar o passo seguinte para viver o seu pleno potencial.

Sejamos sinceros; todos enfrentamos decepções de tempos em tempos. Mesmo que você tenha uma fé enorme ou seja uma pessoa muito boa, mais cedo ou mais tarde, alguma coisa (ou alguém!) sacudirá a sua fé até as bases. Pode ser algo simples, como não obter a promoção que você estava realmente torcendo para conseguir; não fechar a grande venda para a qual você tanto se esforçou; não corresponder às exigências necessárias para conseguir um empréstimo para comprar a casa de seus sonhos. Ou pode ser algo mais sério, como um casamento que desmorona, a morte de um ente querido ou uma doença incurável e debilitante. Seja o que for, essa decepção encerra o potencial de desencorajá-lo e de destruir sua fé. Por esse motivo, é vital que você reconheça de antemão que as decepções surgirão e que você aprenderá a manter o rumo e lidar com eles quando aparecerem.

Com freqüência, vencer as decepções e libertar-se do passado são dois lados da mesma moeda, especialmente quando você está desapontado consigo mesmo. Quando fizer uma coisa errada, não se agarre a ela e não fique se recriminando. Admita o erro, procure o perdão e vá em frente. Liberte-se logo de seus erros e fracassos, mágoas, dores e pecados.

As decepções que mais nos perturbam, no entanto, são em geral aquelas causadas por outras pessoas. Muitos indivíduos que foram feridos pelos outros estão perdendo a oportunidade de recomeçar porque insistem em reabrir antigas feridas. No entanto, apesar do que passamos, independentemente das injustiças que sofremos ou de como ficamos desapontados, precisamos parar de pensar no ocorrido e esquecer.

Alguém pode tê-lo abandonado. Alguém pode ter feito um grande mal a você. Você pode ter rezado fervorosamente para que a vida de um ente querido fosse salva, mas ele morreu. Entregue o assunto a Deus e siga adiante com a sua vida. Diz a Bíblia: "As coisas secretas pertencem a Deus."[1] Deixe-as com ele.

As decepções quase sempre acompanham os reveses. É claro que se você sofrer uma perda, sentirá fortes emoções. Ninguém espera que você seja uma rocha impenetrável ou uma ilha inacessível no mar. Nem mesmo Deus espera que você seja duro a ponto de simplesmente não dar atenção às decepções da vida, desdenhando-os como se fosse impermeável à dor. De modo algum. Quando experimentamos o fracasso ou a perda, é natural sentir remorso ou tristeza. Foi assim que Deus nos criou. Se você perder o emprego, é extremamente provável que vá ter uma forte sensação de desapontamento. Se tem um relacionamento destruído, claro que vai doer. Se já perdeu um ente querido, há um período de dor e de tristeza. Tudo isso é normal e é o que se espera.

Mas se você ainda está triste e sofrendo por causa de uma decepção que ocorreu há um ano ou mais, algo está errado! Você está atrapalhando o futuro. Precisa tomar a decisão de seguir em frente. Não vai acontecer automaticamente. Você terá de se levantar e dizer: "Não me interessa o quanto isto seja difícil, não importa o quanto eu esteja desapontado, não vou me deixar dominar pela situação. Vou seguir em frente com a minha vida."

O inimigo adora nos ludibriar para que afundemos na autocomiseração, fiquemos atormentados ou tenhamos uma atitude hostil. "Por que isso foi acontecer comigo? Deus não deve me amar. Ele não atende as minhas preces. Por que o meu casamento terminou em divórcio? Por que o meu negócio não deu certo? Por que perdi a pessoa que eu amava? Por que as coisas não deram certo na minha vida?"

Não se pode fazer ovos mexidos ficarem inteiros de novo.

Essas perguntas podem ser válidas e pode até ser proveitoso considerá-las por um período, mas depois disso, pare de desperdiçar seu tempo tentando entender algo que não pode mudar. Você não pode fazer ovos mexidos ficarem inteiros de novo. O que está feito está feito. Deixe o passado ser passado e siga em frente. Então você sofreu alguns reveses; a sua prece não foi atendida; as coisas não saíram como você queria. Meu amigo, você não está sozinho. Muitas pessoas boas e honestas passaram por algo semelhante.

NÃO FIQUE PRESO NO PASSADO

O meu pai se casou muito cedo, o que provavelmente não foi uma das melhores decisões que tomou, e, embora tenha entrado no relacionamento com a melhor das intenções, infelizmente as coisas não deram certo. O casamento fracassou. Papai ficou desconsolado e arrasado. Achou que a sua vida de pastor tinha acabado, que as bênçãos de Deus tinham desaparecido. Ele não acreditava que um dia pregaria de novo e muito menos que teria uma família. Lidar com o divórcio foi a época mais sombria da vida do meu pai. Ele poderia facilmente ter desistido e mergulhado em um buraco negro de depressão. Estou certo de que se sentiu tentado a se condenar e se sentir culpado. Sem dúvida, ele se sentiu levado a interiorizar a culpa e a não aceitar o perdão de Deus. Ele poderia ter deixado que a decepção o impedisse de realizar seu destino.

No entanto, anos depois, meu pai me contou como teve de se sacudir para sair da depressão. Ele teve de parar de lamentar o que perdera e começar a receber a compaixão e o amor de Deus.

A Bíblia diz o seguinte: "A compaixão de Deus é nova e original todos os dias." Deus sabe que vamos cometer erros. Deus sabe que não somos perfeitos, de modo que Ele propicia compaixão e graça novas e originais todos os dias. Deus não faz vista grossa aos nossos pecados; não finge que não vê nossas transgressões. Mas Ele tampouco nos condena automaticamente. Diz a Bíblia: "O Senhor... usa de paciência para convosco, não desejando que ninguém pereça, mas que todos se arrependam."[2]

Para evitar ficar preso ao passado, você precisa aprender a se perdoar. Precisa estar disposto a aceitar a compaixão de Deus. Não pode se criticar tanto a ponto de não receber o que Deus tem a oferecer.

Talvez você tenha feito algumas más escolhas e agora está tentando corrigir o que fez de errado. É muito nobre da sua parte, e à medida que puder reparar qualquer mágoa que tenha infligido aos outros, deve tentar fazê-lo. Mas você precisa entender que nem sempre pode consertar cada parte fragmentada de sua vida ou da vida de outra pessoa; você não pode corrigir cada erro ou resolver cada confusão que fez. Você talvez esteja tentando pagar uma dívida que simplesmente não pode pagar. Talvez esteja na hora de você simplesmente receber a compaixão e o perdão de Deus para poder seguir adiante com a sua vida.

Por favor, não me interprete mal. Não estou sugerindo que você saia de fininho, sem dar atenção ou abdicando da responsabilidade pelas suas ações. Muito pelo contrário. Você deve o mais possível procurar o perdão daqueles a quem magoou e fazer reparações a eles. No entanto, com freqüência, pouco pode ser feito para corrigir o passado. Quando você sabe que a situação está terminada, a melhor coisa a fazer é simplesmente ir em frente.

O meu pai tomou a decisão de que não ia permitir que o passado envenenasse o futuro. Ele aceitou o perdão e a compaixão de Deus e, pouco a pouco, Deus começou a fazer um novo trabalho na vida do meu pai, restaurando sua força espiritual bem como o seu ministério. Papai começou a pregar de novo e a fazer o que Deus queria que ele fizesse. Começou a realizar o destino que Deus escolhera para a sua vida.

No entanto, papai jamais sonhara que um dia se casaria de novo e teria uma família. Certo dia então, ele conheceu uma jovem atraente com um nome incomum, Dodie, que estava trabalhando como estudante de enfermagem em um dos hospitais da cidade, onde papai visitava alguns dos membros da igreja que estavam doentes.

Papai se apaixonou perdidamente pela moça e começou a usar todas as razões possíveis que conseguia encontrar para ir àquele hospital a fim de poder vê-la. Ele visitaria o vizinho do primo em terceiro grau da sua tia-avó se você lhe pedisse para fazer isso! Ele estava quase *torcendo* para que membros da sua congregação ficassem doentes para que pudesse ir ao hospital.

A jovem estudante de enfermagem não percebeu o que estava acontecendo. Mas o meu pai ia tanto ao hospital, que certa vez ela disse a uma das suas amigas: “Aquele pastor tem a congregação mais enferma que já vi na minha vida!” Ela não compreendia que ele ia lá para vê-la.

Você provavelmente já adivinhou que papai se casou com Dodie Pilgrim e Deus os abençoou com quatro filhos comuns e um excepcional, que eles chamaram de Joel!

Deus não apenas restaurou o ministério do meu pai. Ele o aumentou. Papai viajou pelo mundo inteiro durante mais de 50 anos, pregando para milhões de pessoas. Fundou a Lakewood Church em Houston no final da década de 1950 e foi pastor da congregação por mais de 40 anos.

Deus também deu ao meu pai uma nova família. Hoje, os seus cinco filhos estão ativos no ministério, continuando o trabalho que Deus começou no meu pai há muitos anos. No entanto, não acredito que nada disso tivesse acontecido se papai tivesse se concentrado nos seus desapontamentos, recusando-se a se libertar do passado.

Deus também quer fazer mais do que você pode pedir ou imaginar. Ele quer restaurar tudo para você em abundância. Se você se concentrar nas coisas certas, Deus pegará o seu mais horrendo campo de batalha e o transformará no seu maior campo de bênçãos.

Não estou dizendo para você tomar o caminho fácil e cair fora de um casamento ou de outra situação difícil. Papai suportou o inferno na terra. Se você conhecesse as circunstâncias que envolveram o divórcio dele, entenderia que meu pai não tomou o caminho mais fácil. Mas tampouco se permitiu ficar preso no passado. Liberte-se dos seus antigos desapontamentos, fracassos e pecados. Deus quer fazer uma coisa nova. Ele quer devolver a você com abundância tudo o que o inimigo lhe roubou. Pare de relembrar essas decepções, de chorar algo que você perdeu e comece a acreditar que Deus tem um futuro fantástico para você!

Freqüentemente me pedem que eu reze para pessoas que acreditam que um relacionamento possa ser restaurado. Algumas estão rezando para que o casamento seja renovado; outras estão pedindo a Deus que remedeie uma situação de negócios ou um desentendimento entre colegas de trabalho. Encorajo as pessoas a perseverar, a continuar rezando e acreditar que boas coisas irão acontecer. Mas também precisamos entender que Deus não mudará a vontade de outra pessoa. Ele deu a cada ser humano o livre-arbítrio para escolher o caminho que seguirá e se quer fazer o bem ou o mal. Às vezes, por mais que rezemos ou por mais tempo que permaneçamos na fé, as coisas não acontecem como esperamos.

Deus não mudará a vontade de outra pessoa.

Você pode estar arrasado por causa de um relacionamento fracassado ou de um negócio que foi à falência, mas eu o estimulo a não permanecer nesse estado. Não carregue por aí toda essa dor e mágoa ano após ano. Não deixe que a rejeição infeccione dentro de você, envenenando seu futuro. Livre-se dela. Deus tem algo novo reservado para você.

Quando Deus permite que uma porta se feche, Ele abrirá outra para você, revelando algo maior e melhor. Diz a Bíblia que Deus pegará o mal que o inimigo traz para a nossa vida e, se mantivermos a atitude correta, Ele o inverterá e o usará para o nosso bem.[3] Deus quer pegar as suas cicatrizes e transformá-las em estrelas. Quer pegar essas decepções e transformá-las em reintegrações. Mas é preciso que você entenda que o fato de experimentar todas essas coisas boas no futuro depende em grande parte da sua disposição de abandonar o passado.

Você não pode colocar um ponto de interrogação onde Deus colocou um ponto final.

Você não pode colocar um ponto de interrogação onde Deus colocou um ponto final. Evite a tendência de ficar pensando o tempo todo no que você poderia ter feito, na faculdade que deveria ter freqüentado, na profissão que deveria ter seguido ou na pessoa com a qual você gostaria de ter se casado. Pare de viver em uma disposição de ânimo negativa, ruminando o que já está terminado. Concentre-se naquilo que *pode* mudar em vez de no que não pode. Fuja da mentalidade do "deveria ter, poderia ter, teria" e siga em frente. Não deixe que o remorso de ontem destrua as esperanças e os sonhos de amanhã.

Claro que todos podemos olhar para trás e ver coisas na nossa vida que gostaríamos de ter feito de outra maneira, mas a Bíblia diz: "Aproveitai ao máximo cada dia."[4] O dia de ontem já passou; o amanhã poderá nunca chegar. Você precisa viver para o dia de hoje. Comece exatamente onde está. Você não pode fazer nada com relação ao que passou, mas pode fazer muita coisa a respeito do que resta.

Você pode ter feito péssimas escolhas que lhe causaram muita dor de cabeça. Talvez sinta que estragou tudo, que a sua vida é um pandemônio, impossível de ser consertada. Pode achar que está excluído das coisas boas de Deus, convencido de que precisa se conformar com coisas de qualidade inferior pelo resto da vida por causa das decisões sofríveis que tomou. Mas, meu amigo, Deus deseja a sua reabilitação ainda mais do que você deseja! Se você se libertar do passado e começar a viver cada dia com fé e expectativa positiva, Deus restituirá tudo o que o inimigo lhe roubou.

Planos Alternativos

Sejamos francos; às vezes, devido a escolhas erradas, à desobediência ou ao pecado, deixamos escapar o "Plano A" de Deus. A boa notícia é que Deus tem um "Plano B", um "Plano C" e o que for preciso para chegarmos ao destino final que Ele escolheu para a nossa vida.

Pior ainda, talvez você não tenha sido a pessoa que fez as más escolhas, mas as decisões insensatas de outra pessoa o fizeram sentir uma tristeza e uma dor lancinantes. De qualquer modo, você precisa parar de ficar repisando o assunto. Deixe que o passado seja passado. Perdoe a pessoa que lhe causou o problema e recomece exatamente onde está hoje. Se você continuar a remoer os desapontamentos do passado, bloqueará as bênçãos de Deus na sua vida hoje. Simplesmente não vale a pena.

O profeta Samuel sofreu um desapontamento horrível no seu relacionamento com o primeiro rei de Israel, um homem chamado Saul. Quando rapaz, Saul era humilde e tímido. Mais tarde, sob orientação de Deus, Samuel o escolheu e o declarou rei de Israel. Samuel fez o melhor que podia para ajudar Saul a ser um rei que agradasse a Deus.

Lamentavelmente, Saul recusou-se a viver em obediência a Deus e Ele acabou rejeitando-o como rei. Imagine como Samuel deve ter se sentido. Talvez você tenha investido muito tempo, dinheiro, esforço, emoção e energia em um relacionamento; e fez o que pôde para que desse certo. Mas por alguma razão as coisas degringolaram, e agora você tem a sensação de que foi roubado.

É assim que Samuel deve ter se sentido. Arrasado. Devastado. Desapontado. Mas enquanto Samuel cuidava do seu coração machucado, Deus lhe fez uma importante pergunta: "Samuel, quanto tempo vais te lamentar por causa de Saul?" Deus está fazendo hoje uma pergunta semelhante: "Quando tempo você vai se lamentar por causa desse relacionamento fracassado? Quanto tempo vai chorar seus sonhos despedaçados?" Esse é o problema com o excesso de lamentação. Quando nos concentramos nos nossos desapontamentos, impedimos Deus de trazer novas bênçãos para a nossa vida.

Deus prosseguiu e disse a Samuel: "Enche o chifre de azeite e põe-te a caminho. Vou mandar-te à casa de Jessé, pois escolhi um dos filhos dele para ser o novo rei."[5] Em outras palavras, Deus disse: "Samuel, se você parar de se lamentar e seguir em frente, vou mostrar-lhe um recomeço bem melhor."

Lembre-se de que Deus sempre tem outro plano. De fato, Saul foi a primeira escolha de Deus, mas quando Saul se recusou a obedecer, Deus não disse: "Bem, Samuel, sinto muito. Saul foi um fracasso e agora está tudo arruinado." Não, Deus sempre pode propor outro plano. Se você parar de sentir pena de si mesmo e fizer o que a Bíblia diz, o seu futuro pode ser extremamente brilhante.

Repare no que Deus mandou Samuel fazer: *Enche o chifre de azeite*. Assuma uma nova atitude. Ponha um sorriso no rosto. Volte a sentir-se animado e ponha-se a caminho.

Samuel poderia ter dito: "Deus, não posso fazer isso. Estou arrasado demais. Dei muito de mim para esse relacionamento e agora ele acabou, foi desperdiçado."

Mas, se Samuel não tivesse confiado em Deus naquele momento, poderia ter deixado escapar o Rei Davi, um dos maiores reis da Bíblia. Analogamente, se nos entregarmos às decepções, corremos o risco de deixar escapar as coisas novas que Deus quer fazer na nossa vida. É chegada a hora de nos levantarmos e nos pormos a caminho. Deus tem outro plano para você. E ele é melhor do que você pode imaginar!

Lisa, minha irmã, e Kevin, o marido dela, tentaram durante três anos ter um bebê, mas Lisa não conseguia engravidar. Ela e Kevin desejavam ardentemente um filho, de modo que Lisa tentou os mais diversos tipos de tratamentos médicos, porém sem resultado. Finalmente o médico disse: "Lisa, vamos tentar mais uma cirurgia. Esperemos que desta vez você consiga ficar grávida." Ela se submeteu a essa nova operação, e ela e Kevin tentaram mais ou menos durante um ano, mas mesmo assim minha irmã não conseguiu engravidar.

No final desse processo, Lisa estava exausta, emocional e fisicamente esgotada. Procurou o médico uma vez mais para verificar se havia qualquer possibilidade de ficar grávida, mas o médico não lhe ofereceu nenhuma esperança. "Lisa, odeio lhe informar isso", disse ele, "mas fizemos tudo que era possível fazer. Você não vai poder ter filhos."

Lisa ficou arrasada. Ela pensou: *Deus, gastamos todo esse tempo e nos esforçamos tanto. Tentamos arduamente. Rezamos e acreditamos. Gastamos muito dinheiro. Deus, que desperdício. Parece muito injusto.*

Às vezes não entendemos por que certas coisas não dão certo. Não sou capaz de dizer por que uma pessoa fica curada e outra não, quando ambas estão rezando, acreditando e tendo fé. Mas precisamos chegar ao ponto em que confiamos em Deus, mesmo quando não O compreendemos. Existem coisas que não devemos nem mesmo tentar entender; devemos deixá-las de lado e seguir em frente. Deus está no controle. A Bíblia diz o seguinte: "Os expedientes de Deus são melhores e mais elevados do que os nossos."[6] Deus sabe o que está fazendo. Sabe o que é melhor para nós. E Ele sempre tem outro plano. Se você parar de remoer suas decepções, Deus lhe mostrará qual é o plano.

Foi exatamente o que Kevin e Lisa fizeram. Finalmente chegaram ao ponto em que disseram: "Deus, estamos colocando o assunto totalmente em Suas mãos. Fizemos tudo que sabemos fazer. De fato, estamos desapontados, mas não vamos ficar presos no passado. Vamos levar a nossa vida adiante, sabendo que o Senhor está no comando. O Senhor é um Deus bom e tem boas coisas reservadas para nós."

Alguns meses depois, receberam um telefonema de uma querida amiga nossa, Nancy Alcorn. Ela é fundadora e presidente dos Mercy Ministries of America, um ministério que cuida de mulheres jovens que estão em risco, inclusive aquelas que lidam com a gravidez pré-marital. Quando uma mulher jovem dá à luz um bebê e deseja entregar a criança para adoção, os Mercy Ministries ajudam a colocar a criança com um casal cristão amoroso.[7]

"Lisa, nem mesmo sei por que estou lhe telefonando", disse Nancy. "Em geral não faço isso, mas temos uma adolescente que está para dar à luz duas gêmeas, e nos ocorreu que você e Kevin talvez quisessem adotá-las. No entanto, pode não dar certo. Sei que você e Kevin possuem todas as outras qualificações, mas uma das exigências da mãe biológica é que os bebês sejam entregues a um casal que tenha uma história de gêmeos na família."

Nancy não sabia que Kevin, o marido de Lisa, tem uma irmã gêmea e que sempre tinha sonhado poder criar gêmeos. Deus atendeu a prece específica de uma jovem que estava entregando os bebês para adoção, ao mesmo tempo que realizava um sonho de Kevin e Lisa! Alguns meses depois, Lisa e Kevin puderam adotar, na hora do parto, duas lindas meninas. Deus tinha outro plano!

Mas se Lisa não tivesse se mostrado disposta a desistir do seu plano pessoal, se ela não tivesse se mostrado disposta a superar suas decepções, não creio que o novo plano de Deus tivesse se apresentado para ela e Kevin.

Talvez você tenha investido muito tempo, esforço e recursos no seu plano. Você rezou e acreditou nele. Talvez tenha gasto muito dinheiro. Mas agora consegue ver claramente que a porta está se fechando e fica desapontado.

Você diz: "Deus, como posso deixar isso para lá? Vai ser um enorme desperdício. Eu me dediquei tanto e tudo que consigo ver é o fracasso."

É exatamente nesse ponto que você precisa ousar confiar em Deus, sabendo que Ele tem outro plano, um plano melhor. Ele quer fazer uma coisa nova na sua vida. E você precisa se livrar das velhas para estar pronto e capaz de receber o novo plano que Deus tem para você. Deus fará mais do que pode pedir ou imaginar.

Recentemente, Kevin e Lisa adotaram outro bebê, um menino. Lisa brincou: "Vejam só! Deus me deu três lindos filhos e não precisei ficar grávida um único mês!"

Todos deparamos com circunstâncias que podem nos fazer ficar negativos, amargos ou desapontados com nós mesmos ou com Deus. Mas adoro o que o apóstolo Paulo disse: "Esquecendo o que fica para trás e lançando-me em perseguição ao que está à frente, corro em direção à meta."[8] Em outras palavras, Paulo estava dizendo: "Não vou remoer as decepções de ontem ou os fracassos do passado. Não vou pensar a respeito do que eu poderia ou deveria ter feito. Estou deixando tudo isso para trás e estou olhando em frente, para as coisas boas que Deus tem reservadas para mim." Esse é o tipo de atitude que também devemos assumir.

Todas as manhãs quando se levantar, recuse-se a ruminar o que fez de errado na véspera. Recuse-se a remoer as decepções de ontem. Levante-se todos os dias sabendo que Deus é amoroso e capaz de perdoar, e que Ele tem coisas magníficas reservadas para você.

Paulo disse: "Lanço-me em perseguição ao que está à frente e corro em direção à meta." Essas palavras implicam um poderoso esforço. Nem sempre é fácil superar alguns dos obstáculos do caminho, como desilusões e desapontamentos. É preciso uma vontade forte. Às vezes, pode requerer coragem; às vezes apenas a fé em Deus e a pura determinação o levarão até o fim. Mas você pode dizer: "Recuso-me a ficar preso no passado. Não vou deixar o passado destruir meu futuro. Estou indo em frente. Estou forçando o meu avanço, sabendo que Deus possui coisas magníficas armazenadas para mim."

Quando cometer erros, coisa que todos fazemos, seja humilde e receba o perdão e a compaixão de Deus. Esteja disposto a se perdoar. Não viva no arrependimento, porque isso só fará interferir na sua fé. Esta deve ser sempre uma realidade no tempo presente e não uma memória distante. Deus fará uma reviravolta nesses desapontamentos. Ele tomará suas cicatrizes e as transformará em estrelas para Sua glória.

QUINTA PARTE

ENCONTRE FORÇAS NA ADVERSIDADE

CAPÍTULO 21

LEVANTE-SE INTERIORMENTE

Muitas pessoas desistem com excessiva facilidade quando as coisas não saem como elas querem ou quando enfrentam algum tipo de adversidade. Em vez de perseverar, ficam em estado de choque, e em pouco tempo estão prostradas e desanimadas. Isso é compreensível. Especialmente quando lutamos com um problema ou uma fraqueza por um longo tempo, não é raro chegarmos a uma situação de aquiescência. Nós simplesmente a aceitamos e dizemos: "Bem, sempre tive essa doença; acho que nunca vou ficar bom." "Há anos meu casamento é árido e monótono; por que devo esperar que alguma coisa mude agora?" "Já fui preterido um número excessivo de vezes na minha empresa; acho que não posso subir mais."

Mas se você quiser viver da melhor maneira possível agora, precisa ser mais determinado. O quinto passo em direção a viver o seu pleno potencial é encontrar forças na adversidade. Nossa atitude deve ser a seguinte: *Eu posso ter sido derrubado algumas vezes na vida, mas não vou ficar no chão; estou determinado a viver vitorioso. Estou determinado a ter um bom casamento. Estou determinado a resolver esses problemas.*

Todos enfrentamos desafios na vida. Todos temos coisas que são contrárias a nós. Podemos ser derrubados exteriormente, mas o segredo de uma vida vitoriosa é aprender a se levantar interiormente.

Ouvi uma história a respeito de um menino que estava na igreja com a mãe, mas ele tinha tanta energia que não conseguia ficar sentado. Na verdade, toda hora ele subia no banco. A sua mãe lhe dizia:

— Sente-se, meu filho.

Ele se sentava por alguns segundos e depois ficava de novo em pé no banco.

Ela delicadamente voltava a repreendê-lo:

— Filho, eu disse para você se sentar!

Isto aconteceu várias vezes e, então, o menino ficou em pé e simplesmente recusou-se a se sentar. A mãe colocou a mão na cabeça do filho e o obrigou a se sentar. O menino ficou sentado sorrindo. Finalmente, olhou para a mãe e disse:

— Mamãe, eu posso estar sentado do lado de fora, mas do lado de dentro estou em pé!

Às vezes é isso que temos de fazer na vida. As nossas circunstâncias podem nos obrigar a nos sentarmos durante algum tempo, mas não devemos ficar sentados. Mesmo quando estivermos externamente sentados, devemos nos ver interiormente em pé!

Mesmo quando estivermos externamente sentados, devemos nos ver interiormente em pé!

Você pode ter recebido um laudo desagradável do médico. Talvez tenha perdido o maior cliente no trabalho. Talvez tenha acabado de descobrir que o seu filho se meteu em confusão. Você pode estar enfrentando algum outro revés grave e está se sentindo como se sua vida tivesse desmoronado, derrubando-o e empurrando-o para baixo.

Mas a boa notícia é que você não precisa ficar embaixo. Mesmo que não possa se erguer externamente, levante-se interiormente! Em outras palavras, você deve ter a atitude e a mentalidade de um vencedor. Permaneça em uma atitude de fé. Não se permita escorregar em um modo de pensar negativo, queixando-se ou culpando Deus. Assuma uma expressão determinada e diga: "Deus, posso não entender o que está acontecendo, mas sei que o Senhor ainda está no comando. E disse que todas as coisas trabalhariam juntas em prol do meu bem. Disse que pegaria esse mal, o inverteria e o usaria a meu favor. Assim sendo, Pai, eu Lhe agradeço porque sei que vai me fazer vencer essa dificuldade!" Não importa o que possa estar enfrentando na vida, se você souber como se levantar interiormente, as adversidades não poderão mantê-lo no chão.

Permaneça Inabalável

A Escritura diz o seguinte: "Depois de fazer tudo que sabeis fazer, permanecei inabaláveis."[1] Você talvez esteja hoje em uma situação em que fez o melhor que podia. Você rezou. Acreditou. Colocou firmemente a fé na verdade da Palavra de Deus. Mas nada parece estar acontecendo. Você agora está tentado a dizer: "De que adianta? As coisas nunca irão mudar."

Não desista! Permaneça inabalável. Continue a rezar; continue a acreditar; continue a esperar com fé. "Não se desfaça da sua confiança", uma das traduções da Bíblia diz, "pois o dia do pagamento está chegando."[2] Eu gosto disso! *O dia do pagamento está chegando!* Meu amigo, Deus o recompensará se você continuar de pé interiormente. Você pode estar no hospital ou deitado imóvel em casa. Mas mesmo que não possa se levantar fisicamente, nada pode impedi-lo de se erguer interiormente. A doença pode tê-lo derrubado fisicamente, mas você não precisa estar prostrado espiritual ou emocionalmente. Pode continuar a se levantar no coração, na mente e na vontade.

Talvez você trabalhe com pessoas que estão sempre rebaixando-o, maltratando-o, tentando fazer com que você se sinta mal em relação a si mesmo. Deixe que esse lixo entre por um ouvido e saia pelo outro. Elas podem tentar derrubá-lo exteriormente, mas não podem abatê-lo interiormente. Não permita que essas pessoas roubem sua alegria. Não deixe que esse problema ou adversidade faça com que fique desanimado ou deprimido. Permaneça inabalável interiormente.

Conversei outro dia com um homem que havia recentemente perdido o emprego. Ele tinha um bom salário e uma posição de prestígio, mas de repente foi demitido. Logo que me contou o que tinha acontecido, tive certeza de que ele ia ficar perturbado e confuso. Mas eu estava enganado. Quando veio me ver, demonstrou estar felicíssimo. Ele me disse com um enorme sorriso no rosto: "Joel, acabo de perder o emprego, mas mal consigo esperar para ver o que Deus tem reservado para mim a seguir!"

Ele fora derrubado por circunstâncias fora do controle, mas permanecia inabalável por dentro. Ele tinha a mentalidade de um vencedor. A sua atitude era: *Essa coisa não vai me derrotar. Essa coisa não vai roubar a minha alegria. Sei que sou o vencedor e não a vítima. Sei que quando uma porta se fecha, Deus abre outra maior e melhor.*

A sua atitude deve ser semelhante. Você pode dizer: "Mesmo que o inimigo me acerte com o seu melhor tiro, nunca será bom o suficiente. Ele pode me derrubar, mas não é capaz de me neutralizar. Quando tudo estiver terminado, quando a fumaça desaparecer e a poeira se assentar, ainda permanecerei inabalável." A Bíblia diz que nenhum homem pode roubar nossa alegria. Isso quer dizer que ninguém pode obrigá-lo a viver com uma atitude negativa. Nenhuma circunstância ou adversidade pode forçá-lo a viver no desespero. Eleanor Roosevelt, esposa do presidente Franklin D. Roosevelt que estava preso a uma cadeira de rodas, dizia o seguinte: "Ninguém pode fazê-lo se sentir inferior sem o seu consentimento."

Independentemente do que você possa estar passando ou de quão difícil a situação possa parecer, você pode permanecer inabalável por dentro. Vai precisar ser corajoso; definitivamente vai ter de ser determinado, mas vai conseguir se essa for a sua decisão. Você terá de agir motivado pela vontade e não apenas pelas emoções.

Antes de se tornar rei de Israel, Davi e os seus homens saíram para patrulhar, seguindo a orientação de Deus. No entanto, enquanto estavam fora, alguns bandidos atacaram a cidade. Os saqueadores incendiaram todas as casas, roubaram todas as suas posses e seqüestraram as mulheres e crianças. Quando Davi e os seus homens voltaram para casa, ficaram arrasados. Choraram até não poder mais. No entanto, enquanto Davi estava sentado entre as ruínas, observando a fumaça e as cinzas invadirem o ar, tomou uma decisão que mudaria seu destino. Ele foi derrubado externamente, mas decidiu que ia permanecer de pé interiormente. E esse espírito de vitória começou a crescer dentro dele. Em vez de ficar sentado lamentando o que perdera, a Bíblia diz que Davi "encontrou coragem e força no Senhor seu Deus".[3] Em outras palavras, ele se ergueu internamente. E disse aos seus homens: "Vesti novamente a armadura. Vamos atacar o inimigo." E foi exatamente o que fizeram. À medida que Davi e os seus homens perseveravam, Deus os ajudou de um modo sobrenatural a recuperar tudo que tinha sido levado. Mas eu não acredito que nada disso teria acontecido se Davi não tivesse se levantado primeiro interiormente.

Você talvez esteja sentado esperando que Deus modifique suas circunstâncias. *Depois* você vai ser feliz, *depois* vai assumir uma boa atitude, *depois* vai louvar a Deus. Mas Deus está esperando que você se levante interiormente. Quando fizer a sua parte, Ele começará a mudar as coisas e atuar na sua vida de um modo sobrenatural.

Você está passando por um período sombrio? Talvez alguém o tenha enganado, se aproveitado de você ou o maltratado, e agora você está tentado a ficar sentado lamentando o que perdeu, pensando em como tudo foi injusto e que a sua vida nunca mais será a mesma. Você precisa mudar de atitude. Tem de se levantar interiormente. Desenvolva a mentalidade de vencedor e observe o que Deus fará.

O Novo Testamento fala de Paulo e Silas, dois dos primeiros missionários do cristianismo. Certo dia, estavam pregando sobre Deus e tentando ajudar as pessoas. No entanto, alguns líderes religiosos não aprovavam o que Paulo e Silas estavam fazendo, de modo que procuraram as autoridades locais e falsamente acusaram Paulo e Silas de serem desordeiros. As autoridades ordenaram que fossem presos, espancados e jogados na prisão.

Paulo e Silas ficaram resmungando e se queixando? Começaram a culpar Deus? Não, no meio daquela adversidade, a Bíblia diz que eles estavam "entoando hinos de louvor a Deus".[4] Em outras palavras, permaneciam inabaláveis por dentro. Quando você louva a Deus e permanece em uma atitude de fé no meio da adversidade, o poder milagroso de Deus se manifestará. A Bíblia registra que, à meia-noite, enquanto eles entoavam louvores a Deus, teve lugar um grande terremoto. As portas da prisão se abriram e as correntes se soltaram de Paulo e Silas.[5]

Meu amigo, as suas circunstâncias também estão sujeitas a uma mudança repentina, especialmente quando você começa a se levantar interiormente. Quando enfrentar a adversidade, não se comporte como um bebê chorão. Não fique se queixando. Não mergulhe na autocomiseração. Em vez disso, assuma a atitude de um vencedor.

Você pode estar cansado e fatigado, exausto, e pronto para entregar os pontos. Pode estar dizendo: "Nunca vou conseguir me livrar desse vício. Já o tenho há muito tempo. Nem mesmo saberia funcionar sem ele." Ou: "A minha renda é tão baixa e as minhas dívidas tão altas; não vejo como essa situação financeira poderá melhorar." Ou ainda: "Há anos venho rezando, mas tenho a impressão de que os meus filhos não querem servir a Deus." "Já cheguei ao limite do que posso suportar."

Não se permita agitar a bandeira branca da rendição. Você precisa abandonar essa mentalidade de derrota e começar a pensar e acreditar de uma maneira positiva. A sua atitude deve ser: *Vou sair dessa! Posso já estar doente há muito tempo, mas sei que essa doença não veio para ficar. Ela veio para passar. Posso ter lutado com esse vício durante anos, mas sei que o dia da minha libertação está chegando. Os meus filhos talvez não estejam se comportando adequadamente, mas eu e a minha casa serviremos ao senhor.*

Com a ajuda de Deus, você pode se erguer interiormente. Você precisa mostrar ao inimigo que é mais determinado do que ele. Grite se precisar: "Vou me erguer na fé mesmo que eu tenha de me erguer a vida inteira! Não vou desistir e me conformar com a mediocridade. Vou continuar a acreditar que o melhor vai acontecer. Vou continuar a permanecer inabalável por dentro pelo tempo que for necessário."

Deus quer que você seja um vencedor e não um resmungão.

Deus quer que você seja um vencedor e não um resmungão. Não existe motivo para se viver eternamente "ao sabor das circunstâncias", sempre prostrado e desanimado. Independentemente do número de vezes que você for derrubado, continue a se levantar. Deus vê a sua resolução. Ele enxerga a sua determinação. E depois que fizer tudo que é capaz de fazer, Deus intervirá e fará o que você não pode fazer.

Aprenda a Ser Feliz

Davi, um dos heróis do Antigo Testamento, é um dos meus personagens favoritos da Bíblia, mas ele não era perfeito. Cometeu erros, ficou desanimado, mas rezava: "Renova em mim, ó Deus, um espírito correto, persistente e firme."[6] Você pode precisar rezar pedindo algo semelhante. "Ó Deus, por favor ajude-me a me livrar dessa atitude negativa. Ajude-me a me libertar dessa autocomiseração. Ajude-me a não desistir. Deus, renove em mim um espírito correto."

Meu amigo, a vida é curta demais para caminharmos pesadamente por ela deprimidos e derrotados. Apesar do que possa ter vindo contra você ou do que possa estar fazendo-o escorregar e cair, independentemente de quem ou do que esteja tentando derrubá-lo, você precisa continuar inabalável por dentro. Se quiser fazer com que o inimigo tenha um esgotamento nervoso, aprenda a manter uma boa atitude mesmo quando chegar ao fundo do poço! Aprenda a ser feliz mesmo quando as coisas não saem do jeito que você quer.

Muitas pessoas, quando enfrentam a adversidade, permitem que as dúvidas toldem a sua determinação, desse modo enfraquecendo sua fé. Elas não perseveram; não mantêm uma boa atitude. Ironicamente, como o espírito delas não é correto, permanecem em situações difíceis por um tempo maior do que o necessário. A ciência médica nos diz que as pessoas com um espírito agressivo e determinado em geral recuperam a saúde mais rápido do que aquelas que têm a tendência de ser negativas e desanimadas. Isso acontece porque Deus nos criou para sermos determinados. Não fomos criados para viver na depressão e na derrota. Um espírito negativo seca sua energia e enfraquece seu sistema imunológico. Muitas pessoas estão vivendo com problemas físicos ou sujeição emocional porque não estão se levantando interiormente.

A Bíblia nos diz que muitos dos santos de outrora morriam com fé. Mas só podemos morrer com fé se vivermos uma vida repleta de fé. Quando chegar a minha hora de partir, quero passar o último dia neste planeta cheio de alegria, repleto de fé e de vitória. Decidi que vou viver a minha melhor vida agora e quando chegar a minha hora, vou morrer inabalável por dentro.

Você precisa tomar a decisão de fazer a mesma coisa. Livre-se da atitude que está dizendo que você não vai conseguir; que não pode ser feliz; que tem coisas demais para superar. Essas são as mentiras do inimigo. Você pode ser feliz se quiser. Pode permanecer firme se tiver um espírito determinado. Pode fazer qualquer coisa que precise. Quando enfrentar a adversidade, lembre a si mesmo: "Estou repleto do poder de Deus que me torna capaz de fazer as coisas. Sou capaz de superar. Sou capaz de viver vitorioso. Sou capaz de me levantar interiormente." Aprenda a entrar em contato com o poder que Deus colocou dentro de você, em vez de se virar para o outro lado diante da adversidade.

Não Recue

Quando eu era criança, a minha família tinha um cachorro chamado Scooter. Ele era um pastor alemão grande e era o rei do bairro. Scooter era forte e rápido, estava sempre perseguindo esquilos e em constante atividade. Todo mundo sabia que não devia se meter com Scooter.

Certo dia, meu pai estava andando de bicicleta e Scooter seguia saltando ao lado dele. Papai olhou para Scooter e sorriu. Ele tinha muito orgulho daquele cachorro. Ele podia ver os músculos de Scooter ondulando enquanto corria; ele dava a impressão de poder lutar contra um tigre. Mais ou menos naquele momento, um minúsculo chihuahua saiu latindo de uma das casas, a cerca de 30 ou 40 metros à frente deles. O corajoso chihuahua avançou na direção de Scooter, latindo sem parar.

Papai pensou na ocasião: *Pobre cachorrinho. Você está se metendo com o cão errado. Scooter poderia dar-lhe uma patada e você seria um cachorro morto!* Mas o cãozinho continuou a avançar a todo o vapor, latindo a não poder mais. O meu pai estava preocupado, achando que Scooter ia dilacerar o animalzinho.

Mas para grande surpresa do meu pai, quanto mais o cachorrinho se aproximava de Scooter, mais este começava a abaixar a cabeça como um covarde. Quando o cãozinho finalmente ficou frente a frente com Scooter, este apenas se deitou no chão, rolou de costas e botou as quatro patas para cima! Aparentemente, Scooter não era nem de longe tão grande por dentro quanto era por fora.

Você já fez algo semelhante? Apesar de sabermos que temos todos os recursos de Deus à nossa disposição, quando a adversidade late na nossa direção, com excessiva freqüência apenas nos deitamos, rolamos de costas e deixamos que a pessoa que tem a voz mais forte e a personalidade mais irritante assuma o controle da situação. Temos dentro de nós a força mais poderosa do universo. Estamos repletos do poder de Deus que nos torna capazes de fazer as coisas. Fomos feitos para ser mais do que conquistadores. Mas com muita freqüência, exatamente como Scooter, quando os problemas se aproximam recuamos e não usamos os dons que Deus nos deu. Simplesmente desistimos e dizemos: "Não posso fazer isso. É muito difícil para mim."

É chegada a hora de nos levantarmos interiormente, de recorrermos ao poder de Deus. Permaneça inabalável e trave a boa luta da fé. Lembre-se: se for derrubado, não fique embaixo. Levante-se. Não seja como Scooter e não se deite de costas diante da adversidade; aprenda a fazer o que Davi fez e incentive a si mesmo no Senhor seu Deus.

Deus o destinou a viver vitorioso, mas você precisa fazer a sua parte. Tome a firme decisão de permanecer inabalável por dentro, independentemente do que o atacar na sua vida.

CAPÍTULO 22

DEUS SABE ESCOLHER O MOMENTO CERTO

A natureza humana tem a tendência de querer tudo no momento imediato. Estamos sempre com pressa. Quase todos nós ficamos impacientes quando perdemos uma volta em uma porta giratória! Quando rezamos para que nossos sonhos se realizem, queremos que aconteça imediatamente. No entanto, temos de entender que Deus tem um tempo especificado para atender nossas preces e tornar nossos sonhos realidade. E a verdade é que por mais que desejemos que as coisas aconteçam antes, por mais que rezemos e imploremos a Deus que nos escute, Ele não vai mudar o tempo que Ele determinou. Tudo vai acontecer de acordo com o Seu cronograma.

Como às vezes não entendemos a escolha do momento de Deus, vivemos perturbados e frustrados, querendo saber quando Ele irá fazer alguma coisa. "Deus, quando vai fazer meu marido ficar diferente? Quando vai me arranjar um parceiro? Deus, quando o meu negócio vai decolar? Quando os meus sonhos vão se tornar realidade?"

No entanto, quando você compreender que Deus sabe escolher o momento certo, não viverá estressado. Você poderá relaxar sabendo que Deus está no comando e que no momento certo Ele vai fazer as coisas acontecerem. A Escritura diz: "A visão é para um tempo determinado. Embora demore, espera ardentemente por ela, porque certamente virá."[1] Repare que o texto se refere a um "tempo determinado". Pode ser na semana que vem, no ano que vem, ou daqui a dez anos. Mas, seja quando for, esteja certo de que assim que acontecer, o fará de acordo com a perfeita escolha do momento de Deus.

Eu adoraria lhe dizer que, se você rezasse muito, se tivesse muita fé, suas preces seriam sempre atendidas em 24 horas. Mas isso simplesmente não é verdade. Deus não é como um caixa eletrônico, no qual você aperta a senha certa e recebe o que solicitou (partindo do princípio que você tenha feito antes um depósito!). De modo algum. Temos de esperar com paciência. Isso faz parte de como aprender a confiar em Deus. O segredo é: *como* vamos esperar? Como será nossa conduta física, emocional e espiritual? Vamos esperar com uma boa atitude e expectativa positiva, sabendo que Deus tem coisas magníficas reservadas para nós? Ou vamos ficar perturbados e frustrados, resmungando reclamações? "Deus, o Senhor nunca atende as minhas preces. Quando a minha situação vai mudar?"

Pense no seguinte: se você sabe que de qualquer maneira terá de esperar, por que não tomar a decisão de aproveitar a vida enquanto espera? Por que não ser feliz enquanto Deus está providenciando a mudança das coisas? Afinal de contas, não há nada que realmente possamos fazer para acelerar os acontecimentos. O melhor que temos a fazer então é relaxar e desfrutar a vida, certos de que no momento especificado Deus tornará Seu plano realidade.

Entenda que você não precisa lutar. Não precisa andar por aí sempre se perguntando por que Deus está, ou não está, fazendo alguma coisa. Quando você confia em Deus, pode ficar tranqüilo por saber que, no momento certo, Ele cumprirá o que prometeu. Isso certamente vai acontecer, e a boa notícia é que não haverá nenhum atraso. Pense em como essa constatação pode tirar um peso de cima de você!

Se você é uma pessoa desimpedida e tem fé que Deus vai lhe trazer um parceiro, não precisa se preocupar. Você não tem de implorar o tempo todo. Não precisa rezar a cada 15 minutos para lembrar a Deus que deve lhe enviar um parceiro. Nada disso. Você pode relaxar, sabendo que exatamente no momento certo, Deus lhe trará a pessoa perfeita para a sua vida, e ela não chegará um único segundo atrasada.

Analogamente, se está rezando para que os membros de sua família desenvolvam um relacionamento com Deus, não precisa citar trechos da Escritura em cada atividade da família como se estivesse disparando uma metralhadora espiritual. Não precisa lhes impingir a Bíblia. Você não tem de ficar aborrecido porque eles não o acompanham à igreja tanto quanto você gostaria. Pode relaxar e viver a vida diante dos seus entes queridos, falando naturalmente a respeito do seu relacionamento com Deus e certo de que no momento especificado, Ele irá falar com os membros da sua família.

Talvez sua vida encerre áreas que precisam ser melhoradas, áreas na quais você precisa mudar, e você tem sido muito duro consigo mesmo porque não está crescendo tão rápido quanto gostaria. Relaxe e deixe que Deus o modifique no tempo que Ele escolher. Todos queremos mudar da noite para o dia, mas a Bíblia nos diz que Deus nos modifica pouco a pouco. Você pode parar de lutar, de se preocupar com o assunto, e simplesmente fazer o melhor possível para amar a Deus e viver para Ele, amar os outros e deixar que Deus o modifique da maneira Dele e na hora que Ele determinar.

Você percebe como pode ser libertador compreender o conceito da escolha do momento de Deus? Quando você realmente vive na fé, pode relaxar no que a Bíblia chama de "descanso" de Deus. É um lugar onde você não se preocupa, não luta, não tenta entender tudo, não fica se perguntando por que alguma coisa está ou não está acontecendo. O descanso de Deus é um lugar de total confiança. Quando você está no descanso de Deus, você sabe que, no momento perfeito, Ele vai executar tudo que prometeu; vai criar a realidade.

Você pode estar se perguntando: *Por que Deus não está atuando na minha vida? Tenho rezado, tido fé e esperado, mas parece que Deus não está fazendo nada com relação ao meu casamento. A situação difícil no trabalho continua a mesma. Nenhum dos meus sonhos está se tornando realidade.*

Entenda que Deus está atuando na sua vida quer você possa ver algo acontecendo externamente ou não. Na verdade, quase poderíamos afirmar que Deus freqüentemente trabalha mais quando menos vemos e percebemos o que Ele está fazendo. Você pode não notar nenhum progresso. A sua situação pode parecer a mesma de três meses ou três anos atrás, mas você precisa acreditar que bem no fundo da sua vida, Deus está em ação.

Deus freqüentemente trabalha mais quando menos vemos e percebemos o que Ele está fazendo.

Nos bastidores, Ele está juntando todas as peças. Está organizando tudo, e um dia, na hora determinada, você verá o clímax de tudo que Deus estava fazendo. De repente, a sua situação mudará para melhor.

Na Ocasião Oportuna

Davi tinha um grande sonho para a sua vida. Tinha o desejo de fazer algo importante, mas quando jovem passou muitos anos sendo um pastor e cuidando das ovelhas do pai. Estou certo de que Davi sentiu-se tentado, inúmeras vezes, a pensar que Deus o havia esquecido. Ele deve ter pensado: *Deus, o que estou fazendo aqui? Este lugar não tem futuro. Quero fazer algo importante para o Senhor. Quando vai mudar essa situação?* Mas Davi entendia a escolha do momento de Deus. Ele sabia que se mantivesse a fé na obscuridade, Deus o promoveria na hora adequada. Ele sabia que Deus tornaria os seus sonhos realidade na ocasião oportuna. Ele disse: "Deus, confio em Ti. O meu tempo está nas Tuas mãos."[2] Na verdade, ele estava dizendo o seguinte: "Deus, sei que está no controle. Embora eu não veja nada acontecendo, o Senhor está trabalhando nos bastidores, e no momento certo, vai mudar essa situação."

Todos conhecemos a história. Deus retirou Davi dos campos, ele derrotou Golias, e posteriormente tornou-se rei de Israel.

Talvez você tenha um grande sonho no coração — o sonho de ter um casamento melhor, o sonho de ter seu próprio negócio, de ajudar as pessoas que estão sofrendo —, mas como Davi não consegue enxergar nenhuma maneira humana pela qual esse sonho poderia se tornar realidade.

Tenho excelentes notícias para você! Deus não está limitado ao jeito natural e humano de fazer as coisas. Se confiar em Deus e continuar a manter uma boa atitude, permanecendo com fé onde você está, e não se apressando e tentando forçar as coisas a acontecerem, Ele o promoverá no momento certo, na ocasião oportuna. E tornará seus sonhos realidade.

Se não está vendo Deus atuar na sua vida neste momento, duas possibilidades precisam ser consideradas. Ou o que você está pedindo não é o que Deus considera o melhor e as coisas provavelmente não acontecerão do jeito que você gostaria, ou não é o momento certo. Se Deus atendesse a sua prece da maneira como você está esperando, poderia interferir com o plano ideal Dele para você.

Deus Enxerga a Realidade mais Ampla

Hoje, o nosso programa de televisão é transmitido em redes de comunicação nos Estados Unidos e em vários países do mundo. Esse foi para mim um sonho que se tornou realidade. Eu adorava transmitir o ministério do meu pai para o mundo. Mas perto do fim da vida, ele já não se interessava muito por isso. Preferia relaxar e servir à igreja.

Certa ocasião, eu conseguira que um grande número de estações de rádio transmitissem nosso programa semanal. Eu disse:

— Papai, se você for ao estúdio durante uma hora por semana, poderemos fazer todos esses programas de rádio.

Fiquei desalentado quando ele respondeu:

— Joel, eu não quero fazer isso. Estou com 75 anos e não estou procurando mais coisas para fazer.

Fiquei extremamente desapontado e pensei o seguinte: *Deus, sou jovem e tenho todos esses sonhos para tocar o mundo; tenho muita energia; não quero fazer menos. Quero fazer mais!*

Mas algo dentro de mim ficava repetindo: *Seja paciente. Não é a hora certa.*

Tomei a decisão de manter uma boa atitude e respeitar meu pai. Não me apressei. Não fiquei frustrado nem comecei a lutar e tentar fazer as coisas acontecerem pelo meu esforço ou de acordo com o meu cronograma. Simplesmente permaneci com fé e continuei a fazer as coisas da melhor maneira possível.

Na ocasião, não parecia que Deus estava fazendo alguma coisa para favorecer o sonho do meu pai ou o meu de transmitir mensagens de esperança pelo mundo inteiro. No entanto, alguns anos depois, quando papai foi ter com o Senhor, tudo ficou claro para mim. Eu jamais sonhara que um dia eu seria o pastor. Eu nunca sonhara que um dia seria o homem que estaria diante das câmeras. Mas hoje compreendo que Deus colocou aqueles sonhos no meu coração para a minha vida, para o meu ministério, e não apenas para o de papai. Se eu não tivesse sido paciente e aceitado a perfeita escolha do momento de Deus, não creio que estaria onde estou hoje.

Nem sempre entendemos os métodos de Deus. A maneira Dele nem sempre faz sentido para nós, mas temos de compreender que Deus enxerga a realidade mais ampla. Pense na seguinte possibilidade: você pode estar pronto para o que Deus tem para você, mas uma pessoa que também estará envolvida na situação ainda não está preparada. Deus precisa fazer um trabalho em outra pessoa ou situação antes que sua prece possa ser atendida, de acordo com a vontade Dele para a sua vida. Todas as pessoas precisam ser juntadas para que o momento perfeito de Deus tenha lugar.

Mas não tenha medo; Deus está organizando tudo na sua vida. Você talvez não o sinta; talvez não o veja. A situação pode parecer a mesma dos últimos dez anos, mas um dia, em uma fração de segundo, Deus reunirá tudo. Quando chega a hora determinada por Ele, todas as forças das trevas não podem impedi-Lo. Quando chega o momento especificado, nenhum homem pode impedir que as coisas aconteçam. No momento oportuno, Deus as tornará realidade.

De repente, as coisas mudarão. De repente, aquele negócio decolará. De repente, o seu marido desejará ter um relacionamento com Deus. De repente, o filho rebelde voltará para casa. De repente, Deus tornará seus sonhos realidade.

Shelby era uma mulher atraente de 30 e poucos anos que sinceramente desejava se casar. Ela rezara repetidamente, mas nunca tivera nem mesmo um relacionamento sério com um homem. Na verdade, ela me confessou que havia dois ou três anos que não tinha um encontro com um homem. Ela ficava tentada a perder o ânimo, pressupondo que nada estava acontecendo e que talvez fosse passar o resto da vida solteira.

Certo dia, porém, quando voltava para casa do trabalho, furou um pneu e ela teve de parar o carro no acostamento da auto-estrada. Alguns segundos depois, outro veículo parou atrás do dela e um rapaz bonito saltou do carro. Ele não apenas trocou o pneu para Shelby, como também a convidou para jantar. Cerca de um ano depois se casaram e hoje estão felizes e apaixonados.

Pense agora nas chances de uma ocorrência desse tipo. Certamente não se tratou de um acidente ou uma coincidência. Foi Deus em ação na vida de dois jovens adultos. Pense na sincronização envolvida no encontro dos dois. O pneu dela furou no momento exato. O tráfego dos veículos teve de ser exatamente como foi. Se tivesse havido carros demais, ele teria se atrasado; carros de menos, ele teria passado antes dela. O rapaz teve de pegar o elevador certo quando saiu do escritório. Teve de parar no número correto de sinais de trânsito. Toda a sincronização precisou ser perfeita até o nível de uma fração de segundo para que o carro dele estivesse pouco atrás do de Shelby quando ela furou o pneu.

Jamais pense que Deus não está atuando na sua vida. Ele está fazendo as coisas acontecerem mesmo quando você não o percebe. Permaneça em uma atitude de fé e aprenda a acreditar que Deus sabe escolher o momento certo.

Quando eu tinha 20 e poucos anos, tive uma experiência parecida com a de Shelby. Eu nunca saíra muito com garotas quando estava no ensino médio e na faculdade. Era louco por esporte e estava ocupado jogando beisebol quatro ou cinco noites por semana. Não tinha realmente tempo para uma vida social. No entanto, acabei me cansando de andar o tempo todo com aqueles caras feios e decidi que ia encontrar alguém de melhor aparência.

Rezei para Deus pedindo que ele me conduzisse à pessoa certa. Eu disse: "Pai, sei que já escolheu alguém para mim, de modo que acredito que vai nos reunir no momento certo."

Dois ou três anos se passaram e praticamente não aconteceu nada, mas não me apressei nem tentei forçar as coisas. Não fiquei aborrecido e perguntei: "Deus, por que não está fazendo nada?" Nada disso. Eu apenas fiz o melhor que pude para permanecer no descanso de Deus. Eu disse: "Pai, sei que está no controle e embora eu não esteja vendo nada acontecer, sei que está trabalhando nos bastidores em meu benefício."

Certo dia, notei que meu relógio tinha parado. Meu amigo Johnny e eu estávamos indo nos exercitar na academia, quando decidi parar no caminho em uma joalheria para trocar a bateria do relógio. Entrei na loja e encontrei a moça mais bonita que eu já vira! Pensei: *Deus, o Senhor acaba de atender minhas preces!*

Começamos a conversar e descobri que ela era uma moça cristã. Pensei: *Que ótimo, porque se você não fosse uma garota cristã, estaria prestes a se tornar uma!*

Ela não apenas me vendeu uma bateria de relógio; ela me vendeu um relógio novo! E desde então vem gastando o meu dinheiro.

Mas pense em todos os fatores que tiveram de se encaixar para que eu conhecesse Victoria. A bateria do meu relógio teve de parar. Tive de ter um motivo para ir a uma joalheria e não a um Wal-Mart ou a uma loja de conveniência. A seguir tive de parar na loja específica onde Victoria estava trabalhando. Lembre-se de que existem centenas de boas joalherias em Houston. Depois ela teve de estar trabalhando naquele turno particular. Ela poderia estar de folga naquele dia. Outra pessoa poderia ter me atendido. Mas todas as peças se encaixaram perfeitamente, porque Deus estava no comando.

Para viver da melhor maneira possível agora, você precisa aprender a confiar na escolha do momento de Deus. Você pode achar que Ele não está trabalhando, mas pode ter certeza de que neste exato momento, nos bastidores, Deus está tomando providências para que todas as peças se juntem a fim de realizar o plano Dele para a sua vida.

Você pode estar passando por tempos difíceis e, talvez, as circunstâncias pareçam estar estáticas e imóveis já há algum tempo. Talvez não consiga compreender como essa situação poderá um dia melhorar. Mas você precisa saber que Deus tem a resposta para a sua prece mesmo antes de você sentir necessidade. Deus vem organizando as coisas a seu favor muito antes de você ter deparado com o problema.

Um pastor de uma grande igreja americana, infelizmente, fez algumas coisas erradas e tomou algumas decisões muito insatisfatórias, o que resultou na sua resignação. A sua família desmoronou, e ele abandonou o ministério. Foi uma situação muito triste. Segundo todas as aparências externas, o seu futuro era sombrio. Vários anos se passaram e o pastor estava tentando recompor sua vida. Ele ainda tinha vontade de servir as pessoas, de modo que decidiu viajar para a América do Sul para ajudar alguns missionários. Quando estava no Brasil, visitou uma pequena igreja, e ao se encontrar com o pastor, algo muito estranho aconteceu. O pastor brasileiro pareceu abalado e a seguir começou a chorar. Ele segurou as mãos do americano e principiou a rezar em português.

Enquanto o pastor rezava, o americano sentiu-se envolvido por uma presença incomum, quase como se um brilho cálido o estivesse purificando da sua mágoa e da sua dor. Ele disse:

— Pela primeira vez em vários anos, senti que era capaz de me libertar do passado. Senti-me totalmente livre e reabilitado.

Quando a prece terminou, o americano perguntou ao intérprete:

— Quem é este homem? E por que ele rezou para mim dessa maneira?

Por meio do intérprete, o pastor brasileiro respondeu:

— Há 20 anos, eu estava rezando e, de repente, seu rosto surgiu na minha mente. Deus então me disse: "Um dia você vai ajudar a curar e a reabilitar este homem." Hoje é esse dia e você é aquele homem.

Eis o aspecto verdadeiramente impressionante dessa história: 20 anos antes do evento, o americano não era cristão e muito menos um pastor. Ele não estava servindo Deus. Mas Ele sabe o fim da história antes que a primeira palavra seja escrita. Vinte anos antes, Ele colocara uma visão no coração de um homem que envolvia outra pessoa, e depois, durante duas décadas, Deus concebeu eventos na vida de ambos destinados a reuni-los no púlpito daquela pequena igreja no Brasil, para que um dos homens pudesse ver a realização do seu sonho e outro pudesse ser tranqüilizado quanto ao amor e ao perdão de Deus.

Da mesma maneira, Deus já tem a resposta para as suas preces antes que você sinta a necessidade. Ele já está organizando as coisas a seu favor. E quem sabe, talvez há cinco ou dez anos, Deus tenha falado com alguém sobre a situação que você está atravessando agora, e tenha moldado os eventos para unir seus caminhos. Você não pode falsificar esse tipo de coisa. Seria tolo se tentasse manipular esses eventos. Deus está no controle. Você pode pensar que nada está acontecendo, mas lembre-se de que Deus freqüentemente trabalha mais quando menos vemos e percebemos o que Ele está fazendo. Aprenda a confiar na escolha do momento Dele. Não se apresse; não fique impaciente; não tente forçar portas a se abrirem. Não tente fazer as coisas acontecerem por meio do seu esforço. Deixe que Deus as faça do jeito Dele.

Deixe Deus fazer as coisas do jeito Dele.

Lembro-me de várias vezes em que meu pai tentou começar a construir um novo templo para a Lakewood Church. A congregação se tornara grande demais para as nossas instalações, de modo que várias vezes durante um período de cinco anos, papai pediu que alguns arquitetos criassem um projeto preliminar para um novo prédio. Mas sempre que estava prestes a iniciar os trabalhos, papai sentia que Deus estava lhe dizendo que tivesse cuidado. Ele não se sentia à vontade para continuar. Não tinha paz no coração a respeito do assunto, de modo que deixava o projeto em suspenso.

Naquela época, papai estava no início da casa do 60 anos, e vários pastores mais jovens em todo o país estavam construindo grandes templos. Papai estava se sentindo pressionado a construir o seu antes que fosse tarde demais. Ele se entusiasmava com o novo projeto. Duas ou três vezes, anunciou à congregação: "Neste outono, vamos começar a construção do nosso novo templo!"

O outono chegava e papai dizia à congregação: "Mudei de idéia. Não é o momento certo. Não me sinto tranqüilo com relação ao projeto." Observe que papai era inteligente o bastante para saber que precisava permanecer em perfeito sincronismo com Deus. E a congregação confiava nele o suficiente para pacientemente aceitar as suas convicções.

A triste verdade é que se você forçar bastante a barra, for teimoso e insistir em que as coisas sejam do seu jeito, Deus às vezes permite que você empreenda um projeto sem a Sua bênção ou na hora errada. O problema com essa situação, é claro, é que quando você começa algo com o seu próprio esforço e no momento que acha certo, vai ter de terminá-lo e mantê-lo com o seu próprio esforço. Quando você deixa Deus começar alguma coisa, Ele a terminará para você e providenciará tudo que você precisa.

Quando tentamos forçar as portas a se abrirem e fazer as coisas acontecerem por nosso próprio esforço, o resultado final produz uma constante tensão sobre nós e exaure nossos recursos. A vida se transforma em uma luta permanente. Quase toda a alegria, paz e vitória somem da nossa existência. Não é uma situação de contentamento e satisfação.

Se você está em uma posição como essa agora, precisa fazer todo o possível para sair dela. Não estou sugerindo que acabe com o seu casamento ou deixe de cumprir contratos comerciais. Isso apenas exacerbaria o problema, mas se está fazendo coisas que não estão dando frutos e que estão lhe dando uma constante dor de cabeça, existe uma boa chance de que Deus não tenha dado início a esse empreendimento ou relacionamento. Ou talvez as coisas façam parte do plano de Deus para a sua vida, mas você está fora da escolha do momento Dele, e está agindo segundo seu próprio esforço e de acordo com o seu cronograma.

Tome cuidado! Se Deus não se encontra no que você está fazendo, você precisa realizar uma mudança. Eis onde muitas pessoas perdem a graça de Deus: elas sabem que Deus falou com elas; Ele colocou um sonho no coração delas. Mas se põem em campo tentando realizar sozinhas o plano de Deus. Precisamos estar conscientes de que sair do cronograma de Deus é o mesmo que escapar da vontade de Deus. Precisamos ser pacientes e deixar que Ele articule Seu plano na hora determinada.

Não estou querendo dizer que devemos ficar sentados passivamente e esperar que Deus faça tudo. De jeito nenhum. Temos de perseguir agressivamente nossos sonhos. Mas se a porta não estiver se abrindo, não tente fazer as coisas acontecerem com o seu próprio esforço.

O meu pai era maduro o suficiente para se erguer diante da congregação e dizer: "Eu me enganei. Achei que esta era a ocasião em que deveríamos começar a construção, mas não é. Não é o momento certo."

Surpreendentemente, Deus por fim conduziu meu pai a iniciar a construção em uma época que pareceu a pior possível. Faltavam duas semanas para o Natal e papai acabara de sair do hospital onde se submetera a uma cirurgia cardiovascular. Além disso, a economia de Houston estava péssima. A cidade estava vivendo uma das suas piores recessões. Mais de 12 mil negócios tinham ido à falência no ano anterior. Segundo todos os padrões comerciais básicos, começar a construir um prédio, que seria pago com doações, dava a impressão de que seria um grande erro. Tanto os céticos quanto os amigos disseram ao meu pai: "É melhor não começar agora. Você nunca vai conseguir levantar o dinheiro. O prédio vai ficar inacabado."

Meu pai agradeceu a opinião de todos, mas quando chega a hora determinada por Deus, as circunstâncias existentes são irrelevantes. Não importa o que as pessoas estão dizendo. Se Deus diz que está na hora, Ele fará as coisas acontecerem.

Papai deu início ao programa de construção e, em menos de um ano, a congregação contribuiu com dinheiro suficiente para que o prédio fosse construído sem que dívidas fossem contraídas! Se ele tivesse tentado fazer isso com o esforço próprio, na hora que julgasse mais oportuna, mesmo que a economia estivesse extremamente próspera, a luta teria sido constante.

Entenda que quando você se afasta do cronograma de Deus, está se afastando da graça Dele. Quando se afasta da graça Dele, está operando sozinho no escuro. Não estou dizendo que quando fazemos alguma coisa por Deus ficamos livres da adversidade, mas travar a boa luta da fé fora do momento escolhido por Ele pode deixá-lo em uma luta permanente, sem que nada de favorável aconteça e sem nunca ter alegria. Por outro lado, quando você se encaixa no cronograma de Deus, pode estar no meio do maior desafio da sua vida e mesmo assim estará repleto de alegria. Deus lhe dará toda a graça de que você precisa. Se aprender a acreditar na escolha do momento de Deus, na Sua promessa de que, na hora certa, Ele tornará seus sonhos realidade e atenderá suas preces. A resposta virá e chegará bem na hora.

CAPÍTULO 23

O PROPÓSITO DAS PROVAÇÕES

Por mais bem-sucedidos que possamos ser, todos enfrentamos desafios, lutas e ocasiões em que as coisas não saem do jeito que queremos. Quando calamidades acontecem, algumas pessoas imediatamente acham que fizeram alguma coisa errada e que Deus seguramente deve estar castigando-as. Não entendem que Deus possui um propósito divino para cada desafio que enfrentamos na vida. Ele não envia os problemas, mas às vezes permite que passemos por eles.

Por que isso acontece? A Bíblia diz que as tentações, as provações e as dificuldades precisam ocorrer, porque para fortalecer os músculos espirituais e ficar mais fortes, precisamos ter adversidades para superar e ataques aos quais resistir. Além disso, é nos momentos difíceis da vida que descobrimos realmente qual é a nossa essência. A pressão expõe coisas com as quais precisamos lidar, coisas como atitudes erradas, motivos errados, áreas nas quais estamos fazendo concessões. Por mais estranho que possa parecer, as provações podem ser benéficas.

É nos momentos difíceis da vida que descobrimos realmente qual é a nossa essência.

A Escritura diz o seguinte: "Não estranheis a ardente provação que está tendo lugar para pôr à prova a vossa qualidade, como se algo estranho estivesse acontecendo."[1] Repare que a provação se destina a pôr à prova a sua qualidade, a pôr à prova o seu caráter, a pôr à prova a sua fé. Em outras palavras, "Não pense que atravessar esses tempos difíceis é algo muito importante." Ao longo da vida, você se verá diante de vários testes, e embora possa não apreciá-los, Deus os utilizará para aperfeiçoá-lo, para limpá-lo e purificá-lo. Ele está tentando moldá-lo e transformá-lo na pessoa que Ele quer que você seja. Se aprender a cooperar com Deus e procurar rapidamente modificar e corrigir as áreas que Ele trouxer à luz, então passará no teste e será promovido a um novo nível.

Testes de Fé

Descobri nos conflitos da vida que Deus está mais interessado em me mudar do que em modificar as circunstâncias. Não estou dizendo que Deus não mudará as circunstâncias. Ele certamente pode fazer isso e muitas vezes o faz. No entanto, na maior parte das vezes, sou posto à prova nas áreas em que sou mais fraco.

Você provavelmente já descobriu que algo semelhante é verdadeiro. Se você tem um problema com a inveja, parece que todo mundo que encontra tem bens materiais melhores do que os seus. Você nota que o seu melhor amigo está vestindo uma roupa novinha em folha sempre que o encontra. A pessoa que trabalha perto de você, cujo salário é a metade do seu, aparece dirigindo um carro novo. Aquele parente com quem você não fala há muito tempo telefona para dizer que acaba de ganhar na loteria!

Você vai passar no teste? Vai continuar a manter uma boa atitude e regozijar-se com os que estão exultantes e sentir-se sinceramente feliz por eles? Ou vai ficar negativo e amargo, e dizer: "Deus, eu trabalho mais do que eles. Nada de bom me acontece. Vou à igreja todos os domingos. Por que não posso ter um carro novo?"

A sua fé está sendo posta à prova. Deus está trazendo à tona impurezas do seu caráter. Está tentando purificá-lo. Se você aprender a trabalhar com Deus e se livrar da inveja, ficará impressionado com as bênçãos, a graça e o triunfo que entrarão na sua vida.

Sou uma pessoa muito concentrada e voltada para objetivos. Quando preciso fazer um projeto, gosto de meter mãos à obra imediatamente. Sempre fui assim. No ensino fundamental, quando a professora passava um dever de casa na segunda-feira para ser entregue na sexta, segunda-feira à noite eu o fazia inteiro! Não gostava de deixar nada para depois.

Quando vou a um restaurante, faço o pedido antes que possam me dar o cardápio. Estou tentando dizer de uma forma indireta que às vezes sou impaciente. Não gosto de esperar e não gosto de ser incomodado. No entanto, descobri que quanto mais impaciente eu sou, mais me vejo em situações nas quais tenho de esperar. Se estou com pressa para sair do supermercado, inevitavelmente entrarei na fila de uma funcionária nova no caixa que está atravessando penosamente o seu primeiro dia de trabalho, e a pessoa à minha frente terá 23 mercadorias que não estão com o preço marcado nelas!

Em casa, já percebi que quanto mais impaciente estou, mais tempo Victoria leva se vestindo para um evento. Ironicamente, quando não estou com pressa nem impaciente, Victoria se veste mais rápido do que eu. Quando fico pronto, ela já está no carro esperando com as crianças. Mas todas as vezes que fico impaciente, várias coisas acontecem para nos atrasar. A pequena Alexandra some com a maquiagem de Victoria. O ferro não funciona direito. A minha mulher não consegue encontrar os sapatos da nossa filha. Interessante, não é mesmo? Victoria não o percebe, mas Deus a está usando para me aperfeiçoar enquanto ela troca de roupa!

Deus deliberadamente se vale de situações como essas para que eu possa reconhecer o problema que tenho e aprenda a lidar com isso. Ele está fazendo com que eu me desenvolva para poder ascender a um novo nível e ser a pessoa que Ele realmente quer que eu seja.

De uma maneira semelhante, Deus usará pessoas na sua vida. O seu marido ou a sua mulher, os seus sogros ou os seus filhos podem ser espelhos involuntários que Deus utiliza para revelar áreas onde você precisa mudar.

"Joel, não suporto meu chefe. Ele me deixa profundamente irritado. Não sei por que preciso trabalhar com ele todos os dias. Quando Deus vai fazer com que esse homem se modifique?"

Você pensou na possibilidade de que Deus talvez esteja querendo mudar *você*? Deus pode ter tomado providências para que você ficasse perto dessa pessoa que tanto o irrita. Pode estar tentando ensiná-lo a amar seus inimigos. Ou então, pode estar tentando fortalecê-lo um pouco e ensiná-lo a resistir mais, a não fugir de tudo que é difícil, perturbador ou inconveniente.

Um marido se queixa: "Deus, por que me fez viver com essa mulher? Ela não consegue fazer nada direito. Nem mesmo sabe cozinhar, deixa a torrada queimar e não sabe fazer bolo de carne. Deus, quando vai modificá-la?"

Ela provavelmente vai continuar a cozinhar desse jeito até você aprender a superar essa dificuldade, ter uma atitude melhor e começar a reconhecer que ela pelo menos está tentando fazer alguma coisa por você. A sua refeição poderia ser uma quentinha!

Um pai ou uma mãe se queixa: "Deus, essas crianças estão me deixando maluco. Se puder fazer com que elas se comportem, vou ficar muito feliz."

Deus não vai mudar ninguém com quem você está lidando enquanto não mudá-lo primeiro.

Deus não vai mudar ninguém com quem você está lidando enquanto não mudá-lo primeiro. Mas se você parar de se queixar de todo mundo à sua volta e, em vez disso, começar a se examinar por dentro e trabalhar com Deus para modificar a si mesmo, Ele mudará as outras pessoas. Observe seu coração e veja se existem atitudes e motivos que você precisa modificar.

Certo dia eu estava indo de carro para a igreja e estava um pouco atrasado para uma importante reunião. Eu sabia que se conseguisse evitar engarrafamentos, chegaria bem na hora. Mas peguei todos os sinais vermelhos quando saí do bairro. Parei até mesmo em um sinal que eu nunca vira ficar vermelho em toda a minha vida!

Comecei a rezar enquanto dirigia, mas quanto mais rezava, mais tempo eu levava para atravessar os sinais. Finalmente consegui chegar à auto-estrada e parti em direção à igreja o mais rápido que pude, rezando o tempo todo para que Deus me concedesse o discernimento de saber atrás de qual monte os policiais estavam esperando. Eu tinha o tempo exato para chegar à reunião.

Mas à medida que avançava, para meu desespero, o trânsito começou a ficar cada vez mais lento. Pensei: *Oh, não! O que está acontecendo?* O trânsito acabou parando completamente. Pensei: *Deus, tenho de ir a essa reunião. O Senhor precisa me ajudar.* Alguns minutos depois, a pista do meu lado começou a andar. Tentei tudo que pude para entrar nela, mas era um daqueles dias. Ninguém queria me ceder a vez. Eu estava com o pisca-pisca ligado, sorria e acenava, agitei uma cédula, mandei beijos, fiz tudo que era possível, mas ninguém me deixava passar!

Finalmente, uma doce velhinha teve a bondade de me deixar entrar na pista na frente dela. Pensei: *Muito bem. Finalmente, posso continuar!* Mas assim que pisei no acelerador, o fluxo de tráfego naquela pista parou completamente e eu tive de pisar no freio. Nesse ínterim, a pista em que eu estava anteriormente começou a andar! Eu estava tão frustrado que não quis nem pensar em voltar para a pista anterior.

Não percebi que Deus estava me pondo à prova na área da minha paciência. Fiquei cozinhando no trânsito durante cerca de dez minutos e quando começou a andar lentamente, pude ver qual era o problema. Um carro tinha enguiçado e tinha sido arrastado para a direita por um reboque.

Quando me aproximei das luzes que piscavam, a compaixão por um motorista em dificuldades era a coisa mais distante da minha cabeça. Em vez disso, eu estava pensando: *Gostaria que você tirasse da estrada essa lata velha; está retendo todo mundo e fazendo com que eu perca a reunião!* A minha atitude foi terrivelmente desagradável. Nesse momento, meu coração ficou pesado. Olhei para o carro enguiçado e avistei o que parecia ser um adesivo da Lakewood Church. E eu estava certo. Quando passei pelo carro, reduzi a velocidade e olhei para ele, e vi um homem sorrindo e acenando para mim. Sorri de volta e acenei como se eu fosse seu melhor amigo. E pensei: *Se ele soubesse a verdade!*

Foi então que ficou claro para mim que talvez Deus estivesse tentando me ensinar alguma coisa. Talvez Ele estivesse usando o engarrafamento para trazer à tona impurezas do meu caráter. Estava me mostrando áreas nas quais eu precisava melhorar.

Deus freqüentemente permite que você passe por determinadas situações para retirar essas impurezas do seu caráter. Pode reclamar até não poder mais. Pode rezar, cantar e gritar, pode fazer o que quiser, mas nada disso vai lhe servir de nada! Deus está mais interessado em transformar você do que em modificar as circunstâncias. E quanto mais rápido aprender a cooperar com Deus, mais depressa você sairá dessa confusão. Quanto mais rápido aprender a lição, e começar a lidar com as atitudes desagradáveis e a governar suas emoções, mais rápido chegará ao nível seguinte da sua jornada espiritual. Precisamos reconhecer o propósito purificador das provações. Não podemos fugir de tudo que é difícil na nossa vida.

Talvez você esteja passando por uma provação e está fazendo o que eu fiz. Está pedindo a Deus que o livre de uma situação negativa. Essa é uma prece legítima, mas talvez você não esteja percebendo o sentido exato de por que Deus lhe permitiu passar por esse período difícil.

Reconheça que Deus quer fazer um trabalho em você. Ele o está moldando e purificando. Mas você está tão ocupado tentando se esquivar da dificuldade, que o trabalho não está sendo feito. Você está de tal maneira concentrado em todas as circunstâncias e em todas as pessoas à sua volta que não se deu ao trabalho de olhar profundamente dentro de si mesmo e lidar com as questões que Deus está trazendo à tona.

Talvez você fique preocupado e cheio de medo quando coisas importantes não saem como deseja. Você já pensou que Deus talvez esteja permitindo que esses eventos tenham lugar para ensiná-lo a confiar nele e ver se você permanece calmo e tranqüilo no meio da tempestade? Já pensou que Deus pode estar deixando que parte disso aconteça para ensiná-lo a governar as suas emoções? Ele pode estar tentando fortalecê-lo, ajudá-lo a desenvolver um pouco de determinação e estabilidade na vida.

Com freqüência rezamos assim: "Deus, se mudar as circunstâncias, eu mudarei." Não, a coisa funciona ao contrário. Temos de estar dispostos a modificar nossas atitudes e lidar com as questões que Deus traz à baila; Ele então mudará essas circunstâncias.

Deus o ama demais para permitir que você atravesse a vida na mediocridade. Ele muitas vezes permitirá que alguma pressão seja aplicada à sua vida, para pô-lo à prova, e somente quando passar nesses testes é que você progredirá. Ele colocará pessoas e circunstâncias no seu caminho que o deixarão extremamente irritado, mas as usará para suavizar suas arestas. Você pode nem sempre gostar do que acontece; pode querer fugir, até mesmo resistir, mas Deus vai ficar trazendo à baila a questão até você passar no teste.

Uma Obra em Andamento

Lembre-se de que a Bíblia diz: "Somos a obra [de Deus]."[2] Isso significa que somos uma obra em andamento e não um produto terminado. De uma maneira ou de outra, as coisas vão sair do jeito que Ele quer. Você pode aprender da maneira mais difícil, como eu fiz no trânsito, e dizer: "Tudo bem, Deus, vou fazer do Seu jeito. Eu compreendo. Serei calmo. Serei paciente." Ou então pode aprender do modo mais fácil: quando os conflitos vierem na sua direção, olhe profundamente dentro de si e procure mudar rápido. Esteja disposto a lidar com quaisquer questões que Deus traga à baila. Trabalhe junto com Deus no processo de purificação em vez de lutar contra Ele.

A Escritura diz que Deus é o oleiro e nós somos o barro.[3] A argila trabalha melhor quando é flexível, maleável e moldável. Mas se você é duro, áspero e obstinado, Deus terá de golpear muito esse barro velho e duro para retirar as irregularidades.

Certamente, nenhum de nós gosta de passar por conflitos, mas você precisa entender que a sua dificuldade pode ser uma oportunidade para o seu progresso. A coisa contra a qual está lutando de forma tão persistente pode ser o trampolim que o arremessa em direção a um novo nível de excelência. Os seus desafios podem se tornar seus maiores recursos.

Muitos anos atrás, pescar bacalhau na região nordeste tornara-se um negócio lucrativo. A indústria de pesca reconheceu que existia um grande mercado para o bacalhau nos Estados Unidos, mas havia um grande problema na distribuição. No início, eles simplesmente congelavam o peixe, como faziam com todos os outros produtos, e o enviavam para o país inteiro. No entanto, por algum motivo, depois que o bacalhau era congelado, perdia o sabor. Assim sendo, os proprietários decidiram enviar os peixes em grandes tanques cheios de água do mar. Acharam que essa medida sem dúvida resolveria o problema e manteria os peixes frescos. Mas para seu desespero, o procedimento só fez piorar as coisas. Como os peixes ficavam inativos no tanque, se tornavam moles e, uma vez mais, perdiam o sabor.

Certo dia, uma pessoa resolveu colocar alguns peixes-gatos no tanque com o bacalhau. O peixe-gato é um inimigo natural do bacalhau, de modo que enquanto o tanque viajava através do país, o bacalhau tinha de permanecer alerta e ativo por causa do peixe-gato. Surpreendentemente, quando o tanque chegou ao destino, o bacalhau estava fresco e saboroso como era na região nordeste.

À semelhança do peixe-gato, talvez a sua adversidade tenha sido colocada no seu caminho com um propósito. Talvez tenha sido posta lá para desafiá-lo, fortalecê-lo, aguçá-lo, para mantê-lo viçoso, vivo, ativo e em desenvolvimento. É certo que, às vezes, parece que você tem um enorme tubarão branco no tanque em vez de um peixe-gato, mas a adversidade que você está enfrentando poderia muito bem ser algo que Deus está usando para incentivá-lo e desafiá-lo a ser o melhor que você pode ser. A provação é um teste de fé, caráter e resistência. Não desista. Não vá embora. Não choramingue e não reclame, dizendo: "Deus, por que tudo isso está acontecendo comigo?"

A provação é um teste de fé, caráter e resistência.

Em vez disso, permaneça firme e trave a boa luta da fé. Deus está lhe dando uma oportunidade para progredir. É a luta que nos confere força. Sem oposição ou resistência, não existe nenhum potencial para o progresso. Sem a resistência do ar, a águia não pode voar. Sem a resistência da água, um navio não pode flutuar. Sem a resistência da gravidade, você e eu não poderíamos nem andar.

No entanto, é da tendência humana querer tudo com facilidade. "Deus, não pode me ensinar a ter paciência sem que eu precise ficar preso em um engarrafamento? Deus, não pode me ensinar a amar e confiar no Senhor sem que eu precise ter problemas?"

Infelizmente, não existem atalhos; não há um caminho fácil para o amadurecimento físico, emocional ou espiritual. Você precisa permanecer determinado e trabalhar com Deus. A Bíblia diz: "Trabalhai para a vossa salvação."[4] A salvação é mais do que uma prece do passado. É trabalhar constantemente com Deus, lidar com as questões que Ele traz à baila e manter uma boa atitude, lutando até alcançar a vitória.

Alguns abelhões foram levados em uma missão espacial para um estudo sobre os efeitos da ausência da gravidade. Exatamente como os seres humanos no espaço, as abelhas voaram com muita facilidade, sem nem mesmo ter de usar as asas. Parecia que estavam florescendo no ambiente sem gravidade sem trabalho, lutas ou adversidades. No entanto, três dias depois, as abelhas morreram. A experiência foi resumida com as seguintes palavras: "Elas gostaram do passeio, mas não sobreviveram." As abelhas não foram feitas para passar a vida sem usar as asas, sem sofrer resistência. Da mesma maneira, você e eu não fomos feitos para flutuar pela vida em uma cama macia e florida.

Deus nunca prometeu que não teríamos desafios. Na verdade, Ele disse exatamente o oposto. Eis Suas palavras: "Sede realmente alegres!... Essas provações destinam-se apenas a pôr à prova vossa fé, a ver se ela é ou não forte e pura... Assim, se a vossa fé permanecer forte depois de ser posta à prova no tubo de ensaio das provações ardentes, ela vos trará muito louvor, glória e honra no dia do retorno Dele."[5]

Quando atravessar tempos difíceis, certifique-se de que vai passar no teste. Não seja teimoso e obstinado. Reconheça que Deus o está purificando, suavizando algumas de suas arestas. Permaneça firme e trave a boa luta de fé. Deus convocou cada um de nós para sermos campeões; você está destinado a vencer. Se trabalhar com Deus e mantiver uma boa atitude, então, independentemente do que vier contra você, a Bíblia afirma que todas as coisas — não apenas as coisas boas da vida, mas todas elas — trabalharão juntas para o seu bem.[6]

CAPÍTULO 24

CONFIANDO EM DEUS QUANDO A VIDA NÃO FAZ SENTIDO

Em 1958, quando o futuro do meu pai parecia brilhante na congregação na qual ele estava servindo, a minha irmã Lisa nasceu com uma lesão semelhante à paralisia cerebral. Os médicos disseram aos meus pais que ela nunca seria normal, jamais andaria e provavelmente precisaria de cuidados permanentes. Mamãe e papai ficaram arrasados.

Foi um dos momentos mais sombrios da história da nossa família. Meus pais poderiam facilmente ter se tornado amargos. Facilmente poderiam ter dito: "Deus, isso não é justo. Por que isso foi nos acontecer? Estamos fazendo o máximo para servi-Lo e o Senhor deixa que algo assim nos aconteça."

No entanto, papai sabia que a adversidade pode ser um meio de alcançarmos algo maior. Ele sabia que Deus não permitiria que uma provação tivesse lugar sem ter um objetivo para ela. Em vez de assumirem uma atitude negativa e se afastarem de Deus, papai correu em Sua direção. Começou a pesquisar como nunca a Escritura e descobriu o Deus da Bíblia de uma nova maneira — como um Deus amoroso, benéfico, reabilitador e, acima de tudo, um Deus que faz milagres. Meu pai voltou para a igreja e pregou com um novo ardor e entusiasmo. Além disso, ele a minha mãe começaram a acreditar que Lisa podia ser curada.

Papai estudou a Bíblia e passou a pregar mensagens a respeito da esperança, da cura e de viver na vitória. Ele sinceramente achou que a congregação ficaria eletrizada com a mensagem de que Deus desejava coisas boas para o Seu povo. Afinal de contas, quem poderia argumentar contra isso?

No entanto, como já mencionei, algumas pessoas ficaram perturbadas e papai acabou se demitindo daquela igreja. Foi naquele momento sombrio que a Lakewood Church nasceu. Deus usou a adversidade para expandir a visão do meu pai, conduzindo-o a uma nova era do seu ministério. Aquilo que o inimigo pretendia que fosse algo maligno, Deus modificou e usou em Seu benefício. Além disso, no meio de todos esses problemas, Deus curou o corpo de Lisa. Até hoje, minha irmã é perfeitamente saudável. No entanto, não acredito que nada disso tivesse acontecido se o meu pai não tivesse lidado corretamente com as adversidades.

Muitas pessoas reagem de uma forma negativa aos contratempos e às dificuldades, em vez de acreditar que Deus pode extrair o bem das situações. Não estou dizendo que Deus envia os problemas; estou dizendo que Ele usará a adversidade que você possa estar enfrentando para conduzi-lo a um nível mais elevado, se você fizer a sua parte e permanecer forte.

Dois Tipos de Fé

Descobri na minha vida dois tipos de fé: a fé *dispensadora* e a fé *sustentadora*. O primeiro tipo tem lugar quando Deus modifica instantaneamente sua situação. É ótimo quando isso acontece. Mas acredito que é preciso uma fé maior e uma convivência maior com Deus para ter a fé sustentadora. Ela tem lugar quando as circunstâncias não mudam de imediato, mas você diz: "Deus, independentemente do que se opuser a mim e do tempo que levar, isso não vai me derrotar. E a única coisa que importa é estar ao Seu lado." A fé sustentadora é o que o ajuda a atravessar as noites sombrias da alma quando você não sabe aonde ir ou o que fazer, e tem a impressão de que não vai resistir nem mais um dia... mas por causa da sua fé em Deus, você resiste.

Quando você tem esse tipo de atitude, a adversidade não tem nenhuma chance. Além disso, em geral não são as adversidades que causam os nossos problemas e sim como reagimos a elas. Você pode ter um minúsculo problema e ele pode derrotá-lo. Por outro lado, já vi pessoas lidarem com dificuldades enormes, como mortes na família, doenças incuráveis, divórcio, falência e inúmeras outras calamidades, e mesmo assim ficarem felizes e em paz. Elas estão vivendo em uma atitude de paz. Acreditam que as coisas vão mudar. Estão determinadas a ter uma vida vitoriosa!

Quando você enfrentar a adversidade, precisa lembrar a si mesmo que aquilo que está tentando derrotá-lo pode muito bem ser o que Deus usará para fazê-lo progredir. Quando papai foi ter com o Senhor em janeiro de 1999, por exemplo, Deus inseriu um forte desejo no meu coração para ser o pastor da Lakewood Church. Todos os críticos me disseram que nunca conseguiríamos, e com bons motivos. Eu nunca tinha pregado antes! *Nunca!*

Um Coração Disposto

Eu passara 17 anos nos bastidores de Lakewood administrando a produção do nosso programa de televisão. Ao longo de todos esses anos, papai tentou muitas vezes me convencer a falar em público, mas nunca tive o desejo de fazê-lo. Eu me sentia à vontade e satisfeito trabalhando nos bastidores. No entanto, mais ou menos uma semana antes de meu pai falecer, ele e a minha mãe foram jantar na casa de Kevin e Lisa. Durante o jantar, papai disse a eles:

— Vou telefonar para Joel e lhe perguntar se ele falará no meu lugar neste domingo.

A minha mãe riu e disse:

— John, você está perdendo o seu tempo. Joel não vai falar na frente de ninguém.

(Obrigado por esse voto de confiança, mamãe!)

Não obstante, papai me telefonou. E exatamente como mamãe previra, respondi:

— Papai, não sou um pregador. Nem mesmo sei pregar. Você é o pregador. — Eu ri e disse a ele, como o fizera muitas vezes antes: — Você vai até lá, faz o sermão e eu lhe prometo uma coisa: farei com que faça uma boa apresentação.

Nós rimos, eu desliguei o telefone e me sentei para jantar.

Enquanto Victoria e eu comíamos, as palavras do meu pai ficaram passando pela minha cabeça, e sem nenhum outro estímulo, comecei a sentir um desejo irresistível de pregar. Na ocasião, não entendi realmente o que estava acontecendo, mas sabia que tinha de fazer alguma coisa. É importante ressaltar que eu nunca tinha preparado um sermão e muito menos pensado na possibilidade de me apresentar na frente de milhares de pessoas para falar. Mesmo assim, telefonei imediatamente para o meu pai e disse:

— Papai, mudei de idéia. Acho que vou atender o seu pedido.

É claro que ele quase desmaiou.

Estudei a semana inteira, preparei a mensagem e, no domingo seguinte, falei pela primeira vez na Lakewood Church. A mensagem foi bem recebida pela congregação. Nenhum de nós, contudo, poderia ter imaginado que aquele seria o último domingo da vida do meu pai. Ele faleceu na noite de sexta-feira, cinco dias depois.

Tivemos o serviço naquele domingo e, é claro, a congregação estava chorando a morte do meu pai, o pastor e amigo deles, mas uma atmosfera de confiança reinava no prédio. Na manhã de segunda-feira, três dias depois da morte do papai, eu estava em casa contemplando todos os eventos que haviam se realizado e rezando um pouco. Estávamos planejando para o meu pai um serviço especial em memória dos mortos ainda naquela semana.

De repente, senti um desejo irresistível de falar de novo. Telefonei para a minha mãe e disse:

— Mãe, quem vai ser o orador no domingo?

— Bem, Joel, não sei .Vamos ter de rezar e acreditar que Deus vai nos enviar a pessoa certa — respondeu ela.

— Na verdade, estou pensando que... talvez eu gostaria de ser essa pessoa.

Isso era tudo que mamãe precisava ouvir. Ela tem um hábito interessante. Quando está ao telefone e termina a parte dela na conversa, a ligação acabou. Ela simplesmente desliga. Não nos dá tempo para responder. Assim sendo, quando eu disse: "Estou pensando em ser essa pessoa", ela replicou imediatamente:

— Oh, Joel, vai ser ótimo. Mal posso esperar para contar para o pessoal. Até logo.

E desligou.

— Espere aí! — exclamei. — Eu disse que estava pensando em ser o orador. Eu não disse que ia ser.

Tarde demais; mamãe já tinha desligado há muito tempo.

Bem, essa é exatamente a minha mãe, pensei. *Eu posso sempre voltar atrás. Ela não vai ficar magoada. Com certeza vai me perdoar.*

Dois dias depois, no serviço em memória dos mortos do meu pai, e diante de 80 mil pessoas, mamãe anunciou: "Estou muito feliz em anunciar que o meu filho Joel falará conosco no domingo."

E eu pensei: *Meu Deus, agora estou sem saída!*

Naquela noite, assisti a todas as notícias sobre o meu pai. A mídia de Houston prestou grandes homenagens a ele quando noticiaram o seu falecimento. Eu estava prestes a desligar a televisão e ir para a cama quando ouvi um locutor fazer um último comentário a respeito do serviço em memória do papai. "E a propósito", anunciou o âncora, "Joel, filho de Osteen, conduzirá o serviço no próximo domingo."

— Tudo bem, Deus. Recebi o recado. Vou falar — disse eu.

Não fiquei surpreso, portanto, quando meu pai foi ter com o Senhor, quase todas as notícias subseqüentes mencionaram que a Lakewood Church tinha muito poucas chances de sobreviver. Disseram que nunca conseguiríamos vencer. As pessoas do contra rapidamente enfatizaram que nenhuma igreja grande, com um líder forte e dinâmico como o meu pai, jamais sobrevivera à morte desse líder. Um dos artigos especificamente comentou: "A pior coisa que poderia acontecer seria um dos filhos assumir o controle da igreja."

Gracejei com Victoria:

— Eu entenderia esse comentário se eles conhecessem o meu irmão Paul, mas eles nem mesmo me conhecem!

Por mais que eu tentasse não dar atenção às notícias, as palavras mesmo assim me atormentavam. Lá estava eu, tentando criar coragem para falar, tentando adquirir confiança, e a mídia já estava prevendo o fim da minha igreja!

Eu sabia que tinha de fazer uma escolha: iria acreditar em Deus ou nas notícias negativas? Decidi não me deter na opinião pública nem nas pesquisas de opinião. Recusei-me a permitir que as notícias negativas envenenassem meu coração e minha consciência. Neguei-me a escutar qualquer pessoa que parecesse decidida a me convencer a desistir de realizar meu destino. E o mais importante é que eu sabia que Deus tinha feito com que a Lakewood Church se tornasse um norte de esperança durante mais de 40 anos e Ele não iria deixar que ela desaparecesse apenas porque papai tinha ido para o céu.

O interessante é que as pessoas do contra previram que conseguiríamos vencer se meramente mantivéssemos a situação vigente. Deus, no entanto, tinha outros planos. Lakewood continuou a crescer e, em 2003, a revista *Forbes* referiu-se à Lakewood Church como "a maior igreja dos Estados Unidos", contando com a presença de 25 mil pessoas a cada fim de semana. E ainda estamos crescendo!

Se você lidar com a adversidade da maneira certa, Deus prometeu que transformará os seus desafios em degraus para o sucesso. Deus quer fazer coisas novas e incomuns na nossa vida. Ele está em busca de pessoas que confiem Nele de todo o coração. E está procurando pessoas que não O limitarão com a sua maneira tacanha de pensar.

Deus prometeu que transformará os seus desafios em degraus para o sucesso.

Você poderá dizer: "Joel, sou apenas uma pessoa comum. Como Deus poderia me usar? O que eu poderia fazer?"

Meu amigo, Deus se vale de pessoas como você e eu para fazer coisas extraordinárias. Deus não está em busca de um grande poder. Não está procurando uma educação de peso. Ele está simplesmente atrás de um coração disposto. Deus não está em busca de habilidades e sim de disponibilidade. Ofereça simplesmente a Deus o que você tem. Se você der a Ele o pouco que possui, Ele o aceitará e multiplicará. E fará mais pela sua vida do que você jamais sonhou ser possível. O plano de Deus para a sua vida é muito maior do que você pode imaginar.

Estou convencido de que um dia olharemos para trás e contemplaremos o que julgamos ser a pior coisa que poderia nos acontecer, e perceberemos que Deus utilizou até mesmo aquele período de adversidade para nos aperfeiçoar, nos moldar e nos preparar para as boas coisas que viriam. Não é interessante? A adversidade freqüentemente nos empurra em direção ao nosso destino divino.

A adversidade freqüentemente nos empurra em direção ao nosso destino divino.

E, sem dúvida, às vezes precisamos de um empurrão! Se Deus não tivesse me expulsado da minha zona de conforto, eu provavelmente ainda estaria hoje nos bastidores. Deus deseja que o nosso desenvolvimento seja constante e, às vezes, emprega um pouco de adversidade ou tensão para nos fazer avançar. Ele deixará que a tensão o empurre e o distenda para tirá-lo da sua zona de conforto. Ele sabe exatamente quanto você pode suportar e, nos momentos de angústia, lembre-se de que Deus o está aperfeiçoando. A luta está lhe conferindo forças. Além disso, Deus conhece os dons e talentos que inseriu em cada um de nós. Ele sabe do que você é capaz e vai fazer tudo que for necessário para conduzi-lo ao seu destino divino. Você ficará impressionado com o que consegue realizar, quando Deus o pressiona um pouco e você sai da zona segura e entra na zona de *fé*.

SEXTA PARTE

SEJA GENEROSO!

CAPÍTULO 25

A ALEGRIA DE ATITUDES GENEROSAS

Um dos maiores desafios que enfrentamos na nossa iniciativa de viver da melhor maneira possível agora é a tentação de levar uma vida egoísta. Como acreditamos que Deus quer o melhor para nós, que Ele deseja que prosperemos, que temos a graça de Deus e que Ele tem muito mais coisas reservadas para nós, é fácil resvalar na armadilha sutil do egoísmo. No entanto, se você puder *ser generoso*, que é o sexto passo em direção a viver o seu pleno potencial, não apenas evitará essa arapuca, como também será mais feliz do que jamais sonhou ser possível.

A sociedade nos ensina que devemos tentar ser os primeiros. "O que eu vou ganhar com isso? Eu o ajudarei, mas o que receberei em troca?" De imediato reconhecemos essa postura como a da geração do "eu" e esse mesmo narcisismo às vezes transborda no nosso relacionamento com Deus, com a nossa família e com as pessoas em geral.

Muitas pessoas hoje em dia vivem aberta e desavergonhadamente para si mesmas. Elas não estão interessadas nos outros. Não têm tempo para ajudar os que precisam. Concentram-se apenas no que querem, no que precisam e no que acham que mais irá beneficiá-las. Ironicamente, essa atitude egoísta as condena a viver uma vida superficial e insatisfatória. Por mais que acumulem coisas, nunca estão satisfeitas.

Meu amigo, se você deseja experimentar um novo nível da felicidade de Deus, se quer que Ele derrame na sua vida as bênçãos e a graça Dele, terá de afastar os seus pensamentos de si mesmo. Você precisa aprender a ser aquele que dá e não o que toma. Pare de tentar descobrir o que todo mundo pode fazer por você e procure saber o que você pode fazer por outra pessoa. Não fomos feitos para funcionar como pessoas envolvidas apenas com nós mesmos. De jeito nenhum. Deus nos criou para que doássemos. E você nunca se tornará um ser humano efetivamente realizado enquanto não aprender o simples segredo de como doar a sua vida.

Você precisa aprender a ser aquele que dá e não o que toma.

Quando me sinto tentado a ficar perturbado ou preocupado, ou quando perco a alegria, a primeira coisa que me pergunto é: "Em que estou me concentrando? Onde está a minha ênfase? No que estou pensando?" Nove vezes em dez estou pensando nos *meus* problemas. Estou pensando em alguma preocupação ou frustração da minha vida. Estou pensando a respeito do que preciso fazer no dia seguinte. Ficar envolvido consigo mesmo é uma fórmula para a depressão e o desânimo. Precisamos aprender a afastar o foco de nós mesmos. O falecido cantor Keith Green se expressou muito bem: "É muito difícil enxergar quando os meus olhos estão pregados em mim."

Fomos Criados para Doar

Você talvez não perceba, mas ficar o tempo todo remoendo os próprios problemas, sempre pensando no que você quer ou precisa, sem reparar nas inúmeras necessidades de todos à sua volta é uma atitude extremamente egoísta. Uma das melhores coisas que você pode fazer se estiver tendo problemas é ajudar a resolver o problema de outra pessoa. Se quer que seus sonhos se tornem realidade, ajude uma pessoa a realizar os sonhos dela. Comece a plantar algumas sementes para que Deus possa lhe trazer uma colheita. Quando atendemos as necessidades dos outros, Deus sempre atende as nossas.

Conheci recentemente um homem que estava extremamente insatisfeito com a vida, desapontado com Deus e consigo mesmo. Houve uma época em que ele alcançara muito sucesso, mas devido a uma série de escolhas insatisfatórias, perdeu o negócio, a família, a casa e todas as economias de uma vida inteira. Agora estava praticamente vivendo no carro.

Esse homem estava profundamente deprimido, de modo que tentei encorajá-lo e animá-lo. Depois de rezar por ele, eu lhe ofereci alguns conselhos práticos.

— Veja bem. O senhor precisa parar de pensar nos seus problemas — eu disse a ele. — Afaste a atenção dos erros que cometeu e de todas as coisas que perdeu — acrescentei. — Se realmente deseja ser feliz, se tem vontade de se recuperar, precisa se fixar em outra coisa e ajudar alguém que esteja precisando. O senhor precisa plantar algumas sementes.

"O senhor sabia que independentemente do tamanho do seu problema hoje, outra pessoa tem um problema maior ainda, um caminho mais difícil, uma história mais desoladora do que a sua? O senhor pode ajudar a modificar a vida de uma pessoa. Pode aliviar o fardo de alguém. E pode animar uma pessoa e dar a ela novas esperanças."

O homem prometeu que seguiria o meu conselho. Entrou em contato com alguns homens na Lakewood que ajudam as pessoas a superar a dependência. Em vez de ficar deprimido dentro do carro, pensando no fracasso que ele fora, começou a passar o tempo ajudando a cuidar desses viciados em drogas. Ele se tornou amigo de muitos deles e passou a ouvir os seus problemas, a encorajá-los, a rezar por eles e a desafiá-los a acreditar em uma vida melhor. Ele se tornou generoso.

Algumas semanas depois, ele apareceu na igreja e nunca me esquecerei a visão que tive daquele homem entrando no hall da entrada. Ele reluzia de felicidade, exibia um sorriso que ia de orelha a orelha. Eu disse:

— Puxa, a sua aparência está ótima. O que está acontecendo?

— Joel, passei as últimas duas semanas cuidando de viciados em cocaína e nunca me senti tão feliz na minha vida. — Ele enxugou uma lágrima e acrescentou: — Nunca me senti tão realizado. Passei a vida inteira vivendo para mim mesmo, construindo uma carreira, fazendo o que eu queria fazer, qualquer coisa que achasse que me traria felicidade. Mas agora percebo o que realmente importa.

Fomos criados para dar e não simplesmente para agradar a nós mesmos. Se você deixar escapar essa verdade, deixará escapar a vida abundante e repleta de alegria que Deus tem reservada para você.

Curiosamente, o meu novo amigo prosseguiu me contando que naquela mesma semana uma pessoa lhe oferecera um emprego. Ele ia alugar um apartamento e não precisaria mais morar no carro. E continuou, relatando as coisas maravilhosas que lhe tinham acontecido em questão de semanas, desde que começara a dar em vez de tomar. E tudo começou quando ele parou de pensar em si mesmo e começou a ajudar outras pessoas.

Quando você estende a mão para quem necessita, Deus toma providências para que as suas necessidades sejam satisfeitas. Se está sozinho hoje, não fique sentado sentindo pena de si mesmo. Vá ajudar uma pessoa solitária. Se está deprimido e desanimado, não se concentre nas suas necessidades. Afaste a atenção de si mesmo e vá ajudar a satisfazer a carência de outra pessoa. Vá visitar um abrigo de idosos ou um hospital infantil. Telefone para um amigo e anime-o. Você precisa plantar algumas sementes para que Deus possa lhe trazer uma colheita.

Se você está rezando para que o seu filho encontre Deus, ajude o filho de outra pessoa a desenvolver um relacionamento com Ele. Se está com dificuldades financeiras, ajude alguém que tem menos do que você.

Você pode dizer: "Joel, não tenho nada para dar." Claro que tem! Você pode oferecer um sorriso ou um abraço. Pode cortar a grama ou preparar um bolo para uma pessoa. Pode visitar alguém no hospital ou em um lar de idosos. Você pode escrever uma carta animadora para uma pessoa. Alguém precisa do que você tem para compartilhar. Alguém precisa do seu sorriso, do seu amor, da sua amizade. Alguém precisa do seu estímulo. Deus nos criou para atuarmos como "nômades solitários". Ele nos criou para sermos livres, mas não tinha a intenção de que fôssemos independentes uns dos outros.

O Abraço Restaurador

Ouvi uma história impressionante a respeito de dois gêmeos que tinham apenas alguns dias de idade, um menino e uma menina. A menina nascera com um grave problema no coração e julgava-se que ela não iria sobreviver. Alguns dias se passaram e a saúde do bebê continuava a se deteriorar; ela estava quase morrendo. Uma enfermeira do hospital perguntou se poderia ir contra a política do hospital e colocar os bebês na mesma incubadora em vez de em incubadoras individuais. Foi muito difícil, mas finalmente o médico permitiu que os gêmeos fossem colocados lado a lado na mesma incubadora, exatamente como tinham estado no útero da mãe.

De algum modo, o bebê saudável deu um jeito de colocar o braço em volta da irmã doente. Pouco tempo depois, sem nenhuma razão aparente, o coração da menina começou a se estabilizar e a ficar curado. A pressão sangüínea ficou normal. A temperatura do corpo logo seguiu o exemplo. Pouco a pouco ela foi melhorando e hoje são duas crianças perfeitamente saudáveis. Um jornal ouviu falar na história e fotografou os gêmeos quando ainda estavam abraçados na incubadora. A foto foi publicada com a legenda: "O Abraço Restaurador".

Meu amigo, alguém precisa hoje do seu abraço, do seu amor. Alguém precisa sentir o seu contato. Você talvez não perceba, mas as suas mãos podem curar. A sua voz pode curar. Deus quer se valer de você para levar esperança, cura, amor e vitória para as pessoas aonde quer que você vá. Se você ousar desviar os pensamentos dos seus problemas, afastar a atenção das suas necessidades e, em vez disso, procurar ser uma bênção para os outros, Deus fará mais do que você jamais poderia pedir ou imaginar.

Concentre-se em Ser uma Bênção

Não viva uma vida egocêntrica. Você tem tanto para dar, tanto para oferecer. Quando você concentra a sua vida em torno de si mesmo, não apenas perde as melhores coisas de Deus, como também priva as outras pessoas da alegria e das bênçãos que Deus quer dar a elas por seu intermédio. A Escritura diz o seguinte: "Devemos encorajar diariamente uns aos outros."[1] É fácil criticar e condenar, chamar a atenção para os defeitos e os fracassos dos outros. Mas Deus deseja que fortaleçamos as pessoas, que sejamos uma bênção, que pronunciemos palavras de fé e vitória em suas vidas.

Posso vê-lo dizendo: "Joel, não tenho tempo para isso. Sou muito ocupado."

Quanto tempo você levaria elogiando alguém? Quanto tempo levaria para dizer à sua mulher: "Eu a amo. Você é maravilhosa. Estou feliz porque você é minha." Quanto tempo levaria para dizer ao seu funcionário: "Você está fazendo um ótimo trabalho. Aprecio o seu esforço."

Não basta pensar nesse tipo de cumprimento; precisamos expressá-los. Como diz o velho ditado: "O amor não é amor enquanto não o passamos adiante." Devemos nos levantar todas as manhãs com a seguinte atitude: *Hoje vou fazer alguém feliz. Vou ajudar a satisfazer as necessidades de alguém.* Não atravesse a vida como aquele que toma; transforme-se naquele que dá.

"Mas, Joel, tenho tantos problemas e tantas necessidades..."

De fato, mas se parar de pensar nos seus problemas e começar a ajudar os outros, não terá de se preocupar com as suas necessidades. Deus cuidará delas para você. Algo sobrenatural acontece quando deixamos de olhar para o nosso umbigo e nos voltamos para as necessidades dos que estão à nossa volta.

O Antigo Testamento nos ensina: "Quando alimentas os famintos, vestes os que não têm roupa, encorajas os oprimidos, a tua luz romperá como a aurora e a tua cura logo terá lugar."[2] Em outras palavras, quando você estende a mão para as pessoas que estão sofrendo, Deus tomará medidas para que as suas necessidades sejam satisfeitas. Quando você se concentra em ser uma bênção, Deus toma providências para que sempre receba bênçãos em abundância.

Nunca me esquecerei do que minha mãe fez quando foi diagnosticada com um câncer terminal em 1981. Depois de receber a notícia, ela poderia facilmente ter ido para casa e mergulhado em um poço profundo de depressão. Mas mamãe não fez isso. Não permaneceu concentrada em si mesma, não ficou o tempo todo pensando na doença. No seu momento de maior necessidade, na hora mais sombria de sua vida, o que ela fez? Foi para a igreja e rezou por outras pessoas que estavam doentes ou necessitadas. Ela plantou as sementes da cura. E exatamente como diz a Escritura, quando começou a ajudar outras pessoas necessitadas, a luz dela rompeu como a aurora e a sua cura teve lugar.

Estou convencido de que muitas pessoas receberiam o milagre pelo qual vêm rezando se simplesmente desviassem a atenção de si mesmas, das suas necessidades e problemas, e começassem a se concentrar em ser uma bênção para os outros. Com excessiva freqüência passamos a maior parte do tempo procurando ser abençoados. "Deus, o que pode fazer para mim? Deus, eis a minha lista. O Senhor pode providenciar para que ela seja atendida até terça-feira?"

Devemos nos concentrar mais em ser uma bênção do que em tentar ser abençoados. Precisamos procurar oportunidades de compartilhar o amor de Deus, as dádivas e a bondade Dele com os outros. A verdade é que quanto mais ajudar os outros, mais Deus tomará medidas para que você seja ajudado.

Sejamos práticos. Se você tem coisas em casa ou no depósito que nunca mais vai usar, por que não dá-las para alguém que possa usá-las? Essas coisas supérfluas não estão lhe fazendo nenhum bem guardadas no sótão, no porão ou na garagem. Se não estiverem satisfazendo uma necessidade, transforme-as em uma semente!

Se não estiverem satisfazendo uma necessidade, transforme-as em uma semente!

Há alguns anos, comprei um cortador de grama de última geração e de alta qualidade. Eu tinha muito orgulho daquele cortador de grama. Em seguida, mais ou menos naquela época, meu pai faleceu, e muitas coisas mudaram na minha vida. Eu me tornei pastor e a minha agenda ficou muito mais cheia. Tão cheia, na verdade, que passei a não ter mais tempo para cortar minha própria grama. Tive de contratar alguém para fazer isso.

Guardei na garagem o cortador de grama de última geração com o resto do equipamento de jardinagem. Todas as vezes que eu entrava com o carro na garagem, podia vê-lo e apreciá-lo.

Certo dia, quando estava entrando na garagem, ouvi uma voz interior dizendo: *Joel, você devia dar de presente todo esse equipamento de jardinagem.*

A minha primeira reação foi: *Ei! Espere um pouco! Paguei muito dinheiro por aquela máquina. Mal tive a oportunidade de usá-la. Ela é novinha em folha. Além disso, posso precisar dela de novo um dia. E se eu for demitido?*

A nossa mente é capaz de conjurar os mais diversos tipos de desculpas quando Deus começa a abrir a nossa mão que tende a querer ficar fechada. A natureza humana quer se agarrar a tudo. Desse modo, por ser um homem profundamente espiritual, não dei a menor atenção àquela voz.

Passaram-se semanas e, cada vez que eu entrava na garagem, eu me sentia culpado. Lá estava o cortador de grama novinho em folha, praticamente sem uso, e não estava beneficiando ninguém. Lá estavam também o soprador de folhas, o extrator de ervas daninhas e o aparador de bordas. Estava tudo lá.

Eu sabia que nunca iria usar de novo aquele equipamento. Sabia que daí a 20 anos eles provavelmente estariam no mesmo lugar. Mas não consegui suportar a idéia de dar de presente algo tão novo, uma coisa de que eu gostava tanto. Afinal de contas, eu mal o usara!

Entrei na garagem; num outro dia, e ouvi novamente aquela voz: *Joel, ou você se desfaz do cortador de grama, ou voltará a cuidar do próprio jardim.*

Passei o equipamento adiante em menos de trinta minutos.

Você provavelmente tem alguns artigos sem uso em casa. Roupas que você não usa há anos, utensílios de cozinha nas caixas da sua última mudança, livros, o berço e as roupas de bebê dos seus filhos, além de inúmeras coisas que você não usa há séculos. Os maiores especialistas em bagunça dizem: "Se você não usa alguma coisa há mais de um ano, desfaça-se dela!" E se ela não estiver satisfazendo uma necessidade, transforme-a em uma semente. Lembre-se de que colhemos o que semeamos. Quando você fizer o bem a outras pessoas, Deus tomará providências para que as Suas bênçãos abundantes o envolvam.

Se você quer viver o melhor possível agora, precisa desenvolver um estilo de vida generoso: deve viver para dar em vez de viver para tomar. A sua atitude deve ser a seguinte: *Quem eu posso abençoar hoje? Como posso ser abençoado hoje?*

Para capturar macacos anos atrás, os caçadores pegavam um grande barril e o enchiam com bananas e outras guloseimas do agrado dos macacos. A seguir faziam um buraco na lateral do barril, grande o suficiente apenas para que o macaco mal conseguisse passar por ele a mão e o braço. O animal colocava a mão dentro do barril e agarrava uma das guloseimas. No entanto, quando fechava a mão, ela ficava grande demais para sair do buraco. O macaco se mostrava tão teimoso e determinado a segurar o que tinha na mão que, quando seus captores chegavam, ele se recusava a soltar o que tinha agarrado. Ele era uma presa fácil para as redes dos homens.

Infelizmente, os macacos não estão sozinhos no que diz respeito ao egoísmo. Muitas pessoas também vivem assim. Vivem com as mãos fechadas. Concentram-se tanto em se agarrar ao que têm, que não compreendem que essa atitude as está privando da liberdade e das bênçãos abundantes que Deus tem armazenadas para elas. São egoístas com o dinheiro, os recursos e o tempo que possuem.

E você? Está tão concentrado em obter o quer, o que precisa, que se recusa a obedecer a voz baixa e suave de Deus que lhe diz para abençoar os outros? Abra as mãos; não se agarre tanto às coisas. Deus não encherá um punho fechado com coisas boas. Seja aquele que dá em vez de aquele que toma. Você não terá de procurar muito longe para encontrar alguém que possa ajudar. Existe um mundo inteiro lá fora gritando por ajuda. Você tem a oportunidade de viver altruisticamente, exibindo o caráter de Deus. Deus é um doador e o momento em que você mais se parece com Ele é quando dá.

Deus prometeu ao patriarca Abraão do Antigo Testamento: "Eu te abençoarei [com graças abundantes], tornarei o teu nome famoso e ilustre e serás uma bênção."[3] Freqüentemente lemos essas promessas e dizemos: "Tudo bem, Deus! Vamos lá; derrame as Suas bênçãos em mim!" Mas você deve reparar que existe uma armadilha. Precisamos fazer alguma coisa; melhor ainda, precisamos *ser* alguma coisa. Deus está dando a entender que não seremos abençoados simplesmente para podermos viver comodamente com excessos. Seremos abençoados *para ser* uma bênção. Na verdade, a não ser que estejamos dispostos a ser uma bênção, Deus não derramará a graça e a bondade Dele na nossa vida. O que receberemos de Deus será proporcional ao que damos aos outros.

"Mas Joel, você não está entendendo. Não tenho nada para dar. Não tenho um cortador de grama ocioso como você tinha."

Talvez não. Mas tudo depende da sua atitude. Você precisa ter fé com o pouco que tem agora para que Deus o abençoe com mais. Muitas pessoas perguntam: "Deus, quando vai me abençoar?" Mas se prestássemos mais atenção, talvez ouvíssemos Deus perguntando: "Quando é que você vai começar a *ser* uma bênção?"

O que você der lhe será devolvido.

Dar é um princípio espiritual. O que você der lhe será devolvido. Se der um sorriso, os outros sorrirão para você. Se for generoso com as pessoas nas épocas de necessidade delas, Deus tomará providências para que os outros sejam generosos com você quando precisar. Não é interessante? O que você fizer acontecer com os outros, Deus fará acontecer com você.

SEJA GENEROSO

Vi uma notícia interessante sobre um rapaz na Arábia Saudita. Ele era muito rico e vivia em um palácio ostentoso, quase grandioso demais para ser descrito. Ele tinha um grande número de automóveis e aviões, e possuía vários navios de cruzeiro para seu uso pessoal. A riqueza do homem estava além de qualquer coisa que a minha mente pudesse compreender.

No entanto, o que me intrigou a respeito dele foi a maneira interessante pela qual usava parte de sua riqueza. Mais ou menos a cada dois meses, recebia centenas de pessoas pobres do seu país. Ele se encontrava pessoalmente com cada uma e conversava sobre as necessidades delas. A seguir, na maioria dos casos, dava às pessoas o que precisavam. Se precisavam de um carro, ele lhes comprava um carro. Se precisavam de uma casa, ele fazia o mesmo. Se precisavam de dinheiro para uma cirurgia, ele também o presenteava. Independentemente da necessidade, ele a satisfazia. Doava centenas de milhares de dólares e literalmente muitos milhões em propriedades e materiais. É algum mistério o motivo pelo qual o negócio dele continua a florescer?

Duvido que o saudita pratique a fé cristã, mas os princípios da doação são espirituais. Funcionam independentemente da nacionalidade, da cor da pele ou mesmo da religião. Se você doar altruisticamente, receberá de volta o que deu. Se satisfizer as necessidades dos outros, Deus tomará medidas para que as suas necessidades sejam supridas em abundância.

A Bíblia diz o seguinte: "Quem dá aos pobres, empresta a Deus."[4] Aquele saudita desenvolveu um estilo de vida em torno do doar, especialmente para os pobres, e não é de causar surpresa que aquilo que ele semeie volte para ele de forma exponencial. Ele emprestou a Deus ajudando os pobres e Deus não ficará em dívida com ninguém.

Você talvez esteja pensando: *Bem, se eu tivesse todo aquele dinheiro, faria a mesma coisa.*

Mas é aí que você se engana. Você precisa começar exatamente onde está. Precisa ter fé com o que tem e depois Deus lhe confiará mais coisas. Você talvez não tenha muito dinheiro sobrando para dar, mas certamente pode pagar o jantar de alguém de vez em quando, pode ser gentil com uma pessoa. Você pode rezar por uma pessoa necessitada.

Esse é o momento de desenvolver uma atitude generosa. Meu amigo, a coisa que está mais próxima do coração do nosso Deus é ajudar as pessoas que estão sofrendo. Deus adora nos ver cantando e rezando, adora quando nos reunimos para celebrar a bondade Dele. Mas nada deixa Deus mais satisfeito do que quando cuidamos de um dos Seus filhos. Jesus disse: "Se derdes um copo de água a uma pessoa necessitada, eu o verei e vos recompensarei." Ele também disse: "Em verdade vos digo, todas as vezes que fizestes a um desses Meus irmãos menores, a Mim o fizestes."[5]

Alguém precisa do que você tem para dar. Pode não ser dinheiro; pode ser o seu tempo, a sua atenção, o seu estímulo. Pode ser o seu sorriso edificante. Quem sabe? Talvez como acontece com um bebê, abraçar uma pessoa e lhe dizer que você se interessa por ela pode ajudar a curar o coração dela. Talvez você possa dar um abraço restaurador.

John Bunyan, autor do livro clássico *The Pilgrim's Progress* (O Progresso do Peregrino), disse: "Você não viveu o dia de hoje enquanto não tiver feito alguma coisa por alguém que não pode ressarci-lo." Procure todos os dias alguém que possa abençoar. Não viva para si mesmo; aprenda a se dar aos outros e a sua vida se tornará importante.

Se continuar a fazer a coisa certa, emergirá bem mais na frente de onde estaria se tivesse pago na mesma moeda.

Diz a Bíblia: "Deus é o nosso defensor." Ele não deixará que você perca. Você poderá achar que está levando a pior, mas no final, Deus tomará medidas para que você não perca nada realmente valioso. Além disso, tomará providências para que você receba a sua justa recompensa. A sua responsabilidade é permanecer calmo e tranqüilo mesmo quando aqueles que o cercam não estão.

Domine o Mal com o Bem

Certa noite, telefonei para um restaurante para pedir uma pizza. Eu pedia freqüentemente pizzas nesse estabelecimento particular, e sempre que eu fazia um pedido, o atendente perguntava o meu telefone. Adquiri o hábito de fornecer logo o número de telefone para pouparmos um pouco de tempo.

Nessa noite, uma mulher atendeu. Educadamente, eu disse:

— Boa-noite, o meu número de telefone é 713...

— Senhor, ainda não estou pronta para anotar o seu telefone — retrucou irritada a mulher. — E quando eu estiver pronta para anotar o número eu o pedirei ao senhor!

Eu mal conseguia acreditar que uma pessoa que trabalhava com o público pudesse ser tão rude e desagradável. O meu primeiro instinto foi responder: "Escute aqui, moça! Eu vou lhe dar o meu telefone sempre que tiver vontade. Se eu tiver vontade, telefonarei à meia-noite e lhe darei o número!" Na mesma hora pensei em encomendar 20 ou 30 pizzas e dar o endereço errado. Na minha imaginação, eu conseguia ver aquela mulher andando pela cidade inteira tentando entregar pizzas para pessoas que não as tinham encomendado!

Por sorte, consegui manter a serenidade. Fiquei repetindo para mim mesmo: *Você é pastor de uma igreja. Comporte-se!*

Nem sempre faço o que é certo, mas neste caso, tomei a decisão de que eu ia vencer o mal com o bem. Reconheci que a mulher estava apenas tendo um mau dia; alguma coisa a estava incomodando que nada tinha a ver comigo ou com o número do meu telefone. Resolvi que ia fazer parte da solução em vez de participar do problema. Fiz daquela mulher um projeto de missão pessoal, determinado a fazer o possível para animá-la.

Comecei elogiando o trabalho dela. (Tive que realmente usar a imaginação para isso!) Eu disse:

— Vocês fazem a melhor pizza do mundo. Há anos eu faço pedidos aí e a comida é maravilhosa. O serviço de entrega é excelente; vocês chegam sempre na hora combinada; o negócio de vocês é de primeira classe. — E fui em frente, tentando estimulá-la. — Você é muito eficiente e atende rápido o telefone. Na próxima vez que eu falar com o seu chefe, vou sugerir que lhe dê um aumento. — Quando eu terminei, ela não apenas anotou o meu telefone, como também incluiu no pedido algumas asas de frango apimentadas, refrigerantes e cupons de brinde com direito a outras pizzas!

Isso é que vencer o mal com o bem. Eu não sabia o que ela estava passando no trabalho ou em casa. Quem sabe o que poderia estar acontecendo na sua vida pessoal? Mas não era difícil imaginar que ela estava tendo um mau dia. E precisava de alguém que a estimulasse, que levantasse o seu ânimo, que desse a entender que ela era importante e que dissesse que ela era competente no trabalho. Aquele pedido de pizza foi um assunto insignificante, mas foi uma enorme oportunidade para que eu compartilhasse a bondade de Deus com uma mulher que precisava dela.

A Bíblia diz: "O amor encobre os defeitos das pessoas."[2] Isso nem sempre é fácil, mas o amor acredita no que há de melhor em cada um. Qualquer um pode pagar o mal com o mal, mas Deus quer que o Seu povo ajude a curar corações feridos.

Qualquer um pode pagar o mal com o mal, mas Deus quer que o Seu povo ajude a curar corações feridos.

Se alguém não estiver tratando-o bem hoje, esforce-se para ser mais gentil do que habitualmente com essa pessoa. Se o seu marido não estiver servindo a Deus, não comece a correr atrás dele com a Bíblia, fazendo sermões, importunando-o, forçando-o a ir à igreja com você. Em vez disso, comece apenas a ser mais delicada com ele. Comece a amá-lo de uma nova maneira. Diz a Bíblia: "É a bondade de Deus que faz as pessoas se arrependerem." Se for excepcionalmente boa e delicada, em pouco tempo a bondade de Deus que se expressa através de você vencerá o mal. Meu amigo, o amor nunca falha.

Se alguém tinha o direito de retribuir com o mal em vez de com amor, esse alguém era José, o famoso jovem com o casaco multicor. Os seus irmãos o odiavam tanto que o jogaram em um buraco profundo e iam matá-lo, mas "pela bondade que tinham no coração" decidiram vendê-lo como escravo.

Passaram-se anos e José passou por todos os tipos de problemas e aflições. No entanto, manteve uma boa atitude e Deus continuou a abençoá-lo. Depois que passou 13 anos na prisão por um crime que não cometera, Deus o promoveu de um modo sobrenatural ao segundo cargo mais elevado do Egito.

José era responsável pelo suprimento de comida, quando uma grande fome se abateu sobre a região e os seus irmãos viajaram para o Egito, na esperança de comprar víveres para a família. No início, não reconheceram José. Este finalmente disse: "Vocês não sabem quem eu sou? Sou José, o irmão de vocês. Sou aquele que vocês jogaram no buraco. Sou aquele que tentaram matar, o irmão que vocês venderam como escravo."

Você consegue imaginar o que se passou na cabeça desses irmãos? Pense no medo que deve ter se apossado do coração deles! Esta era a oportunidade que José tinha de se vingar dos irmãos pelos anos de dor e sofrimento que haviam lhe causado. Agora a vida deles estava nas suas mãos.

José poderia ter mandado matá-los ou os condenado à prisão perpétua. Mas ele disse: "Nada temam. Não vou lhes fazer mal. Na verdade, vou lhes fazer bem. Vou dar a vocês toda a comida de que precisam."

É algum mistério o fato de José ter sido tão abençoado? Não é de causar surpresa que a mão da graça de Deus estivesse sobre ele de uma forma tão poderosa. José sabia como conceder misericórdia. Sabia como tratar as pessoas da maneira correta.

A Bíblia diz o seguinte: "O amor não guarda rancor. O amor tudo tolera."[3] Talvez haja pessoas na sua vida que lhe fizeram um grande mal e você tem o direito de sentir raiva e amargura. Você pode ter a impressão de que toda a sua vida foi roubada por alguém que o maltratou ou o enganou. Mas se optar por abandonar o ressentimento e perdoá-las, pode vencer o mal com o bem. Você pode chegar ao ponto de poder olhar para as pessoas que o magoaram e retribuir o mal com o bem. Se fizer isso, Deus derramará a graça Dele na sua vida de uma nova maneira. Ele o homenageará; Ele o recompensará e corrigirá essas injustiças.

Quando você conseguir abençoar seus piores inimigos e fazer o bem àqueles que se aproveitaram de você ou o maltrataram, Deus pegará esse mal e o transformará em algo bom. Não importa o que você tenha passado, não importa quem o tenha magoado e de quem era a culpa, esqueça o assunto. Não tente acertas as contas. Não guarde rancor. Não tente pagar na mesma moeda. Deus diz que devemos ter misericórdia. Tenha a intenção de fazer o bem. Procure fazer o bem.

Você pode estar pensando: *Mas Joel, isso não é justo!*

De fato não é. Mas a vida não é justa. Temos de nos lembrar de que Deus é que está mantendo o registro de tudo. Ele está no controle. E quando você abençoa os seus inimigos, você nunca perde. Deus sempre lhe trará uma compensação.

Caminhe o Quilômetro Extra

Deus disse a Abraão que reunisse a família e fosse para uma terra melhor. Abraão partiu então com todos os seus rebanhos, a sua família e até mesmo com os membros da sua família estendida. Viajaram durante meses e finalmente chegaram ao novo território. Depois de viver lá durante algum tempo, descobriram que a porção de terra onde tinham se estabelecido não era capaz de fornecer comida e água suficiente para todas as pessoas e os rebanhos.

Abraão declarou então ao seu sobrinho Lot:

— Precisamos nos separar. Você pode escolher a parte da terra que quiser e eu ficarei com o resto.

Repare como Abraão foi bondoso com o sobrinho. Lot olhou em volta e descortinou um belo vale com pastos verdes e férteis, além de lagos e colinas ondulantes. Ele disse:

— Abraão, é aquela parte que eu quero. É lá que a minha família vai se estabelecer.

Abraão retrucou:

— Muito bem; parta e seja abençoado. — Ele poderia ter dito: "Lot, você não vai ficar com aquela terra. Fui eu que tive todo o trabalho. Eu organizei a viagem. Foi comigo que Deus falou e não com você. Devo ter o direito de escolher primeiro." Mas Abraão não fez isso. Foi mais nobre do que isso. Ele sabia que Deus o compensaria.

No entanto, estou certo de que mesmo assim Abraão ficou desapontado quando se deu conta do que lhe restara. A parte que lhe coubera era um descampado árido e estéril. Pense bem; Abraão percorrera uma longa distância. Fizera um grande esforço para encontrar uma terra e uma vida melhor. Agora, devido à sua generosidade e bom coração, fora relegado a viver na pior parte da terra. Estou certo de que ele pensou: *Deus, por que as pessoas sempre se aproveitam da minha bondade? Deus, por que sempre fico em desvantagem? Aquele rapaz Lot não teria ficado com a melhor parte se eu não o tivesse deixado ficar com ela.*

Talvez sinta que só você está dando alguma coisa em uma determinada situação. Talvez seja pai ou mãe de uma criança ingrata. Talvez o seu ex-cônjuge esteja se aproveitando de você em um acordo de divórcio. Possivelmente a sua empresa está falando em fazer um "*downsizing*" depois de você ter dedicado a ela os melhores anos da sua vida. Talvez seja você que está sempre caminhando o quilômetro extra. Você é o pacificador da família. Como as pessoas sabem que você é bom, generoso e cordial, tendem a se aproveitar de você ou a não reconhecer o que você faz.

Mas Deus vê a sua integridade. Nada que você faz passa despercebido para Deus. Ele está mantendo os registros e o recompensará no devido tempo. Foi isso que Ele fez com Abraão.

Em resumo, Deus disse a Abraão: "Por você ter dado preferência aos seus irmãos, por ter tratado o seu parente com bondade, por ter percorrido o quilômetro extra para fazer o que é certo, não vou lhe dar uma pequena porção de terra; vou lhe conceder uma bênção abundante. Vou lhe dar muitos milhares de hectares; muitos quilômetros de terra. Tudo que você conseguir avistar será seu."

Não se canse de fazer o bem. Deus é justo e não apenas vê o que você está fazendo como também o seu motivo para fazê-lo. Ele julga as nossas razões bem como as nossas ações. E por causa do seu altruísmo, porque você dá preferência aos outros, porque tem a intenção de fazer o bem, um dia Deus lhe dirá como disse a Abraão: "Tudo que você conseguir avistar será seu."

Às vezes quando somos bons para as pessoas e caminhamos o quilômetro extra, temos a tendência de pensar: *Estou deixando-as me explorarem. Estou deixando que se aproveitem de mim. Elas estão tomando o que por direito me pertence.*

É nesse momento que você tem de dizer: "Ninguém está tomando essas coisas de mim. Eu as estou dando espontaneamente a essas pessoas. Eu as estou abençoando deliberadamente, sabendo que Deus me trará uma compensação."

Pense na história bíblica de Rute. Naomi, a sogra dela, era uma mulher idosa que acabara de perder o marido. Rute e outra nora de Naomi, chamada Orfa, moravam com ela porque também tinham ficado viúvas. Quando Naomi perdeu o marido, disse às moças:

— Vou voltar para a minha terra natal. Por que vocês não fazem a mesma coisa e levam a sua vida adiante?

— Orfa seguiu o conselho de Naomi e seguiu o seu caminho, mas Rute não quis fazer isso e disse:

— Naomi, não vou deixá-la sozinha. Você precisa de alguém que cuide de você. Vou tomar conta de você. Ficarei ao seu lado.

Quando Naomi e Rute chegaram à terra de Naomi, estavam sem dinheiro e sem nada para comer. Por conseguinte, todos os dias Rute ia para os campos de trigo e seguia os ceifeiros que estavam ceifando a colheita. Ela pegava todas as sobras de trigo que caíam no chão, um pouco aqui e um pouco ali. À noite, Rute e Naomi faziam uma refeição com os restos do trigo. Não era muito, mas elas conseguiram sobreviver.

Deus viu Rute trabalhando arduamente no campo, tentando proteger Naomi. Ele sabia que Rute poderia ter sido egoísta e ido cuidar da própria vida. Sabia que ela nada tinha a ganhar preocupando-se com a mulher idosa. E por causa dos seus atos de bondade e do seu bom coração, Deus deu instruções a um homem chamado Boaz, que era dono de todas aquelas terras, para que a ajudasse: "Boaz, diga aos seus empregados que deixem para trás muitos punhados de trigo para que Rute possa recolhê-los." Agora, quando Rute ia para o campo, recolhia até mais do que era capaz de carregar. Ela foi abençoada com abundância.

Deus também vê os seus atos de bondade e misericórdia. Quando você é bondoso com as pessoas, quando está sempre lhes fazendo o bem, Deus providencia para que os outros deixem para trás "punhados" de coisas boas para você. Você encontrará um punhado de bênçãos aqui, um punhado de bênçãos ali, graças sobrenaturais acolá, uma promoção inesperada mais além. Aonde quer que vá, encontrará as bênçãos sobrenaturais de Deus no seu caminho, que Ele deixou ali para você.

CAPÍTULO 27

MANTENHA ABERTO O SEU CORAÇÃO DE COMPAIXÃO

Quando meu pai e eu estávamos viajando para um outro país, o nosso avião parou para reabastecer em uma pequena ilha no meio do nada. Íamos ficar parados lá uma hora, de modo que todos os passageiros saíram do avião para esticar as pernas. O aeroporto nada mais era do que um prédio temporário com o telhado de palha, alguns bancos e uma lanchonete. Fui até lá comer alguma coisa e, quando voltei, vi meu pai conversando com um rapaz desarrumado que parecia ter a minha idade.

Eu reparara nele quando desci do avião. Na verdade, era difícil não notá-lo. Ele estava deitado no chão do lado de fora do prédio e parecia óbvio que já estava ali havia bastante tempo.

Ele e meu pai conversaram o tempo todo que o avião estava sendo abastecido. Quando chegou a hora de partir, percebi que papai pegou a carteira e deu dinheiro ao rapaz. Quando voltamos para o avião, perguntei:

— Papai, o que foi aquilo? O que aquele rapaz estava fazendo ali? Qual é a história dele?

— Joel, ele estava voltando para os Estados Unidos, mas o dinheiro dele acabou. Ele já está ali há algumas semanas, sozinho, desamparado, de modo que dei a ele o dinheiro necessário para voltar para casa — respondeu ele.

Os olhos do meu pai se encheram de lágrimas e ele disse:

— Quando descemos do avião e eu o vi deitado no chão, senti muita compaixão por ele. Tudo que eu queria fazer era levantá-lo e abraçá-lo. Queria amá-lo e confortá-lo, dizer a ele que ia conseguir. — Meu pai prosseguiu dizendo: — Joel, eu só conseguia pensar no seguinte: *E se fosse um dos meus filhos? E se você? E se fosse Paul? E se fosse uma das minhas filhas? Como eu gostaria que alguém ajudasse um dos meus filhos!*

Papai estava plantando sementes de amor e compaixão. Estava sendo importante no mundo. Não há como dizer que tipo de impacto exerceu na vida daquele rapaz. Quem sabe? Talvez ele nunca tivesse sentido antes o amor e a bondade de Deus. Mas ele nunca esquecerá aquele momento. Nunca esquecerá a ocasião em que um desconhecido, que estava apenas de passagem, voluntariamente o ajudou em uma situação sem esperança. Talvez, no seu pior momento, ele vá se lembrar de que alguém se importou com ele, alguém se preocupou com ele, de modo que com certeza deve haver um Deus que o ame.

Sementes de bondade e compaixão de Deus foram plantadas no coração daquele rapaz, e ele nunca mais será o mesmo. Mas repare que tudo começou em um coração repleto de compaixão, quando papai se deu ao trabalho de ouvir a história do jovem.

A Capacidade de Sentir Empatia

Uma das definições de *compaixão* é simplesmente "sentir o que a outra pessoa sente, demonstrar que você tem interesse e se preocupa". Em outras palavras, significa que quando você vê uma pessoa necessitada, sente a dor que ela está sentindo. Você passa tempo ao lado dela confortando-a. Quando alguém está desanimado, você sente o desânimo da pessoa. Você leva a sério o que está fazendo e faz o que pode para animá-la. Quando você vê alguém com problemas financeiros, não se limita a dar uns tapinhas nas costas da pessoa e entregar a ela um versículo da Escritura. Não, você passa tempo com ela e faz o que pode para ajudar. O seu interesse é genuíno. Você mostra a ela que realmente se importa.

Aonde quer que vamos hoje em dias as pessoas estão sofrendo, estão desanimadas; muitas tiveram seus sonhos interrompidos. Cometeram erros e agora vivem em uma confusão. Precisam sentir a compaixão de Deus e o amor incondicional Dele. Não precisam que alguém as julgue, critique ou lhes diga o que estão fazendo errado. (Na maioria dos casos, elas já sabem disso!) Precisam de alguém que lhes traga esperança e cura; alguém que lhes mostre a misericórdia de Deus. Na verdade, estão procurando um amigo, alguém que estará do lado delas para encorajá-las, que não terá pressa e ouvirá a história delas com um interesse genuíno.

O mundo anseia desesperadamente por sentir o amor e a compaixão de Deus.

O mundo anseia desesperadamente por sentir o amor e a compaixão de Deus. Mais do que qualquer outro atributo humano, acredito que o mundo esteja clamando por pessoas compassivas, pessoas que amem incondicionalmente, pessoas que não têm pressa e que podem parar para ajudar seus semelhantes.

Somos todos muito ocupados. Temos nossas prioridades, bem como planos e programas importantes. Com freqüência, temos a seguinte atitude: *Não quero ser incomodado. Não me perturbe com as suas dificuldades porque já tenho problemas demais.* Mas a Escritura diz: "Quem vir o irmão passando necessidade mas fechar o coração à compaixão, como pode estar nele o amor de Deus?"[1] Interessante, não é mesmo? A Palavra de Deus indica que cada um de nós tem um coração capaz de sentir compaixão, mas a questão é ele estar aberto ou fechado.

Além disso, a Bíblia diz o seguinte: "Devemos continuamente viver com amor sendo guiados pelo amor e seguindo o amor."[2] Quando Deus coloca o amor e a compaixão no seu coração por alguém, está lhe oferecendo a oportunidade de modificar a vida dessa pessoa. Você precisa aprender a seguir o amor. Não deixe de lhe dar atenção. Aja motivado por ele. Alguém precisa do que você tem.

Seguramente, quando Deus nos criou, inseriu Seu amor sobrenatural no coração de todos nós. Ele colocou em você o potencial de ter um espírito bondoso, dedicado, gentil e amoroso. E você tem a capacidade de demonstrar empatia, de sentir o que as outras pessoas estão sentindo. Como foi criado à imagem de Deus, você possui a capacidade moral de experimentar a compaixão de Deus no coração. Mas com excessiva freqüência, devido ao egoísmo, escolhemos fechar o coração à compaixão.

Como saber se o seu coração está aberto ou fechado? É fácil. Você se interessa pelas outras pessoas ou apenas consigo mesmo? Você se dá ao trabalho de fazer diferença na vida das pessoas, de encorajá-las, animá-las, de fazê-las se sentirem melhor a respeito de si mesmas? Você segue o fluxo de amor que Deus põe no seu coração com relação a outras pessoas? Ou está ocupado demais com os seus próprios planos?

Se você quer viver da melhor maneira possível agora, precisa se certificar de que está mantendo o coração de compaixão aberto. Precisamos ficar atentos às pessoas que podemos abençoar. Precisamos estar dispostos a ser interrompidos e incomodados de vez em quando, se isso significar que podemos ajudar a satisfazer as necessidades de outra pessoa.

Precisamos ficar atentos às pessoas que podemos abençoar.

Se você estudar a vida de Jesus, descobrirá que Ele sempre teve tempo para as pessoas. Nunca estava ocupado demais com a Sua agenda ou com os Seus planos. Não estava envolvido demais consigo mesmo a ponto de não se mostrar disposto a parar e a ajudar uma pessoa que estivesse passando necessidade. Ele poderia facilmente ter dito: "Veja bem, estou ocupado. Tenho uma programação para cumprir. Estou a caminho da próxima cidade e já estou atrasado." De jeito nenhum. Jesus tinha compaixão pelos seus semelhantes. Ele se preocupava com o que estavam passando e de bom grado dedicava Seu tempo a ajudá-las. Jesus doava livremente Sua vida. Acredito que é exatamente isso que Ele exige daqueles que afirmam hoje serem seus seguidores.

Muitas pessoas estão infelizes e não estão vivendo plenamente porque fecharam o coração à compaixão. Só são motivadas pelo que querem e pelo que julgam precisar. Raramente fazem qualquer coisa por alguém a não ser que tenham em mente um objetivo ulterior. Elas são egoístas e egocêntricas.

Mas se você tem vontade de experimentar a vida abundante de Deus, precisa afastar a atenção de si mesmo e começar a se dedicar a ajudar outras pessoas. Você tem de exibir e expressar o amor e a bondade de Deus onde quer que vá. Precisa ser uma pessoa de compaixão.

Consigo ouvi-lo dizer: "Mas, Joel, tenho tantos problemas. Se eu passar o tempo todo ajudando os outros, como vou resolver os meus problemas e satisfazer as minhas necessidades. Quando vou endireitar a minha vida?"

Aceite a minha palavra: se você se concentrar em satisfazer as necessidades das outras pessoas, Deus sempre tomará medidas para que as suas sejam supridas. Deus cuidará dos seus problemas para você.

Pare um Pouco para Escutar

O interessante é que Jesus era muito paciente com as pessoas. Ele parava para ouvir as suas histórias, não tinha pressa. Não tentava se livrar o mais rápido de uma pessoa para poder cuidar de outra mais importante ou fazer o que Ele queria fazer. Em vez disso, se detinha pacientemente para escutar os problemas de cada uma. E fazia o que era necessário para satisfazer as necessidades delas.

Às vezes, se nos déssemos ao trabalho de escutar nossos semelhantes, poderíamos ajudar a iniciar um processo de cura na vida deles. Um grande número de pessoas tem hoje muita mágoa e dor reprimidas dentro de si. Não têm ninguém com quem conversar; na verdade, não confiam mais em ninguém. Se você puder abrir o seu coração de compaixão e ser amigo de alguém, sem julgá-lo ou condená-lo, e simplesmente escutá-lo, talvez possa ajudar a aliviar o pesado fardo que ele carrega. Você não precisa conhecer todas as respostas. Só precisa se interessar.

Mais do que de conselhos, mais do que de instruções, as pessoas precisam que as escutemos. Muitas delas simplesmente precisam de alguém com quem possam conversar, com quem possam ser sinceras. Só necessitam de um amigo com quem possam contar. Você ficará impressionado com o impacto positivo que pode exercer no mundo, se aprender a ser um bom ouvinte.

Outro dia, um homem me procurou e começou a me descrever o seu problema, nos mínimos detalhes. Ele não parava de falar. Quatro ou cinco vezes, tentei interromper o monólogo tempo suficiente para oferecer meu conselho de especialista, mas não consegui uma brecha. Pensei: *Tenho um ótimo conselho para você. Conheço um versículo da Escritura que é perfeito para o seu caso. Sei exatamente o que você precisa fazer.* Tentei repetidas vezes, mas eu mal tinha a chance de dizer algumas palavras. Finalmente, o homem chegou ao fim da sua narrativa, e quando eu estava prestes a lhe oferecer a minha grande sabedoria, ele suspirou profundamente e disse: "Cara, estou me sentindo muito melhor. Deus acaba de falar comigo e me disse o que fazer." A seguir deu meia-volta e foi embora! Fiquei tão desapontado que quase saí correndo atrás dele.

Mas a seguir compreendi que ele não precisava da minha profunda sabedoria; não precisava da minha solução para o seu problema. Ele não precisava do meu conselho; só precisava que eu o escutasse.

Precisamos aprender a ser melhores ouvintes. Deus pode falar às pessoas e dizer-lhes o que fazer enquanto estão conversando com você sobre o problema delas. Nem sempre se apresse a dar sua opinião. Seja sensível às verdadeiras necessidades da pessoa que você espera poder ajudar. Freqüentemente, o que de fato queremos é fazer com que calem a boca, oferecer-lhes algumas palavras de estímulo, um versículo da Escritura mais ou menos apropriado e uma prece de 15 segundos; depois, podemos ir em frente e fazer o que queremos fazer. Mas Deus deseja que dediquemos nosso tempo às pessoas, que ouçamos com o coração, que mostremos a elas que nos preocupamos e que realmente estamos interessados no que têm a dizer.

Estendendo a Mão

Eu costumava sentir compaixão pelas pessoas o tempo todo, mas não sabia que era isso que eu estava sentindo. Achava que estava apenas com pena delas. No entanto, um dia, compreendi que Deus estava falando comigo, querendo que eu derramasse o Seu amor e mostrasse a Sua misericórdia para as pessoas que passam necessidade. Se tiver sensibilidade, conseguirá discernir o amor sobrenatural Dele se avolumando dentro de você, orientando-o para uma pessoa ou situação que Deus deseja ajudar por seu intermédio. Mas você precisa reconhecer o que está acontecendo e depois seguir esse amor. Muitas vezes complicamos demais a orientação de Deus. Todos queremos que Ele fale conosco, nos oriente, nos diga aonde devemos ir e a quem devemos oferecer bondade, amor, misericórdia ou ajuda física. Achamos que quando Deus falar conosco vamos sentir arrepios ou ouvir trovões no céu. Mas, meu amigo, quando você sente amor, está sentindo Deus. A maneira de Deus lhe dizer que você deve ser uma bênção para alguém é fazendo com que sinta compaixão. Vá adiante e encoraje-o. Veja como pode melhorar a vida dessa pessoa de alguma maneira.

Você pode estar em um restaurante superlotado quando, de repente, sente uma tremenda preocupação e compaixão por alguém do outro lado da sala. Você sente que ele carrega um fardo pesado e tem vontade de ajudá-lo. Você pode nem mesmo conhecê-lo, mas quer que a vida dele melhore. Deus pode muito bem estar falando com você, induzindo-o a ser uma bênção para essa pessoa. Por que você não paga o jantar dela? Pare na mesa dela e diga algumas palavras de estímulo. Faça algo para expressar o amor que Deus está inspirando dentro de você.

Sem dúvida você precisa ter discernimento. Certifique-se de que o que o está levando a querer agir dessa maneira é realmente um incentivo de Deus e não algum outro motivo. No entanto, na maioria das vezes, quando você estender a mão com interesse e compaixão, a sua tentativa de diálogo não será esmagada ou rejeitada.

"Vamos lá, Joel, as pessoas no restaurante estão ótimas. Estão rindo e se divertindo. Dão a impressão de não ter nenhum problema na vida. Elas não precisam do meu dinheiro. Vão achar que estou louca se eu pagar o jantar delas ou lhes disser que estou rezando por elas."

Talvez, mas provavelmente não é isso que vai acontecer. Deus não lhe daria um nível tão forte de compaixão por elas, se não precisassem do que você tem para dar. Podem estar sorrindo por fora, mas você não sabe o que está se passando dentro delas. Somente Deus é capaz de ver o coração de uma pessoa. E Deus sabe quando alguém está sofrendo. Ele sabe que pessoas estão solitárias. Sabe quais são as que estão prestes a tomar uma decisão errada. E se você ousar avançar com fé e estender a mão para elas com amor, fazendo com que saibam que você se interessa por elas, poderá ser aquele que irá ajudar a modificar a vida de alguém ou mantê-lo no rumo certo. Nunca se sabe o que uma palavra de estímulo pode fazer. Nunca se sabe o impacto que um único ato de bondade pode exercer.

Alguns anos atrás, acordei certa manhã realmente preocupado com um antigo amigo meu e sentindo uma profunda compaixão por ele. Eu não falava com ele havia pelo menos 15 anos, mas ele foi um dos meus melhores amigos na infância e na adolescência. Praticávamos esporte e passávamos muito tempo juntos. Sem nenhum motivo aparente, passei o dia pensando nele, esperando que estivesse bem.

Finalmente, comecei a entender que talvez Deus estivesse falando comigo e eu precisava fazer alguma coisa. Decidi telefonar para o meu amigo para dizer alô e perguntar como estava passando. Eu não tinha a menor idéia de como entrar em contato com ele, mas por fim consegui localizá-lo e lhe telefonei.

O meu amigo atendeu e eu disse:

— Olá cara, aqui é Joel Osteen. Pensei em você o dia inteiro. Como é que andam as coisas?

O telefone ficou completamente mudo. Nem uma palavra. Pensei: *Isso é muito estranho*. Eu não sabia o que estava acontecendo, mas permaneci na linha. Depois de 15 ou 20 segundos, notei que o meu colega estava arrasado do outro lado da linha. Pude perceber que estava chorando. Ele era um dos atletas mais durões que conheci naquela época. Eu nunca o tinha visto derramar uma única lágrima. Mas era o que ele estava fazendo agora. Quando ele finalmente se acalmou, disse:

— Joel, a minha mulher me deixou recentemente. E tenho andado extremamente deprimido e desanimado. Não sou uma pessoa religiosa, mas rezei: “Deus, se o Senhor ainda está aí, se realmente me ama, se se preocupa um pouco comigo, me dê algum tipo de sinal.” Logo depois o telefone tocou e era você.

Deus sabe o que está fazendo. Ele sabe quem está sofrendo, sabe quem chegou ao limite da resistência. Se você seguir esse fluxo de amor e compaixão até o fim, talvez seja a resposta para a prece de uma pessoa desesperada e solitária. Você talvez não perceba totalmente o impacto que um breve telefonema pode exercer. Você talvez não entenda a importância do que significa para uma pessoa solitária, que está sofrendo, ouvir as seguintes palavras: “Estive pensando em você. Estou preocupado com você. Eu o amo. Acredito em você. Quero rezar por você. Estou ao seu lado para o que der e vier.” Você talvez tenha esquecido como essas simples palavras de esperança podem ser poderosas e capazes de mudar a vida de alguém. Deixe que o amor o conduza através da vida. Nunca deixe de dar atenção ao sentimento de compaixão dentro de você. Aprenda a seguir o fluxo do amor divino de Deus. Ele orientará seus caminhos e lhe mostrará onde e como você deve expressar esse sentimento.

Às vezes você talvez precise correr o risco de parecer tolo, excessivamente espiritual ou pura e simplesmente ridículo, mas é melhor errar por ser excessivamente compassivo do que deixar escapar uma pessoa para quem você pode representar a última esperança. Há cerca de 15 anos, durante um serviço na Lakewood Church, mamãe estava no púlpito lendo a Escritura e dando as boas-vindas aos visitantes, como de costume. De repente, ela abaixou a cabeça e, sem nenhum motivo aparente, começou a chorar. Sentados na audiência, a minha família e eu nos perguntamos o que estaria acontecendo. Mamãe ficou em silêncio durante mais 30 ou 40 segundos. Finalmente, ergueu a cabeça e disse: “Não faça isso. Não faça isso. Há uma pessoa aqui que está prestes a fazer uma coisa que não deve. Por favor, não faça isso!”

Foi uma ocasião emocionante no serviço. Toda a congregação passou alguns minutos rezando. Mais ou menos naquele momento, reparamos em uma bela jovem saindo da parte de trás do auditório. Ela estava chorando ao se aproximar da frente do prédio. Depois de conversar com ela, descobrimos que estivera profundamente deprimida porque estava grávida e não era casada. A sua mente estava tão atormentada que ela chegou a achar que não valia mais a pena viver. Ela já tinha escrito um bilhete suicida e o deixara em casa. Mas alguma coisa lhe disse para ir à igreja uma vez mais. Ela não tinha a intenção de mudar de idéia, mas as palavras da minha mãe: “Não faça isso. Não faça isso”, penetraram o seu coração de modo sobrenatural. Ela percebeu, de imediato, que Deus a amava. Deus estava interessado nela e tinha um futuro para ela. Aquele momento lhe salvou a vida e deu uma reviravolta completa em sua vida.

Como precisamos aprender a seguir o fluxo da compaixão de Deus! Se mamãe tivesse pensado: *Ora, que bobagem. As pessoas vão achar que estou sendo excessivamente dramática ou ridícula,* uma jovem e o seu bebê talvez não estivessem vivos hoje.

Deus pode estar impelindo-o na direção de alguém a quem você precisa estender a mão. Se o nome de alguém estiver toda hora vindo à sua cabeça e você sentir compaixão por essa pessoa, faça alguma coisa. Não adie a sua ação; dê um telefonema para ela; vá visitá-la ou entre em contato com ela de outra maneira.

Você poderá dizer: "Rezarei por ela em particular; isso não basta?" Talvez, se for isso que Deus o está orientando a fazer. Mas com freqüência, Deus quer que você faça mais do que apenas rezar pelas outros. Ele quer que você entre em contato com a pessoa a quem Ele deseja expressar amor e compaixão. Talvez Deus queira que você esteja pessoalmente com ela. Ele pode lhe dar instruções para que você abrace essa pessoa "intocável" para que ela sinta o seu interesse. Se ela estiver muito longe, Deus poderá orientá-lo a lhe telefonar para que ele ouça a sua voz expressando o amor Dele por ela. Não exclua a possibilidade de uma viagem, mas se Deus quiser que você vá para um local distante para expressar o amor e a compaixão Dele, Ele lhe dará instruções específicas e inequívocas.

Você talvez esteja sentindo um amor especial pelos seus pais. É possível que esteja dizendo: "Assim que eu tiver tempo, irei visitá-los. Tão logo este período movimentado no trabalho acabar, assim que os meus filhos tiverem um intervalo nas aulas, irei." Não adie a visita. Temos de entender que quando a compaixão de Deus se manifesta em nós e sentimos um amor especial por alguém, esse sentimento está presente por uma razão específica. Deus não estimulou a compaixão em você por essa pessoa apenas porque Ele estava entediado e não tinha o que fazer. Você agora precisa corresponder ao Seu incentivo. Reconheça que embora seu conhecimento possa ser limitado, Deus é capaz de ver o futuro. Ele pode ter uma visão mais abrangente da nossa vida. Precisamos aprender a seguir rapidamente esse fluxo de compaixão.

Um Momento Insubstituível

Há alguns anos, bem cedo pela manhã, recebi um telefonema de meu pai. Naquela época, havia dois meses que ele estava fazendo diálise renal. Ele disse:

— Joel, eu não dormi muito à noite e realmente preciso ir à clínica para fazer diálise. Você poderia me levar?

— Claro, papai, estarei aí em um minuto — respondi. Olhei para o relógio e fiquei surpreso ao constatar que eram mais ou menos quatro horas da manhã. Eu me vesti depressa, peguei o carro e fui para a casa dos meus pais. Durante o trajeto, senti um tremendo amor e consideração pelo meu pai. Não era um afeto normal e sim um amor sobrenatural. Comecei a pensar em como ele tinha sido bom para mim, em como eu me sentia orgulhoso de tê-lo como pai e em como ele sempre tratara bem a nossa família. Senti esse enorme desejo de expressar amor pelo meu pai. Ele sabia que eu o amava, mas o que estava sentindo era diferente.

Assim sendo, naquela manhã, a caminho da clínica, fiz questão que o meu pai soubesse o quanto eu o amava. Eu lhe disse:

— Papai, vou fazer o possível para tornar a sua vida melhor, mais agradável, para fazer com que você sinta mais orgulho de mim.

Normalmente, quando eu levava meu pai para a diálise e depois que ele era ligado ao sistema e o procedimento começava, não havia muito mais a ser feito, de maneira que eu ia embora e voltava mais tarde para buscá-lo. O procedimento da diálise demorava em geral cerca de quatro ou cinco horas, de modo que eu ia trabalhar, resolver alguns assuntos ou simplesmente ia para casa até a hora de buscá-lo. Mas naquele dia algo dentro de mim me disse para ficar com ele, de modo que puxei uma cadeira e decidi ficar ao seu lado.

Eu não tinha planejado levá-lo para fazer diálise, de maneira que eu tinha várias coisas programadas para aquele dia. Mas eu simplesmente sabia que Deus queria que eu ficasse ali com o meu pai. Ele finalmente dormiu, e saí para comprar algo para no nosso café da manhã. Papai e eu nos divertimos muito tomando o café juntos e conversando. Finalmente, a sessão terminou e eu o levei para casa.

Quando estava indo embora pela porta dos fundos da casa dos meus pais, papai me chamou e me deu um grande abraço. Não era o tipo de abraço que ele normalmente dava. Foi um abraço demorado. Ele disse:

— Joel, você é o melhor filho que um pai poderia esperar ter. — Foi um momento realmente especial entre nós. Senti que de algum modo nós efetivamente nos conectamos. Senti que eu alcançara meu objetivo de fazer com que o meu pai soubesse o quanto eu o amava.

Fui embora naquela manhã sentindo-me muito bem, sabendo que papai sabia que eu o amava, seguro de que ele sentia orgulho de mim e certo de ter seguido o fluxo de compaixão em direção a ele.

E aquela foi a última vez que eu vi o meu pai vivo.

Foi a última vez que o abracei, a última vez que disse a ele que o amava. Mais tarde, naquele mesmo dia, papai teve um ataque do coração inesperado e foi ter com o Senhor.

Apesar da minha dor e das minhas lágrimas, mais tarde eu pensei: *Deus, como o Senhor é bom para mim. O tempo todo pensei que estava seguindo o fluxo do amor pelo bem do meu pai, apenas em benefício dele. Mas agora compreendo que o Senhor colocou aquele amor no meu coração também em meu benefício.* Como me sinto recompensado hoje, por saber que no último dia da vida do meu pai, fui capaz de expressar meu amor por ele. Como me sinto realizado, por saber que não sinto nenhum remorso. Eu não gostaria de ter dito mais nada ou de ter feito algo diferente. Estou completamente em paz.

Mas e se eu tivesse estado ocupado demais naquele dia? E se não tivesse seguido o fluxo de compaixão de Deus no meu coração? E se não tivesse sido sensível àquele amor e o seguido, expressando o que sentia para o meu pai? Eu teria deixado escapar algo precioso, um momento insubstituível da minha história e da do meu pai.

Quase sempre, quando estendemos a mão para uma pessoa, quando seguimos esse fluxo de amor, achamos que o estamos fazendo para o bem dela, em benefício dela. No entanto, posso lhe dizer por experiência própria que Deus às vezes insere a compaixão no nosso coração tanto para o nosso benefício quanto para o dos outros.

Mantenha aberto o seu coração de compaixão.

Mantenha aberto o seu coração de compaixão. Aprenda a ser rápido e seguir o fluxo do amor que Deus coloca no seu coração. Seja sensível e obediente ao que Deus quer que você faça. Você não vai se arrepender, nem agora, nem daqui a um milhão de anos!

CAPÍTULO 28

A SEMENTE PRECISA VIR EM PRIMEIRO LUGAR

Um dos principais impedimentos para que você viva da melhor maneira possível agora é o egoísmo. Enquanto permanecer concentrado no que quer, você nunca experimentará o que de melhor Deus tem a oferecer. Mas se você realmente quiser prosperar, precisa aprender a dar.

A Escritura diz: "O homem colhe aquilo que semeia."[1] Em toda a Bíblia, encontramos o princípio de semear e colher. Assim como o agricultor precisa plantar algumas sementes se espera ter uma colheita, nós também precisamos plantar boas sementes no campo da nossa família, carreira, negócios e relacionamentos pessoais.

E se o fazendeiro decidisse que não estava com vontade de plantar, que estava cansado, de modo que "sentiu-se levado" a ficar sentado esperando colher uma safra? Ele ficaria esperando a vida inteira! É preciso colocar a semente no solo. Esse é o princípio que Deus estabeleceu. Analogamente, se quisermos colher coisas boas, também precisamos plantar sementes de qualidade. Repare que colhemos o que semeamos. Se você quiser colher felicidade, precisa plantar algumas sementes de "felicidade", fazendo outras pessoas felizes. Se quiser colher bênçãos financeiras, precisa plantar sementes financeiras na vida dos outros. Se quiser colher amizades, deve plantar uma semente e ser um amigo. A semente tem sempre que vir em primeiro lugar.

Muitas pessoas não estão se desenvolvendo porque não estão semeando. Vivem vidas egocêntricas. Se não mudarem a sua ênfase e começarem a estender a mão aos outros, provavelmente permanecerão nessa condição.

Algumas pessoas dizem: "Joel, tenho muitos problemas. Não estou interessado em plantar sementes. Quero saber como posso sair dessa confusão." Mas é *exatamente* assim que você pode sair da confusão em que se encontra.

Se quer que Deus resolva os seus problemas, ajude a solucionar o problema de alguém. Ponha algumas sementes na terra!

FOME NA TERRA

Nos tempos bíblicos, uma grande fome assolou a Terra de Canaã. Os habitantes não tinham nem comida, nem água, e estavam passando terríveis necessidades. Isaac então fez uma coisa que as pessoas sem visão podem ter achado um tanto estranho: "No meio da fome, Isaac plantou uma semente na terra. E nesse mesmo ano, recebeu cem vezes o que havia plantado e o Senhor o recompensou enormemente."[2] Naquele momento de necessidade, Isaac não ficou aguardando, na expectativa de que alguém viesse socorrê-lo. De jeito nenhum. Ele agiu com fé. Ele se levantou no meio da fome e plantou uma semente. Deus multiplicou aquela semente de um modo sobrenatural e ela o livrou da sua necessidade.

Talvez você esteja passando hoje por algum tipo de privação. Pode ser uma privação financeira ou apenas uma carência de amigos. É possível que precise de uma cura física. Talvez precise de paz no seu lar. Seja qual for a necessidade, uma das melhores coisas que você pode fazer é deixar de pensar em si mesmo e ajudar alguém que esteja passando alguma necessidade. Se você está deprimido ou desanimado, não fique sentado sentindo pena de si mesmo. Procure alguém que possa levantar o seu ânimo. Plante algumas sementes de felicidade. É assim que se deve receber uma colheita. A semente sempre tem que vir em primeiro lugar.

Quando você satisfaz as necessidades de outras pessoas, Deus prometeu que tomará medidas para que as suas necessidades sejam supridas. Se quer que a cura e a reparação entrem na sua vida, ajude alguém a se recuperar. A Bíblia diz o seguinte: "Nos tempos de dificuldade, confiai no Senhor e fazei o bem."[3] Não basta dizer: "Deus, eu confio no Senhor. Sei que Você vai satisfazer todas as minhas necessidades." Essa atitude equivale à do agricultor que não planta nenhuma semente e espera colher uma safra fabulosa. A Escritura diz que existem duas coisas que devemos fazer nas ocasiões de dificuldades. Em primeiro lugar, devemos confiar no Senhor; e em segundo, devemos fazer uma coisa boa. Saia e plante algumas sementes. Se você precisa de um milagre financeiro, pague uma xícara de café para alguém amanhã de manhã ou aumente um pouco a sua contribuição na igreja. Se não tiver dinheiro, faça alguma coisa por alguém; corte a grama de uma pessoa, arranque as ervas daninhas do gramado ou lave as janelas dela. Prepare uma torta para alguém. Faça *alguma coisa* para pôr uma semente no solo.

Se você está solitário ou não tem amigos, não fique sentado em casa mês após mês, sozinho, sentindo pena de si mesmo. Vá até um abrigo de idosos e procure uma pessoa solitária que você possa ajudar. Vá até o hospital e encontre alguém que você possa alegrar. Se começar a plantar essa semente de amizade, Deus colocará uma pessoa maravilhosa na sua vida. Quando você faz outras pessoas felizes, Deus toma providências para que a sua vida fique repleta de alegria.

Precisamos pensar mais em ajudar os outros do que naquilo que precisamos. Nos seus momentos de necessidades, não fique sentado pensando na sua carência. Pense no tipo de semente que você pode plantar para conseguir sair da situação em que está.

Plante Algumas Sementes

Quando eu era menino, a Lakewood Church iniciou o seu primeiro programa de construção. Não tínhamos muito dinheiro, mas uma pequena igreja espanhola mais adiante, na mesma rua, também tinha um programa de construção. Certa manhã de domingo, o meu pai se levantou e anunciou à congregação que íamos receber doações, não para o nosso novo prédio, mas para a pequena igreja espanhola. Vários milhares de dólares foram doados naquela manhã e enviamos o cheque direto para a pequena igreja. A verdade é que precisávamos mais do dinheiro do que eles, mas papai entendia esse princípio. Ele sabia que precisava colocar no solo algumas sementes. Sabia que uma das melhores coisas que podia fazer naquela ocasião de necessidade era plantar uma semente. Pouco tempo depois, tínhamos todo o dinheiro de que precisávamos para pôr em andamento o nosso projeto de construção. Construímos aquele prédio, depois vários outros, e no decorrer dos anos, vivemos baseados no seguinte princípio: nas épocas de necessidade, plante uma semente.

Nas épocas de necessidade, plante uma semente.

Um versículo interessante da Escritura diz o seguinte: "É possível dar e ficar mais rico! Também é possível poupar demais e perder tudo. O homem liberal será rico! Ao regar os outros, ele rega a si mesmo."[4] Papai compreendia que se cuidasse generosamente dos outros, Deus cuidaria das necessidades dele. O mesmo se aplica a você. Se você se concentrar em dar generosamente para os outros, Deus tomará providências para que a sua vida seja renovada, mesmo que você tenha de atravessar um descampado seco e sombrio.

Há alguns anos, Dan perdeu a bela mulher com quem fora casado muitos anos. Ele ficou desolado, mas em vez de se concentrar na dor e na perda, ele quis ajudar alguém. Ele se aposentara da companhia telefônica, de modo que não estava bem certo de como as suas habilidades poderiam ser úteis a outra pessoa. Ele disse: "Tudo que eu realmente sei fazer é confortar pessoas que perderam um ente querido." A atitude dele era a seguinte: *Eu já passei por essa experiência. Sei o que você está passando.*

Dan começou a aparecer nos enterros onde papai estava conduzindo o serviço. Freqüentemente ele não tinha nenhuma ligação pessoal com a família que estava sofrendo; às vezes nem mesmo conhecia a pessoa que falecera, mas ia aos enterros apenas para estimular as pessoas, para demonstrar amor e compaixão. Com o tempo, papai notou que Dan tinha um dom para confortar e consolar os que sofriam. Certo dia, o meu pai convidou Dan para fazer parte do quadro de pessoal da igreja e hoje, Daniel Kelley é o chefe do "Ministério do Consolo".

Daniel não permaneceu concentrado nos seus problemas. Não desenvolveu a atitude egoísta de: *Quem vai me ajudar a tornar a minha vida melhor?* Ele foi proativo e tomou a iniciativa. Quando começou a satisfazer as necessidades de outras pessoas, Deus começou a modificar a situação. Além de ajudá-lo a atravessar aquele período difícil, Deus levou uma bela mulher para a vida dele. Hoje ele e Shirley estão casados e felizes, e juntos continuam a plantar as sementes da bondade de Deus.

Deus fará algo semelhante por você. Se você ousar plantar uma semente na sua época de necessidade, Deus fará mais do que você consegue pedir ou imaginar. A minha vida se apóia nesse princípio. Quando me vejo tentado a ficar desanimado, afasto a atenção de mim mesmo e procuro ajudar outra pessoa. Gosto de ir aos hospitais e visitar os doentes quando estou começando a ficar deprimido. Como às vezes não tenho tempo de fazer isso, mantenho sempre uma pilha de pedidos de orações perto da minha mesa.

Tive recentemente um desses dias em que tudo dá errado. Tive importantes decepções. Vim para casa exausto e desanimado. Sentei-me na minha poltrona predileta e comecei a assistir à televisão, ainda pensando nos meus problemas. Quanto mais eu pensava, pior me sentia. Finalmente, decidi plantar uma semente no meu momento de necessidade. Fui até o escritório e peguei um desses pedidos de oração. Telefonei para um rapaz que estava hospitalizado havia vários meses. Eu não me lembrava de tê-lo encontrado pessoalmente, mas quando comecei a encorajá-lo, pude sentir a alegria voltando. Pude sentir o meu estado de espírito se elevando. Quando desliguei o telefone, eu era uma nova pessoa. Tinha a impressão que conseguiria saltar por cima de um muro.

Finalmente, nos seus momentos de dificuldades, não fique sentado sentindo pena de si mesmo. Vá plantar uma semente. Além disso, não precisa esperar ter um problema para começar a semear. Devemos permanecer constantemente atentos às maneiras pelas quais podemos ser uma bênção e não apenas quando estamos em apuros. Devemos nos levantar todos os dias procurando maneiras de ajudar os outros. Se fizer isso, a Bíblia diz que as bênçãos de Deus o perseguirão e o alcançarão.

É bem verdade que a tentação de ser egoísta é forte. Muitas pessoas boas são engolidas pela armadilha de viver com a atitude de: *O que vou lucrar com isso? Como você pode me ajudar? Como você pode tornar minha vida melhor? Como você pode resolver meus problemas?*

Nossa atitude deve ser exatamente a oposta: *Quem posso abençoar hoje? Onde existe uma necessidade que posso satisfazer? Quem posso encorajar? Quem posso animar?*

Tomei uma decisão. Vou ser um doador na vida. Vou fazer algo bom. Estou em busca de oportunidades para plantar algumas sementes. Por quê? Simplesmente porque aprendi que plantar sementes funciona! E quero garantir que sempre terei uma grande colheita.

FAÇA ALGO FORA DO COMUM

Um homem certa vez me escreveu e disse: "Joel, gostei muito da gravata que você usou semana passada na televisão." Eu a coloquei então em uma caixa e a enviei pelo correio para ele. Pensei: *Essa oportunidade é boa demais para que eu a deixe escapar.* (Não vá me escrever e dizer que você gosta do meu terno ou do meu carro, porque isso seria trapacear. Você conhece o meu segredo!)

Você poderá dizer: "Joel, eu nunca poderia fazer algo assim, dar uma coisa para uma pessoa apenas porque ela me fez um elogio."

Tudo bem, mas faça o que puder. Você pode dar uma carona para alguém. Pode telefonar para uma pessoa e estimulá-la. Pode ir ao supermercado para uma pessoa idosa. Certamente pode fazer alguma coisa! Comece hoje!

Aprenda a esticar a sua fé. Faça algo fora do comum. Se você deseja uma colheita extraordinária, plante uma semente extraordinária. Em vez de ficar sentado em casa todas as noites assistindo à televisão, por que não passar parte desse tempo fazendo algo bom para outra pessoa? Em vez de sair para jantar em um restaurante caro, por que não poupar esse dinheiro e plantá-lo como uma semente? Se você normalmente doa dez por cento da sua renda, estique um pouco a sua fé e dê 11. Ponha um pouco mais de sementes no solo e observe o que Deus fará. A Escritura diz o seguinte: "A medida com que medirdes será usada para medir-vos."[5] Em outras palavras, se você der uma colher de chá de alguma coisa, receberá de volta algo em uma colher de chá. Se der em uma pá, receberá de volta em uma pá. E se der um caminhão dessa coisa, receberá de volta caminhões de bênçãos na sua vida!

A Bíblia diz claramente: "Quem pouco semeia também pouco colhe, e quem semeia com largueza, colhe com largueza."[6] Se você não está satisfeito com a sua situação na vida, aumente o número de sementes que está plantando. O tamanho da sua colheita depende da quantidade de sementes que você planta. Certamente, algumas pessoas vivem com uma renda apertada e gastam tudo o que têm para chegar ao fim do mês. O meu coração me diz para dizer a elas: "Fiquem com tudo que vocês têm porque precisam desse dinheiro." Mas sei que os princípios de Deus são verdadeiros. E também sei que é fundamental que as pessoas com as maiores necessidades continuem a semear.

Victoria e eu estávamos sendo servidos certa vez por um rapaz quando tomávamos o café da manhã em um hotel. Quando abri a conta, encontrei uma nota que dizia: "Obrigado." Ele pagara o nosso café da manhã.

A primeira coisa que pensei foi: *Nossa! Que gentileza da parte dele, mas é apenas um rapaz. Provavelmente ganha o salário mínimo. Precisa muito mais desse dinheiro do que nós.*

Além disso, a refeição estava incluída no preço do quarto! Tudo que tínhamos de fazer era assinar a conta, porque ele seria gratuito de qualquer modo.

Que dilema! Victoria e eu conversamos calmamente sobre o que deveríamos fazer. Ela perguntou:

— Joel, você não acha que deveríamos contar para ele? Talvez ele possa pegar o dinheiro de volta.

— Bem, poderíamos fazer isso, mas não creio que devamos — respondi. — Embora tenhamos vontade de fazer isso, não podemos privá-lo da sua bênção. Ele plantou uma semente ao fazer algo bom por nós. Não queremos arrancar a semente dele do chão e devolvê-la para ele. Isso seria prestar-lhe um desserviço.

Embora soubéssemos que ele precisava daquele dinheiro, também sabíamos que por ele ter plantado aquela semente, Deus iria multiplicá-la para ele. Sabíamos que Deus iria lhe dar uma colheita maior. Assim sendo, agradecemos o presente generoso do rapaz e sussurramos uma prece para que Deus o abençoasse com abundância.

Entenda que plantar uma semente não substitui o dízimo. Na verdade, é geralmente quando damos acima dos dez por cento da nossa renda que esse princípio se acelera. Diz a Bíblia: "O dízimo é do Senhor. E é sagrado." Isso significa que o primeiro décimo da sua renda não pertence a você. Pertence a Deus e deve ser oferecido à igreja que você freqüenta. Quando você o retém, está de verdade roubando de Deus. Desse modo, se você não está plantando nada, o dízimo é uma boa maneira de começar!

Você pode estar pensando: *Joel, eu simplesmente não posso me permitir pagar o dízimo*. Não, a verdade é que você não pode se permitir *deixar* de pagar o dízimo. Em primeiro lugar, seria tolice tentar roubar a Deus; e segundo, você precisa pôr algumas sementes no solo. Se ousar dar um passo de fé e começar a privilegiar Deus nas suas finanças, Ele começará a aumentar seu suprimento de uma maneira sobrenatural. Deus pegará os 90 por cento que sobraram e fará com que eles vão mais longe do que os 100 por cento com os quais você começou. A Escritura diz que quando pagamos o dízimo, Deus não apenas abre as janelas do céu, como também repreenderá o devorador pelo seu bem.[7] Isso significa que Ele manterá o inimigo afastado do seu dinheiro, da sua colheita, dos seus filhos e do seu lar. Ele tomará providências para que você progrida, fará com que você faça os melhores negócios na vida. Às vezes, Ele o manterá afastado das doenças, acidentes e males que poderiam causar outras despesas desnecessárias. Todos os tipos de bênçãos vêm na sua direção quando você privilegia Deus na área das suas finanças.

Você não pode roubar a Deus e ao mesmo tempo esperar que Ele o abençoe.

Por outro lado, você não pode roubar a Deus e ao mesmo tempo esperar que Ele o abençoe. É preciso que você entenda que Deus não precisa do seu dinheiro, do seu tempo nem do seu talento. Deus não nos pede que doemos por estar tentando conseguir algo de nós. De jeito nenhum. Na verdade, Ele está tentando fazer com que coloquemos algumas sementes no solo para que possamos ter uma colheita. Deus age de acordo com as leis que criou e se você não semear, não colherá. É extremamente simples. Mas se você tiver fé e fizer o que Deus lhe disser para fazer, Ele honrará a lei do semear e colher. Você talvez não tenha muito para dar, mas Deus o abençoará se começar onde está.

Não espere até ter mais; comece agora. É dessa maneira que receberá mais coisas de Deus. Você deve plantar algumas sementes e depois Deus o abençoará com mais. A seguir poderá semear um pouco e assim por diante. É assim que você vai aumentando. Mas se não tiver fé com o que tem neste momento, como Deus pode entregar-lhe mais?

A Escritura não é ambígua com relação a esse assunto. Ela diz: "Põe Deus primeiro em tudo que fizeres e ele te orientará e coroará os teus esforços com o sucesso."[8] Se quiser prosperar nas finanças, ponha Deus em primeiro lugar. Se quiser prosperar no negócio, ponha Deus em primeiro lugar. Quando você honra a Deus, Ele sempre o honrará. E é interessante que o único lugar na Bíblia em que Deus nos diz para pô-Lo à prova é na área das finanças. Se você tiver fé e mostrar a Deus que é confiável com o que você tem neste momento, não existe limite para o que Deus fará na sua vida.

CAPÍTULO 29

SEMEANDO E CRESCENDO

O mar Morto é uma das massas de água mais fascinantes do planeta. Devido à elevada concentração de minerais, até mesmo uma pessoa que não saiba nadar consegue permanecer à tona. Um ser humano, na verdade, pode efetivamente sentar-se na água e ler um jornal sem afundar. No entanto, as excursões à área interromperam há muito tempo os banhos dos turistas céticos ou audaciosos. O problema é que quando a pessoa sai da água, ninguém quer sentar perto dela! A água tem um fedor horrível.

O mar Morto é alimentado pelo rio Jordão de Israel e não tem um escoadouro. Toda a água que flui para ele fica estagnada. Embora seja interessante observar o local e fascinante estudá-lo, a água não pode ser bebida, é poluída e pútrida.

Essa é uma boa imagem da pessoa que vive de uma forma egoísta, que toma em vez de dar. Deus não nos criou para ser um reservatório que só faz recolher. Ele nos criou para ser um rio em constante movimento. Quando vivemos de um modo egoísta, sempre recebendo, sempre tomando sem nunca dar nada, ficamos estagnados e poluídos. Falando diretamente, a nossa vida começa a feder. Assumimos uma atitude amarga; não é divertido ficar do nosso lado, pois estamos irritados e mal-humorados. E tudo isso porque nada emana de nós. Deus quer colocar coisas boas na sua vida, mas se você quiser viver o melhor possível agora, precisa aprender a deixar que essas coisas boas fluam através de você em direção aos outros. À medida que fizer isso, o seu suprimento será reposto e a sua vida permanecerá viçosa.

Pare de acumular o que Deus lhe deu e comece a compartilhá-lo com os outros. Compartilhe seu tempo, sua energia, suas amizades, seu amor e seus recursos. Se Deus lhe deu alegria, divida-a com outra pessoa. Faça alguém feliz; levante o ânimo de outra pessoa; seja um amigo para alguém. Se Deus lhe concedeu o talento e a habilidade de ganhar dinheiro, pare de simplesmente acumulá-lo para si mesmo; compartilhe esses recursos com os outros. Não se permita ficar estagnado. Você precisa manter o seu rio em movimento. É assim que pode verdadeiramente prosperar na vida e ser feliz.

Se Deus lhe deu alegria, divida-a com outra pessoa.

"Joel, a minha vida está cheia de dificuldades no momento. Quando eu me livrar de todos os problemas, estou firmemente decidido a ajudar alguém."

Você está fazendo as coisas ao contrário. Primeiro deve ajudar alguém e depois Deus começará a modificar sua situação. Lembre-se do princípio fundamental: primeiro você precisa plantar a semente para depois ter a colheita. Se quer ficar curado, plante uma semente ajudando outra pessoa a se recuperar. Se quer ser feliz, ajude outra pessoa a desfrutar um pouco de felicidade. Se está tendo dificuldades financeiras, dê algum dinheiro para alguém que está passando necessidade, ajude os pobres ou doe um pouco mais para a sua igreja. Você precisa plantar algumas sementes se está esperando ter uma colheita!

Quando você atravessa tempos difíceis, é fácil se concentrar apenas nas suas necessidades, no que está errado na sua vida, devido ao estresse. Mas o melhor alívio para o estresse é parar de pensar em si mesmo e ajudar outra pessoa. Algo sobrenatural acontece quando afastamos a atenção das próprias necessidades e a voltamos para a necessidade dos outros. O poder sobrenatural de Deus parece ser ativado por meio de gestos altruístas. Quando tiver um problema, não se concentre na sua necessidade; pense no tipo de semente que você pode plantar para escapar do problema.

Plante uma Semente nos Seus Momentos de Necessidade

Alguns cristãos do século I estavam lutando para sobreviver na cidade grega de Corinto. Diz a Bíblia: "As pessoas se encontravam em extrema pobreza e tinham imensas tribulações."[1] O que fizeram naqueles momentos de necessidade? Elas se queixaram e reclamaram? Elas disseram: "Deus, por que estamos tendo tantas dificuldades?" De modo algum. A Escritura registra: "No meio das suas grandes tribulações, elas permaneceram repletas de alegria e fizeram generosas doações."[2] Repare que essas pessoas plantaram uma semente em um momento de necessidade. Sabiam que se pudessem satisfazer as necessidades de outras pessoas, Deus satisfaria as delas.

Nos seus momentos de dificuldade, faça exatamente o que elas fizeram. Em primeiro lugar, permaneça repleto de alegria. Em seguida, plante uma semente. Ajude uma pessoa e será ajudado.

Se você foi demitido, não fique sentado sentindo pena de si mesmo; ofereça-se como voluntário para algum trabalho. Plante uma semente enquanto espera que a próxima porta de oportunidade se abra. Se está rezando para pedir um carro novo, em vez de se queixar do que tem agora, plante uma semente dando uma carona para alguém. Se está rezando para pedir que o seu negócio seja abençoado, ajude o negócio de outra pessoa a progredir. Faça algo para colocar no chão algumas sementes.

Li a respeito de uma mulher que queria começar um novo negócio — um *pet shop* com serviços a domicílio. Ela pensou: *Não posso arcar com as despesas de propaganda, mas preciso pentear e enfeitar alguns cachorros para que o meu negócio prospere. Que tipo de semente posso plantar para atrair alguns clientes?* Ela decidiu ir até um abrigo da Sociedade Protetora de Animais e pentear e enfeitar de graça os cachorros, para que tivessem uma maior probabilidade de serem adotados. Ela fez isso vários meses seguidos e o seu negócio começou a crescer. Hoje em dia ela tem mais clientes do que é capaz de atender. O seu negócio é tão abençoado que os clientes precisam marcar hora com três ou quatro meses de antecedência!

Se você plantar uma semente extraordinária, colherá uma safra extraordinária. Estou certo de que quando aquela mulher apareceu pela primeira vez na Sociedade Protetora dos Animais querendo enfeitar os cachorros abandonados, as pessoas devem ter achado a atitude dela um pouco estranha ou pensado que ela amava obsessivamente os cães, mas ela não se importou. Sabia que tinha de colocar no solo algumas sementes, de modo que tomou a iniciativa. Ela pôs um pouco de ação por trás de suas preces. Não se limitou a rezar: "Deus, por favor faça o meu negócio prosperar." Ela se levantou com fé e plantou uma semente no seu momento de necessidade, e Deus lhe ofereceu um aumento sobrenatural.

Você pode dizer: "Joel, como eu gostaria que Deus fizesse isso por mim."

Ele pode fazê-lo, mas a questão é a seguinte: Que semente você está colocando no solo? Está fornecendo a Deus alguma coisa com a qual Ele possa trabalhar? Se não estiver, comece a planejar e a plantar!

Diz a Bíblia: "Doa generosamente, pois as tuas dádivas voltarão mais tarde para ti. Divide as tuas dádivas entre muitos, pois nos dias que virão poderás precisar de muita ajuda."[3] Repare que Deus nos está dando aqui um princípio que fará com que as nossas necessidades sejam supridas durante os tempos difíceis que de vez em quando têm lugar. Dê generosamente agora, porque no futuro você poderá precisar de ajuda.

Imagine a coisa assim: quando você dá, está armazenando a bondade de Deus e a graça Dele, de modo que na sua época de necessidade, terá uma colheita à qual Deus poderá "recorrer" para satisfazer a sua necessidade. Você talvez não tenha necessidades prementes hoje. Isso é ótimo! Mas não deixe que isso o impeça de dar. Você precisa se preparar para o futuro. Quando tiver uma necessidade, Deus estará presente para ajudá-lo. Dar é parecido com tomar um medicamento preventivo. Você está armazenando a bondade de Deus.

Certo homem me disse:

— Joel, já fiz doações e vou continuar fazendo, mas nunca tenho uma colheita. Estou sempre no lado que dá, nunca no que recebe.

— Mesmo que você não veja nada acontecendo agora, não desanime — disse eu a ele. — Não pare de doar. Você precisa compreender que está armazenando a bondade de Deus, e Ele prometeu que as suas dádivas generosas voltarão para você. Um dia, quando mais precisar, elas aparecerão para ajudá-lo.

Mencionei anteriormente o encontro do meu pai com um rapaz que estava em dificuldades no aeroporto de um país estrangeiro. Papai o ajudou dando-lhe dinheiro para que ele pudesse voltar para casa. O meu pai compreendia o princípio de armazenar a bondade de Deus e sabia que, se ajudasse o filho de uma pessoa que estivesse em dificuldades, Ele tomaria providências para que alguém ajudasse a ele e os seus filhos em uma ocasião de necessidade.

Alguns anos depois estávamos na Índia, viajando de carro. Era tarde da noite e estávamos voltando para o hotel. Já tínhamos viajado cerca de duas horas quando o carro enguiçou. Estávamos abandonados no meio do nada. Embora fossem uma ou duas horas da madrugada, um grupo de pessoas logo se aproximou. Em pouco tempo, estávamos cercados por 50 ou 60 pessoas que olhavam fixamente para nós. A situação era bastante tensa, pois "turistas" americanos não eram uma visão comum naquela parte da Índia e tampouco uma visão bem-vinda. O pior é que não falávamos a língua deles, de modo que estávamos um pouco nervosos e preocupados com a segurança.

De repente, vimos outro carro se aproximando, vindo não se sabe de onde. Era um carro grande, de luxo, um veículo especialmente incomum para aquela região da Índia. Era o primeiro carro que aparecia depois que tínhamos enguiçado. O motorista nos viu no acostamento e parou. Quando ele descobriu o que estava acontecendo, aproximou-se de nós e ficamos surpresos ao constatar que ele falava inglês. Em uma voz suave e delicada, ele disse: "Não tenham medo. Vou levá-los ao seu destino."

Nunca tínhamos visto aquele homem antes, mas entramos no carro dele. Ele nos levou até o hotel, uma viagem de cinco horas! Quando chegamos em segurança ao hotel, quisemos pagá-lo pelo tempo despendido e por tudo que fizera, mas ele não aceitou de jeito nenhum.

Não pude deixar de pensar no rapaz que meu pai ajudara no aeroporto alguns anos antes. Papai fizera um investimento: ele armazenara a bondade de Deus, plantara todas aquelas sementes. Mais tarde, a sua generosidade voltou para ele quando ele mais precisava.

Deus mantém um registro de todas as boas ações que você já praticou.

Deus mantém um registro de todas as boas ações que você já praticou. Ele mantém um registro de cada semente que você já plantou. Você acha que passaram despercebidas, mas Deus tudo viu. E no seu momento de necessidade, Ele tomará medidas para garantir que alguém esteja presente para ajudá-lo. As suas dádivas generosas voltaram para você. Deus viu cada sorriso que você já deu para uma pessoa que estava sofrendo. Ele observou todas as vezes que você se esforçou para ajudar alguém. Deus testemunhou quando você se sacrificou, até mesmo dando um dinheiro do qual talvez precisasse desesperadamente para si mesmo ou para a sua família. Deus está registrando tudo. Algumas pessoas lhe dirão que não faz diferença você dar ou não, ou que não adianta nada. Mas não preste atenção a essas mentiras. Deus prometeu que as suas dádivas generosas voltarão para você.[4] No seu momento de necessidade, devido à sua generosidade, Deus moverá o céu e a terra para garantir que você esteja recebendo cuidados.

Certo dia eu estava pensando em todas as sementes que a nossa igreja semeou ao longo dos anos. Não estou dizendo isso com arrogância, mas a igreja doou uma enorme quantidade de dinheiro para ajudar pessoas que estavam sofrendo. Não há como dizer quantas vidas nós tocamos. Além disso, durante quase meio século, Lakewood tem sido um norte, não apenas para a nossa cidade, mas enviando uma mensagem de esperança e estímulo para as pessoas em todo o mundo.

Em junho de 2001, a região de Houston foi atingida por uma tempestade tropical que resultou em enchentes devastadoras que cobriram grande parte das regiões mais baixas da cidade. A Lakewood Church foi uma das poucas áreas que não ficaram submersas, de modo que quase imediatamente, a igreja se tornou um abrigo de emergência para onde as equipes de resgate começaram a transportar pessoas. Nunca tínhamos pensado em abrigar centenas de pessoas na propriedade da igreja e tampouco estávamos preparados para isso, mas a necessidade se fez presente e as pessoas estavam chegando, de modo que membros da igreja trabalharam 24 horas por dia para acomodar todos os que tinham sido obrigados a sair de casa devido à enchente, cujas águas não paravam de subir.

Uma rede de televisão que estava fazendo a cobertura da enchente fez uma reportagem "ao vivo" do nosso estacionamento, e durante a entrevista o repórter perguntou a um dos funcionários da Lakewood o que estávamos precisando. "Comida, roupas, cobertores e suprimentos", respondeu o funcionário.

Em poucas horas todos os tipos de suprimentos, doados por membros da nossa congregação e por pessoas da cidade e do país inteiro, começaram a chegar à igreja. Como resultado, fomos capazes de alimentar, abrigar, vestir e cuidar de milhares de pessoas da comunidade que estavam temporariamente sem ter onde morar. Nunca me esquecerei da fila de carros e caminhões, que se estendia por quilômetros, com suprimentos, comida, cobertores e várias outras coisas para serem distribuídos para as famílias desabrigadas. Finalmente tivemos de pedir às pessoas que parassem de trazer suprimentos. Não tínhamos mais onde guardá-los! As coisas foram empilhadas até o teto. Durante várias semanas, a principal tarefa da nossa igreja era servir as vítimas da enchente da comunidade. Mais tarde, pudemos ajudar muitas delas a reconstruir as suas casas e retomar a vida.

O espírito da nossa igreja sempre foi o da doação. É de causar espanto, então, que Deus tenha nos ajudado no nosso momento de necessidade? Todos as nossas dádivas, toda a nossa generosidade, todas as sementes que plantáramos ao longo dos anos haviam sido armazenadas. E quando mais precisamos, Deus simplesmente estendeu a mão e utilizou a nossa colheita. Ele supriu nossas necessidades.

Quando Deus for usar a sua colheita, haverá alguma coisa lá? Você está plantando sementes de bondade? Está mantendo Deus em primeiro lugar nas suas finanças? Está vivendo para dar ou para receber?

Uma pessoa cética me disse certa vez:

— Joel, estou com a impressão de que você está dizendo que se eu não der e se nunca praticar boas ações, que Deus nunca satisfará as minhas necessidades.

— Não, eu não disse isso. Você precisa entender que o amor de Deus é incondicional e a graça Dele é um favor imerecido — retruquei. — Deus dá a todos nós coisas que não merecemos e não poderíamos obter, por mais boas ações que praticássemos. Mas estou dizendo que as nossas dádivas, os nossos atos de bondade, recebem a atenção de Deus de uma maneira especial.

Deus Vê as Suas Dádivas

Há uma história na Bíblia sobre um capitão do exército romano chamado Cornélio. Diz a Bíblia: "Ele era um bom homem. Rezava com freqüência e dava muito para os pobres."[5] Uma tradução *(The Living Bible)* diz o seguinte: "Ele era um doador generoso." Cornélio e seus familiares se tornaram a primeira família não-judia a receber as boas notícias e a experimentar a salvação depois da ressurreição de Jesus.

Por que ele foi escolhido? Por que Deus o escolheu para receber essa honra? A Escritura nos diz que Cornélio teve uma visão de um anjo que lhe disse: "As tuas preces e esmolas foram lembradas diante de Deus."[6] *The Living Bible* diz o seguinte: "As tuas preces e a tua caridade não passaram despercebidas de Deus!" Meu amigo, não deixe ninguém convencê-lo de que dar não faz diferença. Cornélio foi escolhido por causa do seu espírito generoso.

Analogamente, quando damos, chamamos a atenção de Deus. Não estou sugerindo que podemos comprar milagres. Não estou dizendo que você precisa pagar a Deus para ter suas necessidades satisfeitas, mas estou dizendo que Deus vê as suas dádivas. Ele vê seus atos de bondade, vê todas as vezes que você ajuda alguém. E como no caso de Cornélio, Deus fica satisfeito quando você dá, de modo que derramará a graça Dele de uma nova maneira na sua vida.

No seu momento de necessidade, apóie as preces com alguma ação. Se está rezando para pedir uma promoção no trabalho, não diga apenas: "Deus, estou contando com o Senhor. Deus, sei que vai atender o meu pedido."

Plante algumas sementes. Faça mais do que apenas rezar. Por que você não faz como Cornélio e alimenta os pobres ou faz alguma coisa para colocar essa semente no solo? As suas dádivas serão lembradas diante de Deus.

Talvez você esteja rezando hoje para pedir que o seu casamento seja restaurado ou que outro relacionamento melhore. Talvez esteja com esperança de comprar uma casa nova ou se livrar de uma dívida. Plante uma semente especial relacionada com a sua necessidade específica. Não podemos comprar a bondade de Deus, mas como Cornélio, podemos exercitar nossa fé por meio da generosidade.

Todas as vezes que Deus coloca um sonho maior no coração de Victoria e no meu, sempre que Ele expande a nossa visão, depois que rezamos a respeito, plantamos uma semente de fé. Podemos plantar uma semente dedicando nosso tempo a um projeto, semeando uma doação especial ou apenas abençoando alguém de uma maneira especial. Mas fazemos alguma coisa para amparar as nossas preces com alguma fé.

Victoria e eu tínhamos alguns anos de casados quando decidimos que queríamos vender nossa casa de dois andares em um condomínio e comprar uma casa isolada. Colocamos a casa à venda durante seis ou oito meses, mas não recebemos nenhuma oferta concreta. As pessoas mal olhavam para ela, embora estivéssemos rezando regularmente, pedindo a Deus que nos ajudasse a vendê-la.

Nós realmente queríamos a outra casa, mas só teríamos dinheiro para comprá-la se vendêssemos a primeira. Finalmente, chegamos à conclusão de que precisávamos fazer mais do que rezar. Tínhamos de plantar uma semente especial com fé, acreditando que a casa ia ser vendida.

Na ocasião, estávamos fazendo em dobro os pagamentos da hipoteca da casa, na tentativa de antecipar o pagamento do principal. Decidimos então fazer apenas o pagamento necessário e plantar a segunda parte do dinheiro como uma semente, acreditando na graça de Deus. Fizemos isso religiosamente durante vários meses, rezando para que a casa fosse vendida. Mais ou menos depois do quarto mês, recebemos um telefonema da corretora. Ela disse:

— Tenho boas notícias! Tenho uma oferta para a sua casa.

— Isso é ótimo — retruquei. — De quanto?

— Deixe-me ir até sua casa e conversaremos — respondeu ela.

O meu coração ficou apertado. Geralmente quando o corretor quer conversar com o vendedor sobre uma proposta recebida, isso significa que o preço oferecido é baixo. Mas quando ela chegou à nossa casa, ficamos agradavelmente surpresos, porque a oferta correspondia ao preço que estávamos pedindo pela casa. Estávamos pensando que íamos ter de abater milhares de dólares. No entanto, acredito que pelo fato de termos plantado uma semente com fé, Deus não apenas nos trouxe um comprador, como também fez mais do que poderíamos pedir ou imaginar. Ele nos deu mais ainda do que estávamos esperando!

É assim que Deus atua.

A Escritura diz o seguinte: "Quando damos, Deus é capaz de nos compensar completamente dando-nos tudo que precisamos e mais ainda, de maneira que não apenas haja o suficiente para as nossas necessidades, como também tenhamos uma grande sobra para que possamos dar alegremente para os outros."[7] Deus prometeu que quando dermos, Ele nos devolverá o que demos, acrescentando depois um pouco mais.

Talvez você esteja em uma situação semelhante à que Victoria e eu estávamos, na qual você está rezando, acreditando e esperando que algo mude, mas, até agora, nada aconteceu. Talvez você precise plantar uma semente especial. Semeie o seu tempo. Semeie uma doação especial. Faça algo fora do comum como uma expressão da sua fé. Se fizer isso, a sua dádiva subirá como subiram as dádivas de Cornélio, sendo lembradas diante de Deus. Ele começará a derramar a graça Dele de uma nova maneira.

Faça algo fora do comum como uma expressão da sua fé.

Meu amigo, se você quer viver da melhor maneira possível agora, não acumule as coisas que Deus lhe deu. Aprenda a semeá-las com fé. Lembre-se de que quando você dá, está preparando o caminho para que Deus satisfaça suas necessidades agora e no futuro. Quando você é generoso com os outros, Deus sempre será generoso com você.

SÉTIMA PARTE

ESCOLHA A FELICIDADE

CAPÍTULO 30

A FELICIDADE É UMA ESCOLHA

Depois de vencer os seis primeiros passos para viver da melhor maneira possível agora, você poderá ficar tentado a pensar que essa melhor maneira de viver ainda está muito distante. Na verdade, nada poderia estar mais longe da verdade. Essa melhor maneira de viver começa hoje! Deus quer que você aproveite a sua vida agora. O sétimo passo para que você viva da melhor maneira possível agora é *escolher ser feliz hoje!* Você não precisa esperar que tudo esteja perfeitamente consertado na sua família ou no seu negócio, ou que todos os seus problemas estejam resolvidos. Não precisa renunciar à felicidade até perder peso, eliminar um hábito nocivo ou realizar todos os seus objetivos. De jeito nenhum. Deus quer que você seja feliz onde você está, neste exato momento.

A felicidade é uma escolha. Quando você se levanta de manhã, pode escolher ser feliz e desfrutar o dia, ou ser infeliz e passar o dia com uma atitude amarga. Cabe a você decidir. Se cometer o erro de permitir que as circunstâncias ditem a sua felicidade, corre o risco de deixar escapar a vida abundante de Deus.

Você pode estar atravessando momentos difíceis ou pode ter grandes obstáculos no seu caminho, e tudo isso lhe proporciona amplos motivos para ficar infeliz ou perturbado. Mas ficar infeliz não fará com que as coisas melhorem. Ter uma atitude negativa e amarga também não vai melhorar nada. Não há por que então não escolher ser feliz e aproveitar a vida! Se fizer isso, não apenas se sentirá melhor, como também a sua fé fará com que Deus apareça e faça maravilhas na sua vida. Deus sabe que temos dificuldades, lutas e desafios. No entanto, a intenção Dele nunca foi que vivêssemos um dia nas nuvens e no seguinte nos sentíssemos a pior das criaturas, derrotados e deprimidos porque temos problemas. Deus quer que vivamos de uma forma homogênea. Ele quer que aproveitemos cada dia da nossa vida.

Para fazer isso, você precisa parar de se afligir com o futuro. Parar de se preocupar com a maneira como tudo vai acontecer. Viva um dia de cada vez; melhor ainda, aproveite ao máximo o momento presente. É bom ter um ponto de vista abrangente, definir metas, estabelecer orçamentos e fazer planos, mas se você está sempre vivendo no futuro, nunca está realmente desfrutando o presente como Deus deseja.

Quando nos concentramos demais no futuro, com freqüência nos sentimos frustrados porque não sabemos o que temos pela frente. Naturalmente, a incerteza aumenta o nosso nível de estresse e cria uma sensação de insegurança. No entanto, precisamos entender que Deus nos concedeu a graça de viver hoje. Ele não nos deu a graça de amanhã. Quando o amanhã chegar, teremos força para atravessá-lo. Deus nos dará o que precisamos. Mas se ficarmos preocupados com o amanhã neste momento, é certo que ficaremos frustrados e desanimados.

Você precisa aprender a viver um dia de cada vez. Use a força de vontade e escolha começar a aproveitar a vida agora. A vida é curta demais para não aproveitarmos cada dia dela. Aprenda a desfrutar a sua família, os seus amigos, a sua saúde, o seu trabalho; aprecie tudo que existe na sua vida. A felicidade é uma decisão que tomamos e não uma emoção que sentimos. Sem dúvida existem momentos na vida de todos nós em que coisas ruins têm lugar ou as coisas não acontecem do jeito que esperávamos. Mas é aí que precisamos tomar a decisão de que vamos ser felizes apesar das circunstâncias.

A felicidade é uma decisão que tomamos e não uma emoção que sentimos.

Muitas pessoas vivem em um constante tumulto. Estão sempre perturbadas, frustradas, sempre enfrentando um grande desafio que as impede de ser felizes. Elas não conseguem dormir à noite porque estão preocupadas demais. Não gostam dos colegas de trabalho. Ficam irritadas com as coisas mais insignificantes. Quando ficam presas no trânsito ou algo não sai do jeito que queriam, ficam furiosas e perdem a calma.

É extremamente importante saber como viver uma vida de paz. Para fazer isso, precisamos ser flexíveis e estar dispostos a fazer alguns ajustes. Quando acontecerem coisas que normalmente nos incomodariam, temos de botar pé firme e dizer: "Não, não vou deixar que isso estrague a minha tranqüilidade. Vou dominar as minhas emoções. Não vou me permitir ficar perturbado e irritado. Vou escolher ser feliz."

SÃO AS PEQUENAS COISAS

Em geral, não são as grandes coisas da vida que nos perturbam; com freqüência, são as pequenas coisas que mais nos incomodam. Mas se não aprendermos a lidar adequadamente com as pequenas coisas, elas acabarão se transformando em coisas importantes. Digamos que você está indo de carro para casa depois de um longo dia de trabalho e, quando se prepara para estacionar, percebe que os seus filhos deixaram os brinquedos na entrada de veículos. Você tem de parar, saltar do carro e retirar os brinquedos. Você está cansado, com calor e fica todo suado para tirar tudo aquilo do caminho. É uma oportunidade natural para ficar aborrecido e frustrado. Mas é preciso reconhecer o que está acontecendo. Trata-se do inimigo tentando acabar com a sua paz e arruinar sua noite com a família fazendo com que você fique irritado por causa de algo relativamente insignificante no contexto mais geral da vida. Você tem de tomar a decisão de que não vai deixar o assunto se agravar; não se permita ficar perturbado.

Você poderá dizer: "Joel, não consigo fazer isso. Sou uma pessoa muito nervosa. Eu me aborreço com facilidade." Engano seu. Você pode fazer o que quiser. Deus disse que nunca nos deixaria passar por alguma coisa que não pudéssemos suportar. Se o seu desejo for grande o suficiente, você conseguirá permanecer calmo e tranqüilo, independentemente do que acontecer na sua vida.

Deus colocou a paz Dele dentro de nós, mas cabe a nós utilizá-la. Temos de aprender a entrar em contato com a paz sobrenatural de Deus, especialmente nos pontos de pressão da vida, e a maneira de fazer isso é mantendo uma boa atitude. Você precisa escolher permanecer feliz.

Certo dia Victoria levou o meu carro para a lavagem automática no posto. Tenho um Lexus branco 1995 que pertenceu ao meu pai. Embora esteja ficando velho, o carro não tem nenhum arranhão, de modo que parece bem mais novo.

Naquele dia, Victoria levou o carro ao posto de sempre, que possui um equipamento com aquelas escovas supostamente extramacias que teoricamente nem mesmo tocam no carro. Infelizmente, algo estava um pouco desregulado, porque o mecanismo não apenas tirou a sujeira do carro como também fez um arranhão que começava no pára-choque da frente, passava por cima do capô e terminava no pára-brisa traseiro!

Ao voltar para casa, Victoria parou na garagem para avaliar o dano. (Acho que ela estava secretamente rezando por um milagre!) Jonathan, nosso filho, saiu de casa e, ao verificar o ocorrido, foi correndo ao meu escritório para dar a notícia.

Era uma tarde de sábado e eu estivera estudando e rezando, preparando a mente e o coração para pregar em três serviços naquele fim de semana. Estava tentando me manter em uma atmosfera de paz, quietude e tranqüilidade, mas aí Jonathan apareceu!

— Papai, papai! — gritou ele. — Você não vai acreditar no que aconteceu. Mamãe destruiu o seu carro!

— Jonathan, obrigado por ser tão diplomático — retruquei. — Na próxima vez, é melhor que você me dê uma pancada na cabeça!

É claro que eu estava brincando, mas eu sabia que tinha de tomar uma decisão. Eu ia ficar zangado e deixar que esse acidente acabasse com a minha paz e alegria? Ia permitir que essa circunstância arruinasse o meu fim de semana? Ou ia dominar as emoções e me impedir de ficar perturbado e agitado? Eu ia permanecer em paz, sabendo que Deus ainda estava no controle?

Fui para a garagem e, quando vi o carro, tive de admitir que o arranhão era horrível. Mas simplesmente tomei a decisão de não me aborrecer; eu ia permanecer feliz. Enquanto passava os dedos sobre o arranhão do capô até a mala, decidi olhar para o lado bom da situação e disse para Victoria:

— Bem, sou o único cara em Houston que tem um Lexus com uma listra de carro de corrida bem no centro.

Quando coisas negativas nos acontecem, o fato de ficarmos furiosos e esbravejarmos não vai mudar nada. Por mais que resmunguemos e nos queixemos, as coisas não vão melhorar. Eu sabia que por mais que ficasse deprimido por causa do carro ou por mais que explodisse com o pessoal da oficina, aquele arranhão não iria desaparecer. Decidi então que era melhor permanecer em paz e feliz.

A Bíblia diz que somos como uma névoa, uma fumaça; estamos aqui por um momento e depois partimos.[1] A vida está passando rápido, de modo que você não deve perder mais nenhum momento do seu precioso tempo ficando zangado, infeliz ou preocupado. O salmista diz o seguinte: "Este é o dia que o Senhor criou. Vou regozijar-me e ficar feliz nele."[2] Repare que ele não disse: "Amanhã serei feliz." Ele não disse: "Na semana que vem, quando não tiver tantos problemas, vou me regozijar." Não, ele disse: "*Este* é o dia." Este é o dia no qual Deus quer que você seja feliz.

"Só estou esperando que Deus modifique a minha situação", ouço alguém dizendo. Isso pode parecer ótimo, mas a verdade é que Deus está esperando que você faça alguma coisa. Se você mudasse de atitude e começasse a ser feliz onde está agora, Deus apareceria e começaria a atuar na sua vida. Se você está sempre esperando que algum *evento* o faça feliz, vai passar a vida inteira esperando. Sempre vai haver alguma coisa que não "está exatamente como deveria ser" na sua vida. Você sempre encontrará um motivo para não ser feliz.

Já ouvi pessoas dizendo: "Assim que eu me casar, tenho certeza de que vou ser feliz." Mas meu amigo, se você não é feliz antes de se casar, definitivamente não vai ser feliz *depois* de se casar. Mulheres já me disseram: "Joel, reze para eu encontrar um homem, porque sei que quando isso acontecer serei feliz." Elas voltam alguns meses depois e pedem: "Joel, reze para eu me livrar desse homem, porque sei que quando isso acontecer serei feliz!"

O problema na verdade não é o parceiro no casamento. No fundo, ninguém pode fazer você feliz. Você precisa aprender a ser feliz dentro de si mesmo.

Sem dúvida você pode ter alguns problemas; as coisas na sua vida podem não ser perfeitas. Talvez quisesse ser mais bonito ou mais talentoso. Talvez tivesse vontade de ter nascido com muito mais coisas a seu favor. Mas não pode deixar que essas coisas superficiais roubem sua felicidade. Você precisa dizer: "Deus, sei que me criou como eu sou de propósito. Este é o Seu plano e foi o Senhor que me forneceu as ferramentas que tenho para trabalhar. Não vou me queixar nem assumir uma atitude negativa. Não vou viver desejando que as coisas fossem diferentes, desejando ser outra pessoa. Pai, vou tirar o máximo de proveito do que me deu. Vou ser feliz com quem me criou para ser. Vou aproveitar a vida apesar dos meus reveses."

Não aceite como fato consumado o que Deus já lhe deu. Tenha uma atitude de gratidão. Veja o que há de melhor em cada pessoa e em cada situação, e aprenda a ser feliz no ponto em que você está. Eis o segredo: floresça onde você estiver plantado. Talvez não esteja agora onde quer estar na vida. Você pode não ter um casamento perfeito, pode não ter um emprego perfeito. A vida pode não ter se revelado como você esperava, mas você tem de tomar a decisão de que vai aproveitar ao máximo a situação. Aprenda a ser feliz apesar das circunstâncias.

Floresça Onde Você Estiver Plantado

Outro dia, eu estava passeando ao ar livre quando me vi diante de um grande campo aberto cheio de cizânias altas. Para onde quer que eu olhasse, tudo que eu conseguia ver eram as ervas daninhas feias, secas e escuras. Mas quando andei um pouco mais, avistei uma linda flor que se erguia no meio delas. Era magnífica, tinha uma cor linda e intensa, e surpreendentemente tinha florescido no meio das cizânias sem graça. Pensei: *É exatamente isso que Deus deseja que façamos, que floresçamos onde quer que estejamos plantados.*

Você pode viver ou trabalhar cercado por um grupo de ervas daninhas, mas não deixe que isso o impeça de florescer. Entenda que o ambiente não o impede de ser feliz. Algumas pessoas passam o tempo todo tentando arrancar as ervas daninhas. Nesse ínterim, perdem grande parte das suas vidas. Não se preocupe com as coisas que não pode mudar. Você não pode mudar o trânsito da parte da manhã. Não pode consertar todo mundo no seu trabalho. Não pode obrigar todos os membros da sua família a servir a Deus. Mas não deve deixar que isso o impeça de ser feliz. Floresça de qualquer maneira e concentre-se nas coisas que pode mudar. Você pode modificar sua atitude, pode escolher ser feliz onde está.

Não se preocupe com as coisas que não pode mudar.

Mantenha uma boa atitude e continue a florescer exatamente onde você está. Se tomar a decisão de permanecer com fé e ficar satisfeito, no momento certo Deus modificará as circunstâncias. Ele o retirará do meio dessas velhas ervas daninhas e o colocará em um lugar melhor. Mas se você se recusar a florescer onde estiver, o seu progresso será reprimido. Deus nos plantou em um lugar específico para que pudéssemos dar frutos. E o local onde estamos não é muito importante. O que importa é: estamos dando bons frutos? Estamos deixando a nossa luz brilhar? Estamos sendo um bom exemplo? As pessoas conseguem ver a alegria do Senhor irradiando-se da nossa vida? Se você continuar a florescer onde está, pode confiar na perfeita escolha do momento de Deus. Ele o transplantará. Ele o colocará em um novo solo para que você possa dar mais frutos. Mas se não for feliz onde está, nunca chegará aonde tem vontade de estar.

Aprecie o Dia de Hoje

Algumas pessoas estão convencidas de que a vida é simplesmente uma série de problemas a serem resolvidos. Quanto mais cedo solucionarem o problema que estão enfrentando, mais rápido serão felizes. Mas a verdade é que depois que você resolver com sucesso um problema, terá de enfrentar outro. E depois de vencer esse obstáculo, surgirá outra coisa que terá de superar. Há sempre outra montanha a ser escalada. Por esse motivo, é importante aproveitar a jornada e não apenas o destino. Neste mundo, nunca chegaremos a um lugar onde tudo é perfeito e não exista mais desafios. Por mais admirável que seja definir metas e alcançá-las, você não pode se concentrar de tal forma na consecução dos seus objetivos, a ponto de cometer o erro de não desfrutar o ponto em que você se encontra agora.

Já ouvi pais dizendo: "Bem, serei feliz assim que meus filhos deixarem de usar fraldas." Passam-se alguns anos e eles dizem: "Tão logo forem para a escola, terei algum tempo livre. Aí eu vou ser feliz." Passam-se mais alguns anos. "Quando os meus filhos se formarem, as coisas vão ficar mais tranqüilas. É aí que vou começar a aproveitar a vida." Nesse ínterim, a vida vai passando. "Assim que eu receber aquela promoção, logo que eu fechar este negócio, assim que me aposentar..." Não, você precisa aproveitar a vida agora, todos os dias, cada parte da jornada.

Os grande eventos não o manterão feliz. Eles podem fazê-lo feliz durante algum tempo, mas depois que a euforia passar, você vai procurar outra coisa, como um viciado em busca de uma dose da droga. Talvez você tenha se permitido adquirir o hábito de esperar que tudo esteja calmo, tranqüilo e sossegado para que se anime e se permita desfrutar a vida. Você está esperando que os problemas se resolvam. Está esperando que seu parceiro se torne mais espiritualizado. Está esperando que o seu filho mude, que o negócio cresça ou que a hipoteca esteja paga.

Por que não ser feliz agora? Não deixe muitos anos se passarem para compreender, quando tragicamente já for tarde demais, que um único evento ou realização, ou mesmo uma série deles, não lhe proporcionou uma felicidade duradoura. Aprecie o que você tem hoje. Desfrute a jornada da vida.

Esses são os bons dias de outrora. Daqui a 20 anos, espero que olhe para trás e diga: "Aquela foi uma época magnífica da minha vida!"

Você pode estar dizendo: "Mas tenho tantos problemas, como posso aproveitar a vida?" Você tem de entender que todo mundo tem problemas; você não é único nessa situação. Todos passamos às vezes por coisas que não entendemos. Embora você possa achar que seus problemas são enormes, trágicos ou devastadores, alguém — possivelmente muitas pessoas no mundo — tem problemas muito piores do que os seus. A sua vida comparada com a de outra pessoa é um mar de rosas. Jamais aceite como coisa natural o que Deus fez por você. Você pode hoje ter alguns obstáculos, mas algumas pessoas dariam tudo para ter a sua vida. Algumas pessoas dariam qualquer coisa para ter a sua saúde ou prosperidade. Temos muito a agradecer pela vida. Devemos parar de enfatizar o que está errado e começar a agradecer a Deus o que está certo.

O apóstolo Paulo escreveu mais da metade do Novo Testamento enquanto estava encarcerado, freqüentemente em minúsculas celas de prisão não muito maiores do que um pequeno banheiro. Historiadores e comentaristas da Bíblia acreditam que o sistema de esgoto daquela época corria através de um dos cárceres no qual ele esteve aprisionado. Alguns afirmam que é possível que ele possa ter escrito parte das grandes passagens do que hoje conhecemos como o Novo Testamento de pé em um esgoto bruto que chegava à sua cintura. No entanto, Paulo escreveu palavras impressionantes, cheias de fé, como: "Posso fazer todas as coisas através de Cristo que me fortalece",[3] "Graças a Deus que sempre nos faz triunfar" e "Regozijai-vos sempre no Senhor. Novamente direi, regozijai-vos!"[4] Repare que devemos nos regozijar e ser felizes em todas as ocasiões. Nos seus momentos de dificuldade, quando as coisas não estiverem saindo como você quer, em vez ficar se lamentando e pensando em como a vida o está tratando injustamente, em vez de sentir pena de si mesmo, tome a decisão de rejubilar-se no Senhor. Escolha ser feliz! Escolha permanecer repleto de alegria.

Quando você se regozija no meio das dificuldades, está dando um soco no olho do inimigo. Ele não sabe o que fazer com as pessoas que continuam a louvar a Deus apesar das circunstâncias. A nossa atitude deve ser a seguinte: *Não me importo com o que eu tenha de enfrentar. Vou permanecer repleto da alegria do Senhor. Decidi que vou viver a vida e ser feliz. Vou desfrutar a vida ao máximo.*

Precisamos entender que o inimigo não está realmente atrás dos seus sonhos, da sua saúde ou das suas finanças. Não está essencialmente atrás da sua família. Ele está atrás da sua alegria. A Bíblia diz que "a alegria do SENHOR é a sua força",[5] e o seu inimigo sabe que se conseguir ludibriá-lo para que você viva desanimado e deprimido, você não terá a força física, emocional ou espiritual necessária para resistir aos seus ataques. Você ficará vulnerável e fácil de ser derrotado.

SORRIA PARA A SUA SAÚDE

Está cientificamente comprovado que se passarmos pela vida com uma disposição de ânimo negativa, sempre estressados, preocupados e cheios de medo, nosso sistema imunológico enfraquecerá, tornando-nos mais suscetíveis às doenças. Os cientistas descobriram que toda pessoa desenvolve células cancerosas no corpo todas as semanas, mas no tremendo sistema imunológico que Deus nos deu possuímos células chamadas "células assassinas naturais". Essas células foram especificamente projetadas para atacar e destruir células anormais. Pesquisas demonstraram que o medo, a preocupação, a ansiedade, o estresse e outras emoções negativas enfraquecem as células assassinas. Em outras palavras, se você passar pela vida tenso e estressado, enfraquecerá seu sistema imunológico, tornando-se mais suscetível à doença.

Por outro lado, as pessoas felizes que têm uma visão de mundo positiva, e que riem regularmente, desenvolvem uma maior quantidade dessas células assassinas naturais do que a pessoa típica. Pense só nisso! Quando você está cheio de alegria, o seu sistema imunológico funciona no nível de desempenho máximo, exatamente como Deus pretendia. Diz a Bíblia: "Um coração jovial faz tão bem quanto um remédio." Uma tradução diz o seguinte: "A mente animada efetua a cura", e esse versículo continua a ser confirmado pela ciência moderna.

Uma das coisas mais saudáveis que você pode fazer é aprender a sorrir com mais freqüência.

Uma das coisas mais saudáveis que você pode fazer é aprender a sorrir com mais freqüência. Quando sorrimos, uma mensagem é enviada para o corpo inteiro, determinando o tom da nossa vida. As pesquisas nos dizem que quando sorrimos, certas substâncias químicas são liberadas e percorrem o nosso sistema, relaxando-nos e ajudando-nos a permanecer saudáveis. Quer você tenha ou não um motivo para sorrir, decida que vai sorrir de qualquer maneira.

Certo dia, eu estava no saguão da entrada da Lakewood Church, quando um menino se aproximou de mim com uma expressão séria e perturbada no rosto. Ele me olhou de cima abaixo e depois declarou:

— Quero saber uma coisa sobre você.

— Tudo bem — respondi. — O que gostaria de saber?

Sem titubear, o menino retrucou:

— Quero saber por que você ri tanto. — Ele fez a pergunta com tanta severidade, que quase tive a impressão de que havia algo errado em sorrir muito!

Não obstante, respondi:

— Bem, eu sorrio porque sou uma pessoa feliz. Você sorri bastante?

O menino ficou pensando e depois respondeu:

— Somente quando estou tomando sorvete.

Muitos adultos se parecem com essa criança. Só sorriem quando tudo na vida deles está indo às mil maravilhas. Mas se eles se animassem, Deus talvez fizesse um milagre em suas vidas.

Aprenda a sorrir. Pare de ser tão tenso e estressado. Uma atitude relaxada não apenas prolongará sua vida, como também a tornará muito mais agradável.

Esse fato em si já é razão suficiente para você parar de reclamar e começar a regozijar-se. Quanto mais agradecer a Deus pelo que tem, mais Ele lhe dará o que você ainda não tem. Paulo disse: "Aprendi a estar contente independentemente das circunstâncias."[6] A Bíblia Ampliada diz o seguinte: "Aprendi a estar contente (satisfeito a ponto de não ficar perturbado ou inquieto) em qualquer estado em que eu esteja."[7] Repare que Paulo teve de aprender a ficar contente, assim como aprendeu a permanecer repleto de alegria. Essas reações não aconteceram automaticamente. Paulo teve de tomar algumas decisões que resultaram no contentamento.

Fique Contente Onde Quer que Esteja

Veja bem, estar contente não quer dizer que você deva ficar sentado e aceitar com fatalismo os problemas ou as dificuldades da vida; não significa que você deva viver a vida como uma maioria errante, desmotivado e indisciplinado. Tampouco estar contente significa ser desprovido de paixão ou do impulso e do desejo de querer que as coisas mudem para melhor. Não. Estar contente simplesmente significa que você confia o suficiente em Deus para não ficar frustrado quando as coisas não saem como você quer. Você não deixa que as circunstâncias roubem sua alegria e o impeçam de ser feliz. Você pode escolher permanecer feliz e contente independentemente do que acontecer na sua vida. Pode decidir não deixar que as pequenas coisas levem a melhor sobre você.

Se você está sempre descontente, algo está errado. Se você se levanta pela manhã e tem pavor de ir trabalhar, pavor de dirigir no trânsito, pavor de lidar com o chefe, pavor de fazer as coisas que faz o dia inteiro, além do pavor de voltar para casa, ou você precisa mudar de atitude ou precisa mudar de ocupação!

Por outro lado, na maioria dos casos, Deus não vai modificar as circunstâncias enquanto você não mudar. Se você não aprender a ficar contente onde está, nunca vai chegar aonde quer estar. Você talvez não tenha hoje todo o dinheiro que deseja. As coisas podem estar apertadas e você pode estar lutando com dificuldades. Mas enquanto se queixar o tempo todo, comentando como a vida o está tratando mal e dizendo que nunca vai vencer, a sua atitude amarga o manterá exatamente onde você está.

Você talvez não seja tudo que deseja ser. Talvez não tenha tudo que quer ter, mas precisa aprender a ser contente, apesar das circunstâncias. Precisa acreditar que Deus está em ação na sua vida. Precisa acreditar que está fazendo progresso. Você está crescendo. Diz a Bíblia que Deus nos modifica pouco a pouco. Não fique perturbado ou descontente; esteja certo de que Deus está no controle.

A Bíblia diz o seguinte: "Os passos de um homem bom são determinados pelo SENHOR."[8] O fato de Deus estar determinando os seus passos significa que neste momento você está exatamente onde Deus quer que você esteja.

"Joel, isso não pode ser verdade", diz você. "Tenho problemas demais. Não me sinto à vontade neste lugar. Este não pode ser o plano de Deus para mim."

Deus colocou você onde está por uma razão. Você talvez não a entenda. Ele pode estar tentando fazer um trabalho em você. Pode estar tentando ensiná-lo, impulsioná-lo, expandi-lo, para ver como vai reagir nessa dificuldade. Ou então Deus pode tê-lo posto nessa situação para que você seja parte do trabalho que Ele está fazendo na vida de outra pessoa. Deus pode estar usando-o para influenciar outras pessoas. Mas independentemente do que for, não há por que não escolher ser feliz, sabendo que Deus está orientando os seus passos e que Ele o colocou onde você está por um motivo.

O interessante é que acreditamos que Deus está nos guiando desde que estejamos obtendo o que queremos e estejamos "vivendo no topo da montanha", relativamente a salvo da estrutura da vida no vale lá embaixo. Mas precisamos entender que o Senhor está determinando os nossos passos mesmo quando parece que as coisas não estão saindo do jeito que queremos. Você pode estar hoje em uma situação estressante, pode estar vivendo com um parceiro ou um filho de difícil convivência. Ou talvez, devido à política da sua empresa, você não esteja sendo tratado com justiça, ou pode estar tendo que ter dois empregos para conseguir sobreviver. Você talvez esteja pensando: *Isso não parece certo. Deus, não consigo entender.*

Diz a Escritura: "Como o senhor está dirigindo os nossos passos, por que tentar entender tudo que acontece ao longo do caminho?"[9] Meu amigo, você nunca entenderá tudo que você passa na vida ou por que certas coisas ruins lhe acontecem. Você simplesmente precisa aprender a confiar em Deus de qualquer maneira. Precisa aprender a manter uma boa atitude, certo de que Deus está no controle.

No fim da década de 1990, dois ex-jogadores de basquete — ambos com 27 anos de idade; um tinha dois metros de altura e o outro 1,98m — estavam indo para o Quênia para trabalhar em um projeto missionário. Era a primeira viagem que faziam ao exterior e estavam muito agitados. Tinham rezado durante muitos meses, pedindo a Deus que fizesse uso da vida deles e que a viagem corresse com tranqüilidade.

Quando o avião estava prestes a pousar em Londres, o nevoeiro estava muito intenso, o que obrigou o avião a ficar sobrevoando sobre Heathrow. O avião precisou manter esse padrão durante umas duas horas e os dois rapazes perderam o vôo de conexão para o Quênia. Ficaram extremamente desapontados, pois o vôo seguinte só partiria daí a oito ou nove horas. Eles ficaram um pouco irritados e o externaram. "Deus, não conseguimos entender isso. Passamos todo aquele tempo rezando para que tudo corresse bem. A igreja inteira estava rezando por nós e agora começamos com um contratempo."

Quando finalmente chegou a hora do outro vôo, só havia assentos disponíveis na primeira classe. A companhia aérea colocou os dois rapazes bem na frente do avião, com bastante espaço para as pernas, o que os deixou muito felizes. No entanto, mais ou menos na metade do vôo, o avião fez um mergulho e avançou em direção ao solo a toda a velocidade. Os passageiros gritavam enquanto os comissários de bordo lutavam para impedi-los de entrar em pânico. Todos achavam que certamente iam morrer.

Os dois rapazes na frente do avião mantiveram um sangue-frio suficiente para rezar: "Deus, já foi ruim termos perdido o nosso vôo, mas agora estamos neste aqui e o avião está prestes a se espatifar no chão. Deus, não entendemos o que está acontecendo, mas faça uso da nossa vida de alguma maneira."

Mais ou menos nessa hora, eles ouviram um barulho que parecia uma luta na cabine do piloto. Olharam um para o outro e disseram: "Não temos nada a perder. Vamos descobrir o que está acontecendo!" Um comissário de bordo abriu a porta da cabine e viram um homem perturbado — um homem enorme, com mais de 2,10m de altura — atacando os pilotos e tentando conseguir controlar o avião. Os dois pilotos, que tinham 1,65m e 1,70m, respectivamente, estavam tentando desesperadamente controlar o louco, mas não tinham a menor chance.

Quando os dois jogadores de basquete viram o que estava acontecendo, jogaram o atacante no chão e o puxaram para fora da cabine. Quando finalmente conseguiram dominá-lo, o avião tinha caído de nove mil metros para menos de mil metros. Se os pilotos não tivessem conseguido recuperar o controle da aeronave, em segundos ela teria se chocado contra o solo, matando todos que estavam a bordo e, possivelmente, pessoas em terra.

Às vezes, Deus o coloca em uma situação desagradável para que você possa ajudar outra pessoa. Deus reteve deliberadamente os dois rapazes. Ele os colocou na primeira classe, bem na frente, para que pudessem ajudar a salvar o avião inteiro. Deus sabe o que está fazendo. Ele é capaz de enxergar a realidade mais ampla; consegue ver o futuro. E Deus o colocou exatamente onde Ele quer que você esteja hoje. Pare de questioná-lo e comece a confiar Nele. Tenha apenas a certeza de que Deus está no controle. Ele faz tudo pensando no que é melhor para você. Ele está dirigindo os seus passos.

Pare de questionar (Deus) e comece a confiar Nele.

A sua responsabilidade é escolher ser feliz, apesar do que possa lhe acontecer. Talvez você trabalhe com alguém que o deixa nervoso e o incomoda. Você pode estar pensando: *Deus, eu não deveria ter de suportar isso. Não consigo entender. Por que o Senhor não afasta essa pessoa da minha vida?* Mas você já pensou na possibilidade de Deus tê-lo colocado ali de propósito, para que você ajude a fazer um trabalho na vida dessa pessoa? Talvez você seja exatamente o que ela precisa. Talvez Deus esteja contando com você para que você seja uma influência positiva, diga uma palavra de estímulo e deixe a sua luz brilhar, a fim de que Ele possa influenciar essa pessoa e efetuar uma mudança no coração dela.

Escolha ser feliz. Escolha manter uma boa atitude. Lembre-se de que a felicidade é uma escolha que você tem de fazer. E mesmo quando não entender o que está acontecendo, tenha certeza de que Deus está atuando em você e trabalhando por meio de você. Resolva que, de hoje em diante, você irá florescer onde está plantado e aproveitará cada dia da sua vida.

CAPÍTULO 31

SEJA UMA PESSOA DE EXCELÊNCIA E INTEGRIDADE

No caso de muitas pessoas, a mediocridade é a norma; elas querem fazer o mínimo possível e mesmo assim conseguir sobreviver. Mas Deus não nos criou para sermos medíocres ou comuns. Ele não quer que simplesmente consigamos sobreviver ou façamos o que todo mundo está fazendo. Deus nos chamou para sermos de uma classe superior. Ele nos chamou para sobressairmos na multidão, para sermos pessoas de excelência e integridade. Na verdade, a única maneira pela qual podemos ser verdadeiramente felizes é vivendo com excelência e integridade. Qualquer indício de contemporização manchará nossos maiores triunfos e nossas realizações mais grandiosas.

O que significa ser uma pessoa de excelência e integridade?

A pessoa de excelência e integridade caminha o quilômetro extra para fazer o que é certo. E cumpre a palavra mesmo quando isso é difícil. As pessoas de excelência chegam ao trabalho na hora. Dão aos empregadores um dia completo de trabalho; não saem mais cedo nem dizem estar doentes quando não estão. Quando o seu espírito é excelente, isso aparece na qualidade do seu trabalho e na atitude com a qual você o executa.

Deus não abençoa a mediocridade. Ele abençoa a excelência.

Deus não abençoa a mediocridade. Ele abençoa a excelência. A Escritura diz o seguinte: "Tudo que fizerdes, fazei de todo o coração, não para os homens, mas fazei-o para Deus sabendo que Ele vos recompensará."[1] Repare que devemos nos dedicar ao máximo a tudo que fizermos como se o estivéssemos fazendo para Deus. Se trabalharmos com esse padrão em mente, Deus promete que nos trará recompensas.

Se você quiser viver o melhor possível agora, comece a ter em vista a excelência e a integridade na sua vida, fazendo um pouco mais do que tem obrigação de fazer. Se você tem de estar no trabalho às oito horas, chegue dez minutos mais cedo e permaneça dez minutos depois do término do expediente. Caminhe o quilômetro extra. Muitas pessoas aparecem no trabalho 15 minutos atrasadas, passeiam pelo escritório, vão tomar café e finalmente vão para a sua mesa ou local de trabalho meia hora depois. Passam a metade do dia falando ao telefone, jogando jogos ou enviando piadas pela Internet e depois perguntam: *Deus, por que nunca me abençoa? Por que nunca sou promovido?*

Deus não abençoa a mediocridade. Deus abençoa a excelência e a integridade.

"Mas, Joel, todo mundo faz isso. Todo mundo chega tarde ao trabalho na minha empresa. Todo mundo se diverte na Internet quando o chefe sai. Todo mundo estende a hora do almoço."

É possível, mas você não é como todo mundo! Você foi chamado para viver uma vida de excelência. Você representa Deus Todo-poderoso. A maneira como você vive, como conduz seu negócio ou faz seu trabalho, e o fato de chegar ou não na hora podem manchar a imagem do nosso Deus.

Comece a fazer escolhas mais excelentes em cada área da vida, inclusive na mundana. Você pode, por exemplo, estar dirigindo um carro que não é lavado há seis semanas. A mala do seu carro ou o banco traseiro podem estar tão cheios de tralha — coisas como equipamento esportivo e material do escritório — que você mal consegue fechar a porta! Não estou condenando ninguém; Victoria e eu também temos filhos e, às vezes, nosso carro parece ter sido atingido por uma tempestade. Mas não gosto de dirigir um carro assim. Além de representar Deus de uma forma insatisfatória, isso faz com que eu me sinta desleixado, indisciplinado, desmazelado e abaixo da minha excelência. Muitas vezes antes de sair de casa, levo alguns minutos limpando o carro, não por querer impressionar meus amigos e sim porque me sinto melhor quando dirijo um carro limpo. Você precisa se orgulhar das coisas que Deus lhe deu.

Você poderá dizer: "Bem, Joel, o meu carro é literalmente um ferro-velho. Não faz sentido lavá-lo."

Não, mas se você começar a cuidar do que Deus lhe deu, é mais provável que Ele lhe dê algo melhor. De modo semelhante, você talvez não more em uma casa grande, nova e bonita. A sua casa pode ser velha e pequena, mas pelo menos você pode fazer com que ela tenha uma boa aparência. Tome medidas para dar a impressão de abrigar uma pessoa de excelência.

Algum tempo atrás, eu estava passando de carro por um certo bairro de Houston e reparei que muitas pessoas não cuidavam das casas. A grama do jardim não estava cortada; as ervas daninhas estavam crescidas e havia coisas amontoadas e guardadas por toda parte: do lado da casa, no jardim, onde quer que houvesse um espaço disponível. Todo o bairro era desarrumado. Continuei a dirigir e deparei com uma casa que sobressaía das outras. A grama do jardim estava cortada, tudo estava arrumado e a casa parecia linda. Quando cheguei à igreja, fiz um comentário a respeito daquela casa naquele bairro. Uma pessoa disse: "As pessoas que moram nela são alguns dos nossos membros mais fiéis."

Isso não me surpreendeu nem um pouco. O povo de Deus é um povo de excelência. As pessoas que moram naquela casa poderiam ter dito: "Ninguém cuida da sua propriedade neste bairro, por que deveríamos fazer isso?" Mas elas escolheram ser pessoas de excelência e se destacaram na multidão.

Cuide do que Deus lhe deu. Os meus avós moravam em uma casa de madeira que o vovô construiu nos idos de 1930. Ela não pode ter tido mais do que 90 metros quadrados, mas todas as vezes que eu ia até lá, a casa estava impecável por dentro e por fora. O jardim estava sempre imaculado. Os arbustos estavam perfeitamente aparados. Vovô mantinha a parte externa da casa pintada, e vovó mantinha o interior arrumado e limpo. Os meus avós não tinham muito dinheiro, mas isso não tinha importância. Eles eram pessoas de excelência. Sabiam que representavam Deus e estavam decididos a ser um reflexo positivo.

O mesmo deve ser verdade com relação a nós. Você é feito à imagem de Deus Todo-poderoso e a maneira como se apresenta na sua aparência externa não é apenas um reflexo de como você se sente a respeito de si mesmo; é um reflexo direto de Deus. Quando você veste uma roupa limpa, sai se sentindo confiante. Por outro lado, se sair de casa com uma aparência desmazelada, com roupas sujas e desalinhadas, não se sentirá bem com relação a si mesmo.

Certo dia, Victoria me pediu que desse um pulo no supermercado para comprar algo que ela precisava para terminar de fazer o jantar. Eu acabara de me exercitar e estava com calor e suado. Vestia uma camiseta velha e o meu cabelo estava todo desgrenhado. Mas eu não estava com vontade de mudar de roupa. Pensei: *Tudo bem. Vou tentar entrar e sair rápido do supermercado e espero que ninguém me veja.* Fui até lá, ainda em trajes de ginástica. Parei no estacionamento e estava prestes a saltar do carro quando Deus falou comigo. Quero dizer, se Deus alguma vez falou comigo, foi naquele momento! Ele disse: "Não ouse entrar aí Me representando dessa maneira!" E acrescentou: "Você não sabe que Eu sou o Rei dos reis?"

Dei meia-volta, fui para casa, tomei uma chuveirada, penteei o cabelo, escovei os dentes e vesti roupas limpas. Voltei então ao supermercado e comprei o que Victoria queria!

Falando seriamente, precisamos lembrar a nós mesmos que representamos Deus Todo-poderoso, e Ele não aprecia a preguiça e o desmazelo. Quando você for ao shopping e sem querer derrubar algumas roupas da estante giratória, não aja como se não as estivesse vendo e não as deixe no chão. A pessoa de excelência as pegará e colocará de volta no lugar. Quando você estiver no supermercado e de repente chegar à conclusão de que mudou de idéia e não quer mais a caixa de cereais, não a jogue na prateleira das batatas fritas. A pessoa de excelência leva a caixa de volta ao lugar onde a encontrou.

"Mas, Joel, essas lojas têm funcionários pagos para fazer essas coisas", ouço alguém dizer. Não importa. Você faz o que é certo, você o faz para Deus.

A pessoa de excelência não estaciona em uma vaga destinada aos deficientes para poder entrar no estabelecimento e pegar algo bem rápido. A pessoa de excelência caminha o quilômetro extra para fazer o que é certo, não porque alguém a esteja observando nem porque seja obrigada a isso, mas porque está reverenciando Deus.

As pessoas de excelência cuidam da propriedade alheia como se fosse delas. Se você estiver em um quarto de hotel, não ponha um copo de água sobre a mesa de madeira sabendo que vai manchá-la. Você não faria isso na sua casa. Seja uma pessoa de excelência e respeite a propriedade dos outros. Quando eu costumava viajar bastante, muitas vezes saía do quarto do hotel e deixava todas as luzes acesas, o ar-condicionado ligado no máximo e a televisão aos berros. Eu pensava: *Isso não importa. Estou pagando por este quarto e posso fazer o que eu quiser.* Mas algo dentro de mim dizia: *Joel, isso não está certo. Você não desperdiça eletricidade na sua casa. Você deve tratar a propriedade alheia da mesma maneira que gostaria que tratassem a sua.*

Entenda que o fato de você negligenciar essas pequenas coisas não o impedirá de entrar no céu; na maioria dos casos, isso nem mesmo lhe causará sérios problemas ou tornará a sua vida infeliz. Mas essas concessões sutis à integridade o manterão afastado do melhor que Deus tem a oferecer. Elas o impedirão de ascender ao seu nível mais elevado. Elas o impedirão de viver da melhor maneira possível agora. Deus quer que as pessoas que percorrem o quilômetro extra façam o que é certo mesmo quando ninguém está olhando.

As concessões sutis à integridade o manterão afastado do melhor que Deus tem a oferecer.

As Pessoas Estão Observando Você

Eu estava no estacionamento de uma loja em um dia que ventava muito e quando abri a porta do carro, o vento jogou vários papéis no chão. Eu não precisava realmente dos papéis, mas tampouco queria sujar o local. Cada vez que eu tentava pegá-los, uma rajada de vento os lançava a mais de um metro em todas as direções. Pensei: *Não quero ficar correndo atrás desses papéis no estacionamento o dia inteiro!* Dei uma olhada à minha volta e reparei que já havia muito lixo acumulado por ali. Além disso, eu estava com pressa. Inventei várias desculpas para explicar por que eu não deveria perder mais tempo correndo atrás dos papéis. Eu já tinha quase me convencido a interromper o que eu estava fazendo quando tomei uma decisão: *Não, vou fazer a coisa certa e vou apanhar os papéis.*

Fiquei andando pelo estacionamento atrás dos meus papéis. Cada vez que vinha uma rajada de vento, ele voavam para mais longe. Eu estava dizendo para mim mesmo: "O que estou fazendo aqui? Deixe isso para lá. A loja provavelmente tem um funcionário que vem varrer o estacionamento todas as noites!"

Mas continuei a catar os papéis até estar seguro de que eu tinha recolhido todos os que tinham voado do meu carro — e vários outros que tinham voado do carro de outras pessoas! Quando finalmente juntei tudo, voltei para o carro. Eu não percebera, mas havia um casal no carro estacionado ao lado do meu. Eles abaixaram o vidro quando me reconheceram. Conversamos durante alguns segundos. A jovem então sorriu e disse: "Estávamos olhando para ver o que você ia fazer com todos esses papéis que voaram do seu carro."

Eu pensei: *Obrigado, Deus, por eu ter obedecido e feito a coisa certa!*

Quer ou não você perceba, as pessoas o estão observando. Estão examinando como você se veste, como cuida da sua casa, como trata as outras pessoas. Elas o observam no trabalho. O que vêem? Você representa bem o nosso Deus? Está em busca da excelência? Ou está fazendo concessões nas áreas supostamente insignificantes?

Deus quer que sejamos pessoas íntegras, honradas, confiáveis. A pessoa íntegra é aberta e sincera, não tem planos ocultos ou motivos ulteriores. Ela é fiel à sua palavra, cumpre seus compromissos. Não precisa de um contrato legal; sua palavra vale como um compromisso. As pessoas íntegras têm o mesmo comportamento na vida privada e em público. Elas não tratam bem os amigos e colegas, e depois quando chegam em casa são rudes e faltam ao respeito com a família. De jeito nenhum. A pessoa que tem integridade faz o que é correto quer alguém a esteja observando, quer não.

Nossa integridade é posta à prova todos os dias. Se o caixa do banco lhe der troco demais, você vai ser íntegro, avisá-lo do erro e corrigir as coisas? Ou vai sair de lá dizendo: "Obrigado Jesus! Você me ajudou de novo!"

Você avisa no trabalho que está doente para poder ficar em casa e cuidar de assuntos pessoais? Quando o telefone toca e é alguém com quem você não quer falar, você pede ao seu filho que minta? "Diga a ele que não estou em casa!"

"Ora, Joel, isso é apenas uma mentira inofensiva", dizem algumas pessoas. "Não está fazendo mal a ninguém." Está errado. As mentiras não são classificadas na Bíblia como grandes ou pequenas, ofensivas ou inofensivas. Uma mentira é uma mentira. Se você não diz a verdade, está sendo desonesto. Mais cedo ou mais tarde, ela o alcançará. Você acaba colhendo o que semeia.

Entenda o seguinte: se você mentir sobre pequenas coisas, em pouco tempo estará mentindo sobre coisas mais importantes. Estamos sempre lendo a respeito de grandes empresas que desmoronaram devido à fraude e a transgressões financeiras. Essas pessoas não começaram roubando milhões de dólares. O mais provável, no início, é que tenham desviado 100 dólares aqui, mil dólares ali. A seguir, quando surgiu a oportunidade, desviaram milhões. Não se iluda; se fizer concessões em algo pequeno, acabará transigindo em questões mais sérias. As transgressões são um deslizamento vertical. E roubo é roubo, seja de um dólar, mil dólares ou um milhão de dólares. Se você está levando para casa suprimentos da sua empresa, está sendo desonesto. Se não está dando à sua empresa um dia inteiro de trabalho, não está sendo íntegro. Se está precisando torcer a verdade a fim de conseguir uma nova conta, está trapaceando, e Deus não abençoará essa atitude. Precisamos viver com honestidade diante do nosso Deus e diante das outras pessoas. Ouvi alguém dizer o seguinte: "Não faça nada que o deixe constrangido, caso você lesse o ocorrido no dia seguinte no jornal."

Se eu vou à locadora e tenho de esconder de alguém o filme que estou alugando, algo está errado. Se o meu relatório de crédito se tornasse público hoje, eu ficaria constrangido porque nunca pago as contas em dia? Se os meus colegas fossem entrevistados na televisão, diriam que sou uma pessoa honrada, alguém com quem podem contar, uma pessoa em quem podem confiar? Ou diriam: "Aquele cara sempre nos apunhala pelas costas. Ele só pensa em si mesmo"?

Deus quer que sejamos pessoas de excelência e integridade. Se você não for íntegro, nunca alcançará seu potencial mais elevado. A integridade é a base sobre a qual é construída uma vida verdadeiramente bem-sucedida. Todas as vezes que faz uma concessão, sempre que não é honesto, você provoca uma pequena rachadura nessa base. Se continuar a fazer concessões, a base nunca será capaz de sustentar o que Deus quer construir. Você nunca terá uma prosperidade duradoura se em primeiro lugar não tiver integridade. Você poderá desfrutar de um sucesso temporário, mas nunca presenciará a plenitude da graça de Deus, se não seguir o caminho mais elevado e não fizer as escolhas mais excelentes. Por outro lado, as bênçãos de Deus se lançarão sobre nós, se nos recusarmos a viver uma vida que não seja íntegra.

Estamos dispostos a pagar o preço para fazer a coisa certa?

É claro que todos queremos prosperar na vida. Mas a verdadeira questão é a seguinte: estamos dispostos a pagar o preço para fazer a coisa certa? Nem sempre é fácil. Estamos pagando as nossas dívidas com honestidade? Estamos sendo transparentes nas nossas decisões de negócios? Estamos tratando as outras pessoas com respeito e consideração? A integridade e a prosperidade são os dois lados da mesma moeda. Não é possível ter uma sem a outra.

Deus pode estar lhe lembrando que você deve pagar uma conta que enfiou debaixo do tapete, que deve chegar ao trabalho na hora, que deve ser mais sincero naquele acordo de negócios. Comece a fazer as coisas direito. Ascenda a um nível mais elevado de integridade nessas áreas. Deus está nos dizendo que devemos deixar de ser medíocres e passar a ser excelentes.

A Bíblia diz que se formos leais nas pequenas coisas, Deus nos confiará outras. Como poderá Deus ter confiança de que farei a coisa certa com milhões de dólares, se não faço o que é correto com 100 dólares? No entanto, muitas pessoas estão deixando que as pequenas coisas as impeçam de voar mais alto.

Você pode achar que não faz nenhuma diferença pagar as contas com atraso ou contar essas "pequenas mentiras inofensivas". Pode achar que não faz nenhuma diferença tratar os amigos de um jeito e a família de outro. Mas se não aprender a passar nesses pequenos testes, Deus não o promoverá. Se você não aprender a fazer o que é correto nos pequenos setores, Deus não poderá lhe confiar mais coisas. Lembre-se de que a nossa vida é um livro aberto diante de Deus. Ele vê nosso coração, enxerga os nossos motivos. Deus vê todas as vezes que você caminha o quilômetro extra para fazer o que é certo. E também vê as ocasiões em que você faz concessões e escapa às suas obrigações da maneira mais fácil.

Ouvi falar em um homem que saiu cedo certo dia do trabalho para ir ao enterro da avó. No dia seguinte, o chefe dele lhe perguntou:

— Você acredita na vida após a morte?

O funcionário ficou perplexo e finalmente respondeu:

— Sim, acredito.

— Puxa, isso me fez sentir bem melhor — replicou o chefe.

— Por quê? Do que você está falando? — perguntou o funcionário.

— Bem, ontem depois que você saiu para ir ao enterro da sua avó, ela passou por aqui para visitá-lo — disse o chefe.

Isso é o oposto da integridade! Seja aberto, sincero e diga a verdade completa. Se quer que seu filho falte à aula em um determinado dia para ir a um jogo de futebol, não escreva um bilhete para a professora no dia seguinte dizendo: "Johnny faltou à aula ontem porque não estava se sentindo bem." Deus não pode abençoar essa atitude.

"Mas, Joel, ele pode ter problemas se eu disser a verdade."

Prefiro ter problemas com os homens do que com Deus. Além disso, você nunca realmente perde se pegar o caminho mais elevado. Aprenda a escutar a sua consciência. Deus a colocou dentro de você para que você tivesse uma regra interior que lhe permitisse distinguir o certo do errado. Quando você começar a fazer concessões, ouvirá um alarme disparar na sua consciência. Não deixe de prestar atenção nele. Faça o que você sabe, no fundo, que é certo.

Além disso, a pessoa íntegra expressa o que quer dizer e quer dizer o que expressa. As pessoas não devem tentar descobrir o que você *realmente* quis dizer. Seja objetivo nas suas declarações e conversas. Ter integridade é mais do que não contar uma mentira. A pessoa íntegra não enganará ninguém e nem induzirá as pessoas ao erro. Com freqüência é fácil contar parte da verdade ao mesmo tempo que deixamos de fora algo que sabemos que poderá exercer um impacto negativo. Isso não é falar com integridade. Precisamos ser abertos e sinceros, mesmo quando é difícil.

Digamos que você está tentando vender seu carro. Um homem se aproxima com o talão de cheques na mão. Ele está entusiasmado; e gosta do carro; está pronto para assinar o cheque. Mas aí ele olha para você e diz:

— Vou lhe fazer uma última pergunta: você já bateu o carro?

Exatamente como o *hard drive* de um computador, a sua mente procura as possíveis respostas. Embora *você* nunca tenha batido com o carro, a sua mulher, o seu filho e a sua sogra tiveram acidentes graves com o carro. Você começa a raciocinar e pensa: *Bem... estritamente falando, o cara perguntou se eu já bati com o carro...* De modo que você olha para ele, sorri e diz:

— Não, eu nunca bati com o carro.

Se você prestar bem atenção, vai ouvir um alarme inequívoco disparar na sua mente. E se for uma pessoa íntegra, dirá:

— Mas, sim, o carro já bateu.

A pessoa íntegra conta a verdade completa. "Mas, Joel", posso ouvi-lo protestando. "Não é assim que se faz negócios hoje em dia. Se eu contar a verdade ao homem, ele pode não comprar o carro. E posso perder a venda."

De fato, você pode perder algumas vendas a curto prazo, mas a longo prazo, se sairá muito melhor. Mesmo que a pessoa não compre o que você está vendendo porque você respondeu com integridade, Deus lhe trará uma compensação. Enviará alguém que comprará o carro por uma quantia maior. Ele lhe dará uma promoção no trabalho. Ele o ajudará a conseguir um negócio melhor com o carro que está tentando comprar. Meu amigo, Deus está no controle de todo o universo. Se você o honrar vivendo uma vida íntegra, Ele tomará providências para que você seja abundantemente abençoado. A Escritura diz: "Deus reserva o êxito para as pessoas honradas e Ele protege os que caminham com integridade."[2] Se você quer que Deus o proteja, se quer que Deus traga o êxito para a sua vida, precisa tomar a decisão de que será uma pessoa íntegra.

Certo homem de negócios estava preocupado.

— Se eu contasse toda a verdade, perderia alguns dos meus melhores clientes e poderia perder alguns dos meus maiores clientes.

— Não — retruquei. — Se fizer sistematicamente o que é certo, mesmo que perca alguns clientes, Deus lhe trará clientes maiores e melhores. Não há limite para o que Deus fará na sua vida quando Ele souber que pode confiar em você.

— Conheço pessoas no meu local de trabalho que mentem, trapaceiam e apunhalam os outros pelas costas — disse uma moça que trabalha para uma corretora da bolsa de valores. — Essa postura não está fazendo nenhum mal a eles. Na verdade, estão bem mais na frente do que eu.

— Não se engane — retruquei. — Um dia tudo isso vai alcançá-los. Prometo-lhe o seguinte: se assumir um compromisso com a integridade, no final você irá mais longe, será mais feliz e mais realizada. Deus a promoverá. Ele tem o triunfo reservado para você, quando você vive uma vida honrada. Quando se recusa a fazer concessões, Ele protege seu caminho. Se você afundar para o nível dos outros e fizer o que todo mundo está fazendo, apunhalando as pessoas pelas costas, contornando as regras aqui e ali, pode achar que está tendo lucro, mas no fim é você que irá sofrer. No fim quem perde é você.

Assuma um Compromisso com a Excelência

Ouvi a história de um homem rico que tinha um amigo construtor. Este último andava sem sorte e não estava conseguindo muitos trabalhos, de modo que o homem rico sentiu pena dele e resolveu ajudá-lo. Ele entregou ao amigo um projeto e um cheque de 300 mil dólares e disse:

— Quero que você construa uma nova casa para mim. Não tenho tempo para me ocupar do assunto. Estou entregando tudo nas suas mãos. Cabe a você tomar todas as decisões. Confio em você. Se fizer um bom trabalho, prometo que lhe pagarei bem.

O construtor ficou muito entusiasmado. Finalmente ele ia poder começar a ganhar algum dinheiro. No entanto, pensou o seguinte: *Se eu economizar um pouco aqui e ali, talvez possa embolsar parte daqueles 300 mil dólares.* Assim sendo, comprou o concreto mais barato que conseguiu encontrar e fez o misturador de cimento diluí-lo para que durasse mais. Só aí conseguiu economizar uns quatro ou cinco mil dólares. Animado, comprou a madeira serrada mais barata que conseguiu encontrar. Parte dela estava empenada e torta. Ele não se importou. A madeira ia ficar escondida atrás das paredes. Ninguém jamais a veria. Ele fez o mesmo com o material hidráulico, a parte elétrica e assim por diante, economizando onde podia. Quando a casa ficou pronta, conseguira economizar quase 40 mil dólares, que discretamente depositou na sua conta corrente.

Ele convidou o amigo rico para ir dar uma olhada na casa. O proprietário ficou impressionado. Na aparência, a casa era linda. Ele nunca adivinhou que o construtor tinha usado material de qualidade inferior, comprometendo a casa como um todo.

O construtor ficou em êxtase ao notar a expressão satisfeita do amigo. Ele não podia esperar para ver quanto ia receber pelo trabalho. Afinal de contas, sabia que o proprietário era um homem generoso.

Quando o homem rico se encaminhou para a porta da frente, virou-se e piscou o olho, dizendo para o construtor:

— Sabe, eu na verdade não preciso desta casa. Já tenho uma muito bonita. Eu só estava tentando ajudá-lo e fazer-lhe um favor. — E entregou as chaves para o construtor, acrescentado: — Aqui está, meu amigo. É para você. Você acaba de construir para si mesmo uma casa novinha em folha.

O construtor quase passou mal. Pensou: *Se eu soubesse que esta ia ser a minha casa, eu a teria construído com uma qualidade bem superior!*

A verdade é que mesmo sem perceber todos estamos construindo as próprias casas. Podemos economizar aqui e ali, mas isso só está prejudicando a nós mesmos. As decisões insatisfatórias enfraquecerão nossas fundações, causando-nos os mais diversos tipos de problemas no futuro. Tudo pode parecer bem na aparência, mas o que realmente conta é o que está acontecendo dentro das paredes, atrás das portas fechadas. O que fazemos quando ninguém está olhando? Estamos diluindo as nossas fundações devido à falta de integridade? Estamos enganando pessoas aqui e deixando de pagar impostos ali, comprometendo a direita e a esquerda? Que tipo de material estamos colocando nas nossas casas?

Mesmo sem perceber todos estamos construindo as próprias casas.

Esse construtor mudou-se para a casa nova e, três meses depois, estava tendo problemas com as fundações. Seis meses depois, surgiram rachaduras nas paredes. O sistema hidráulico não funcionava adequadamente. Acabou gastando bem mais do que os 40 mil dólares que "economizara" para corrigir todos esses problemas. Se tivesse que fazer tudo de novo, ele faria a coisa certa desde o início.

Da mesma maneira, quando fazemos concessões para avançar mais do que os outros ou para denegrir a reputação de alguém, a fim de que possamos ser promovidos, podemos pensar que estamos vencendo, mas no fim teremos inúmeros problemas. Sofreremos terríveis conseqüências. Temos de viver na nossa casa. Não posso construir a sua e você não pode construir a minha. Cada um de nós é responsável pelas próprias decisões. Não sei o que você faz atrás de portas fechadas. Você não sabe o que eu faço. Mas na condição de pessoas íntegras, nosso caráter na vida privada deve ser o mesmo que em público. Não vestimos o rosto de domingo na igreja para depois sair e fazer inúmeras concessões durante a semana.

Você pode se sentir tentado a fazer uma chamada interurbana do telefone da sua empresa. "Vá em frente", diz um colega. "Todo mundo faz isso. Ninguém vai ver. Ninguém vai saber, se você fez uma ligação de negócios ou não."

De jeito nenhum. A pessoa de excelência e integridade faz o que é certo, mesmo quando ninguém está olhando. As pessoas de excelência fazem o que é certo porque é certo, e não porque alguém as está obrigando a fazê-lo. Meu amigo, existem muitas coisas com as quais pode escapar impune na vida e continuar a ser aceitável aos olhos da sociedade. Você pode comprometer a sua integridade pessoal ou a da sua empresa; pode enganar as pessoas ou ser desonesto. Pode mentir, roubar, transigir a ética e contornar as regras aqui e ali. Mas a questão é: a que altura quer chegar? Quanto da graça de Deus quer ver? Quanto quer que Deus se valha de você? Deus não pode promovê-lo ou abençoá-lo se você não viver uma vida íntegra.

Há alguns anos, um amigo meu estava mudando de emprego. Ele era um executivo e conseguira um excelente cargo em outra empresa. Estava entusiasmado com o novo emprego, mas ele só assumiria a nova função daí a três ou quatro meses. Quando pediu demissão da empresa onde trabalhava, concordou em trabalhar até a ocasião em que tivesse de assumir o cargo na nova empresa.

O meu amigo era um funcionário esforçado, aplicado e muito inteligente. E sempre dava o máximo de si no trabalho. Não obstante, durante aquele período de três meses, à medida que as coisas pouco a pouco iam perdendo o ritmo no emprego antigo, eu esperava que ele fosse relaxar e levar as coisas mais devagar, que talvez chegasse mais tarde ou tirasse algum tempo de folga. Afinal de contas, ele não estava tentando impressionar ninguém.

Mas ele fez exatamente o oposto. Passou a chegar mais cedo do que nunca e ficava até mais tarde; ele se esforçou ao máximo. Fiquei realmente impressionado. Certo dia estávamos conversando sobre o assunto e lhe perguntei:

— Você está trabalhando mais do que nunca. Por quê?

— Joel, eu estava planejando ir mais devagar até assumir o meu cargo na nova empresa, mas certo dia fui trabalhar sentindo-me um pouco preguiçoso, sem dar tudo de mim e Deus falou bem no meu íntimo. Ele disse: "Filho, se não continuar a respeitar essa empresa dando a ela o melhor de si, não vai se destacar no novo cargo." Quando ouvi isso, soube que tinha de dar o melhor de mim — respondeu ele.

O meu amigo entendeu quem é o seu verdadeiro Chefe. Ele não estava trabalhando para a empresa ou para o seu supervisor; estava trabalhando para Deus e não para os homens. É Deus quem mantém os registros. É Ele quem nos recompensará. É Ele quem pode promovê-lo. Não devemos agir com nobreza apenas porque alguém está nos observando. Devemos fazer o que é certo porque Deus está nos observando. Faça o que é certo porque você é uma pessoa de excelência e integridade.

Se cometeu alguns erros em questões éticas, faça a coisa honrada e corrija a situação da melhor maneira possível. Se assumir um compromisso com a excelência, Deus o ajudará a sair dessa confusão. Mas Ele não irá ajudá-lo, se você não viver uma vida íntegra.

O meu pai era uma pessoa de excelência e um homem íntegro. Quando tinha 20 e poucos anos, comprou certa vez dois ternos a crédito. Mas ele se mudou e nunca pagou as prestações. Passaram-se anos e ele se esquecera totalmente do assunto. Certo dia, quando estava rezando, Deus o fez pensar na conta dos dois ternos que não fora paga. Papai se sentiu muito mal com a situação e decidiu fazer o possível para corrigir o ocorrido. Já tinham se passado 30 ou 40 anos desde que ele comprara o terno, mas ele telefonou para Fort Worth e tentou entrar em contato com o lugar onde comprara a roupa. A firma não estava mais em atividade, mas isso não o fez desistir. Ele perguntou à empresa vizinha se sabiam o nome do proprietário do negócio. Eles lhe forneceram o nome, mas disseram: "Ele morreu há vários anos." Mesmo assim papai não desistiu. Procurou nas listas telefônicas e fez várias ligações tentando localizar alguns dos parentes do homem. Papai finalmente entrou em contato com um dos filhos dele e lhe enviou um cheque de vários milhares de dólares, porque além de pagar pelos ternos, incluiu os juros no valor. Por que fez isso? Porque papai era uma pessoa de excelência e integridade. Ele honrava a Deus cumprindo a sua palavra.

Quando assumir um compromisso com a excelência e a integridade, Deus o recompensará. Quando você está empenhado em fazer o que é certo, está plantando sementes para as bênçãos de Deus. Você nunca estará errado ao tomar o caminho mais elevado e fazer mais do que é exigido.

Alguns anos antes de o meu pai ir ter com o Senhor, decidimos remodelar a área da plataforma da Lakewood Church. Na época, eu estava trabalhando nos bastidores, no departamento de produção da televisão. Sou perfeccionista, de modo que queria que o novo cenário tivesse a melhor aparência possível. Trabalhamos vários meses com os arquitetos e projetistas, e depois que estavam com o projeto pronto, mandei fazer uma maquete de tudo. Eu queria vê-lo através da câmera antes que construíssemos qualquer coisa permanente. Trouxemos uma grande esfera e a posicionamos na altura certa onde posteriormente construímos um grande globo giratório. Pedimos então aos projetistas que posicionassem a maquete do púlpito, levamos o papai até lá e o dimensionamos exatamente para ele, ajustando ao máximo todos os detalhes. Depois de construirmos tudo, passamos várias semanas trabalhando na iluminação. Victoria costumava me perguntar:

— Joel, por que você está passando horas e horas ajustando uma pequena luz, talvez apenas uma pequena linha de cor na cortina?

— Porque quero que tudo fique perfeito — respondia eu. Eu estava empenhado em fazer o melhor de mim. Estava comprometido com a excelência. Na época, nem imaginava que um dia seria eu a me erguer naquela plataforma, atrás do mesmo púlpito. Não percebi na ocasião, mas eu estava construindo a minha própria casa. Olhando para trás, fico feliz por ter despendido esse esforço adicional. Estou contente por ter dado tudo de mim.

Tenha o mesmo compromisso com a excelência. Comece a fazer o que você no fundo sabe ser o melhor. Não se conforme com a mediocridade. Não faça apenas o que precisa fazer para sobreviver. Seja uma pessoa que caminha o quilômetro extra. Seja uma pessoa que faz um pouco mais do que precisa fazer. Lembre-se de que você e eu representamos Deus Todo-poderoso. Vamos acabar com a vida preguiçosa, medíocre e desleixada, e ascendamos a níveis mais elevados. Se você viver comprometido com a excelência e a integridade, a felicidade será um subproduto natural, porque Deus o recompensará muito além dos seus sonhos mais grandiosos!

CAPÍTULO 32

VIVENDO COM ENTUSIASMO

Uma mulher que fazia compras em um shopping em Houston cantarolava feliz uma música enquanto pegava os artigos que desejava comprar e se dirigia ao caixa para pagar. A caixa, notando a personalidade cheia de vida da cliente, ficou olhando para ela por um longo instante, como se estivesse se perguntando o que estaria errado com ela. Ainda olhando para a cliente com uma certa curiosidade, a caixa finalmente pronunciou a frase de praxe:

— Bom-dia, como está passando?

Era só o que estava faltando. A entusiástica mulher quase explodiu de tanta alegria.

— Que delicadeza da sua parte perguntar! Estou ótima! Sou tão abençoada. Estou muito animada com o dia de hoje!

A caixa contemplou a mulher com um olhar inquisitivo por um momento e depois disse:

— Gostaria de lhe fazer uma pergunta. A senhora freqüenta Lakewood?

— Freqüento — respondeu a cliente. — Como você adivinhou?

A caixa balançou a cabeça e sorriu.

— Eu devia ter percebido. Todo mundo que entra aqui agindo como você é de Lakewood.

O povo de Deus deve ser o povo mais feliz da terra!

Quando ouvi essa história pela primeira vez, dei uma risadinha, mas depois pensei: *Que grande elogio!* É assim que as coisas devem ser. O povo de Deus deve ser o povo mais feliz da terra! Tão feliz, na verdade, a ponto de os outros perceberem. Por quê? Porque além de termos um futuro fabuloso, podemos aproveitar a vida hoje! É nisso que consiste viver da melhor maneira possível agora.

Viva com Entusiasmo

Viver da melhor maneira possível agora é viver com entusiasmo e se sentir animado com a vida que Deus lhe deu. É acreditar que os dias vindouros encerram mais coisas boas, mas também é viver no momento e aproveitá-lo ao máximo!

Não sejamos ingênuos. As pressões da vida moderna constantemente ameaçam afetar nosso entusiasmo, fazendo com que ele se evapore rápido, se não for continuamente reforçado. Você talvez conheça algumas pessoas que perderam a paixão, o entusiasmo pela vida. Elas já se sentiram animadas com relação ao futuro, aos seus sonhos, mas perderam o ardor.

Talvez até mesmo na sua vida você tenha visto indícios do declínio do entusiasmo. Talvez tenha havido uma época em que se sentiu entusiasmado pelo seu casamento. Você estava profundamente apaixonado, repleto de paixão, mas agora sua união se tornou insípida e estagnada. Ou quem sabe você sentia um grande entusiasmo pelo seu emprego. Adorava ir trabalhar, mas recentemente ele se tornou desinteressante, rotineiro e enfadonho. É possível que tenha havido uma época em que você sentia entusiasmo por servir a Deus. Você mal podia esperar a hora de ir para a igreja, adorava ler a Bíblia, rezar e passar momentos com seus companheiros de fé. No entanto, ultimamente você tem pensado: *Não sei o que está errado comigo. Não tenho motivação. Não sinto entusiasmo. Faço as coisas por fazer.*

A verdade é que grande parte da vida é rotineira e podemos ficar estagnados se não tivermos cuidado. Precisamos despertar, repor dia-a-dia o suprimento das boas dádivas de Deus. Como o povo de Israel no deserto que tinha de reunir todas as manhãs as provisões milagrosas de maná de Deus, nós também não podemos sobreviver com o suprimento de ontem. Precisamos renovar diariamente o entusiasmo. A palavra *entusiasmo* deriva de duas palavras gregas, *en theos,* que significam "inspirado por Deus". Nossa vida precisa ser inspirada, infundida e preenchida todos os dias com a bondade de Deus.

Tome a decisão de que você não vai passar nem mais um dia sem a alegria do Senhor na sua vida; sem amor, paz e paixão; sem estar entusiasmado com a sua vida. E entenda que você não precisa ter algo extraordinário acontecendo para ficar entusiasmado. Talvez não viva no ambiente perfeito, não tenha o emprego perfeito nem o casamento perfeito, mas mesmo assim você pode escolher viver cada dia com entusiasmo. Diz a Escritura: "Não relaxeis no zelo. Tende o espírito resplandecente e ardente, e servi ao Senhor com entusiasmo."[1] Por acaso esses termos descrevem sua vida? Você *resplandece* com a presença de Deus? *Arde* de entusiasmo? Você pode arder! Quando acorda de manhã, você se levanta com paixão para enfrentar o dia? Você se sente estimulado com os seus sonhos? Vai trabalhar todos os dias com entusiasmo?

"Bem, na verdade não gosto do meu trabalho", queixa-se Darlene. "Não suporto dirigir no trânsito. Não gosto dos meus colegas de trabalho."

Se essa declaração soa familiar, é preciso mudar de atitude. Você deve sentir-se grato por ter um emprego. Precisa apreciar e permanecer entusiasmado com as oportunidades que Deus lhe deu. Independentemente da sua situação na vida, aproveite-a ao máximo e seja o melhor que é capaz de ser. Se a sua tarefa no momento é criar os filhos, faça-o com paixão. Faça-o com entusiasmo. Não diga: "Droga! Os meus amigos estão fazendo coisas importantes e estimulantes, e tudo que estou fazendo é cuidar destas crianças."

O trabalho da mãe é uma das tarefas mais importantes do mundo. Mas você precisa permanecer entusiasmada. Talvez não tenha ninguém dando tapinhas nas suas costas ou encorajando-a. O seu dia pode não ser repleto de eventos extraordinários. Há fraldas para trocar, crianças para alimentar, roupas a serem lavadas e passadas, serviços domésticos que precisam ser feitos; tarefas mundanas que parecem recomeçar no momento em que você as termina. Mas, no meio do corriqueiro, você pode escolher ter uma atitude extraordinária com relação ao seu trabalho. A Escritura nos diz para fazer tudo o que fazemos de todo o coração, "para não relaxar no zelo".

Se você trabalha fora de casa, não ofereça ao seu empregador um esforço apático. Não perca tempo ao telefone, desperdiçando o tempo e o dinheiro do seu empregador. Se estiver cavando uma vala, não passe metade do dia apoiado na pá; faça o seu trabalho com excelência e entusiasmo!

"Afinal de contas, não sou bem pago. Não deveria ter de trabalhar tanto."

Você não será abençoado com esse tipo de atitude. Deus quer que você dê ao seu trabalho o máximo de si. Seja entusiástico. Dê o exemplo.

Devemos ficar tão entusiasmados e cheios de alegria que as outras pessoas vão querer o que nós temos. Pergunte a si mesmo: "Eu vivo de uma maneira interessante e contagiante? As minhas atitudes, palavras, expressões, a maneira como lido com os desafios e os reveses, fazem com que as pessoas queiram o que eu tenho?" Em outras palavras, você está conduzindo as pessoas para Deus com a sua alegria, sua cordialidade, seu entusiasmo e sua atitude de fé? Ou afasta as pessoas porque é constantemente negativo, desanimado, irônico ou cínico? Ninguém gosta de ficar perto de alguém assim. Se você quer conduzir as pessoas para Deus, ou simplesmente para um melhor modo de vida, nutra algum entusiasmo e sinta-se estimulado pela vida.

Adoro a história ficcional de Tom Sawyer. Quando criança, Tom recebeu a incumbência de pintar a cerca. Bem, Tom não estava com vontade de trabalhar; queria brincar com os amigos. Mas, em vez de assumir uma atitude negativa e amarga, decidiu tirar o melhor proveito possível da situação. Começou a pintar a cerca com entusiasmo, como se estivesse gostando muito do que estava fazendo. Quando seus amigos apareceram e viram como Tom estava se divertindo, ficaram com inveja dele. E perguntaram:

— Ei, Tom! Será que você deixa a gente tentar pintar a cerca?

— De jeito nenhum — respondeu Tom. — Esta é a minha cerca. É o meu projeto. Vocês nunca conseguiriam fazer o que estou fazendo. — Ele realmente exagerou a situação. E vocês conhecem a história. No fim das contas, Tom Sawyer ficou sentado olhando os amigos fazerem todo o seu trabalho, apenas porque tinha abordado a tarefa com entusiasmo.

Quem sabe o que aconteceria se cada um de nós vivesse com mais animação nos olhos, com o coração repleto de paixão, o rosto coberto de entusiasmo? Em vez de se arrastar por aí, queixando-se por não querer cortar a grama, ponha um sorriso no rosto, mais elasticidade no andar e comece a agir como se estivesse gostando do que está fazendo. Talvez alguém apareça para ajudá-lo! Mas se isso não acontecer, pelo menos você se sentirá melhor com relação ao trabalho. Terá mais energia e terminará mais rápido o que tem de fazer. Você ficará impressionado com a maneira como Deus derramará a graça Dele sobre você e como as oportunidades começarão a surgir, quando você começar a viver com entusiasmo. Os empregadores preferem funcionários que se sentem estimulados a trabalhar na empresa deles. É muito mais provável que o seu chefe lhe dê um aumento ou uma promoção, se você tiver uma boa atitude e se mostrar entusiasmado com o trabalho do que se simplesmente aparecer na firma e fizer o serviço de uma forma mecânica. Na verdade, pesquisas demonstram que as pessoas entusiásticas freqüentemente recebem mais promoções do que aquelas que são efetivamente mais qualificadas. A pessoa otimista é promovida apenas porque tem uma boa atitude.

Outras Pessoas Notarão

Centenas de pessoas trabalham conosco em Lakewood, mas, por mais talentosa ou habilidosa que uma pessoa possa ser, não contratamos ninguém que não sinta entusiasmo pela nossa organização. Não contratamos quem não acredita no que estamos fazendo. Além disso, não as encorajamos a permanecerem na equipe se não acharem que Lakewood é o melhor lugar do mundo para trabalhar. Queremos apenas colaboradores entusiásticos.

Durante vários anos, observei Jackie sentada bem na frente da Lakewood Church, semana após semana. Ela estava sempre animada com relação ao serviço, prestava atenção ao que estava acontecendo, participava com um tremendo entusiasmo e irradiava alegria com a sua conduta e o seu apoio. Eu não sabia quem ela era, mas ela sempre parecia estar passando momentos extremamente agradáveis. Quando cantávamos, ela o fazia de todo o coração. Quando eu transmitia uma mensagem, examinava a audiência, e Jackie sempre tinha um sorriso no rosto. Ela ficava balançando a cabeça como se estivesse me incentivando e dizendo: "Vamos lá, Joel. Conte-me mais coisas. Você está se saindo muito bem."

Contratamos Jackie e ela continua a inspirar e encorajar as pessoas. Essa porta de oportunidade se abriu para ela simplesmente porque ela sentia entusiasmo. Ela estava animada. As outras pessoas notam quando você vive com paixão e animado com os seus sonhos. Talvez não seja o seu patrão a promovê-lo e sim outra pessoa que perceberá sua atitude positiva e lhe oferecerá um cargo que você não estava esperando. Todos os tipos de vantagens e oportunidades se apresentarão a você, se simplesmente fizer tudo que faz com entusiasmo, de todo o coração.

Eu era fascinado quando criança por um guarda de trânsito que trabalhava na Galleria, uma das grandes áreas comerciais de Houston. Ele controlava o trânsito no cruzamento mais movimentado daquela parte da cidade. Na hora do *rush*, o trânsito ficava tão congestionado que era comum precisarmos esperar dez ou 15 minutos para atravessar aquele sinal. Era evidente que as pessoas dentro dos carros estavam irritadas por ter de esperar tanto, mas quando se aproximavam do guarda, a atitude delas mudava completamente.

Esse guarda não apenas controlava o trânsito. Ele dava um show! Tinha tanto entusiasmo que simplesmente observá-lo era divertido. Era óbvio que amava o que fazia. Ele praticamente dançava enquanto coordenava o fluxo de veículos, acenando desenfreadamente os braços, fazendo gestos com as mãos e arrastando os pés pelo cruzamento. Ele conseguiu controlar o trânsito e ao mesmo tempo deslizar no chão, como se estivesse na Lua!

Surpreendentemente, depois de avançar no trânsito a passo de tartaruga durante dez ou 15 minutos, muitos motoristas paravam o carro nos estacionamentos próximos apenas para observar o espetáculo do guarda. Ele era *entusiástico*. Não ia para aquele cruzamento todos os dias apenas porque tinha de trabalhar. Não fazia as coisas por fazer. De jeito nenhum; ele estava realizando apaixonadamente o seu destino.

Não faça as coisas na vida apenas por fazer. Sinta algum entusiasmo.

É assim que você e eu devemos ser. Não faça as coisas na vida apenas por fazer. Sinta algum entusiasmo. Escolha ser feliz; viva com excelência e integridade, e torne seus passos mais elásticos. Ponha um sorriso no rosto. Dance se quiser e deixe que o mundo saiba que você está aproveitando a vida que Deus lhe deu!

Meu amigo, se quiser ver a graça de Deus, faça tudo com todo o coração, com paixão e ardor. Você não apenas se sentirá melhor, mas esse ardor se espalhará e logo outras pessoas irão querer o que você quer. Quer que a sua vida exerça um impacto? Você pode mudar a atmosfera da sua casa ou do seu escritório com um pouco de entusiasmo. Não viva nem mais um dia derrotado e deprimido. Desperte; reacenda a sua chama.

No Novo Testamento, o apóstolo Paulo encoraja seu jovem colaborador Timóteo: "Reaviva a chama. Reacende a brasa. Desperta o dom que está dentro de ti."[2] Paulo estava lembrando ao seu assistente que ele devia viver com entusiasmo. Dê tudo de si. Não se conforme com a mediocridade.

Você talvez precise viver ou trabalhar com pessoas que tendem a ser negativas, que têm a tendência de arrastá-lo. Mas não deixe que joguem água na sua fogueira. Não permita que a falta de entusiasmo delas reprima a sua paixão. Se o seu parceiro é preguiçoso, tome a decisão de que mesmo assim você vai ser uma pessoa feliz e cheia de entusiasmo. Se você trabalha com pessoas que têm sempre uma atitude negativa, procure superar essa negatividade sendo positivo, animador e edificante. Atice a sua chama mais do que de costume para garantir que o fogo não irá se apagar.

Quando todas as outras pessoas estão deprimidas e se sentindo derrotadas, quando você estiver sozinho sem ninguém por perto para consolá-lo, simplesmente encoraje a si mesmo. A sua atitude deve ser a seguinte: *Não me interesso pelo que qualquer outra pessoa faça ou deixe de fazer. Vou viver a minha vida com entusiasmo! Vou manter ativo o meu ardor. Vou ser uma pessoa resplandecente. Vou sentir paixão por ver meus sonhos se tornarem realidade.*

As pessoas que me vêem na televisão às vezes me escrevem, dizendo:

— Joel, por que sempre sorri tanto? Por que você é tão feliz? Por que demonstra ter tanto entusiasmo?

— Estou contente por você ter perguntado! — respondo, e isso abre a porta para que eu descreva para elas o meu relacionamento com Deus e como elas também podem se relacionar com ele.

Um homem me parou certa vez nas ruas de Nova York e perguntou:

— Ei, você não é aquele pastor sorridente?

Eu ri e disse.

— Creio que sim. Sou eu. Sou o pastor sorridente. — Interpreto esse comentário como um elogio. De fato, sou culpado por ser feliz! Sou culpado por me sentir animado com relação ao futuro. Sou culpado por viver cada dia com entusiasmo.

Deus Tem Coisas Magníficas Reservadas para Você

Antes de ler este livro, você talvez estivesse deprimido ou preso a uma rotina. Talvez estivesse quase desistindo dos seus sonhos. Você não estava entusiasmado com as pessoas na sua vida pessoal ou profissional. Mas agora você entende melhor as coisas! Agora, sabe que Deus tem coisas magníficas reservadas para você. É chegada a hora de reacender a sua chama; recupere o entusiasmo e adote uma atitude vigorosa, positiva e alegre.

"Mas Joel, eu tive um ano difícil. Passei por muitas decepções. Perdi muitas coisas boas."

Talvez, mas já pensou no seguinte? Não fosse a bondade de Deus, você poderia ter perdido tudo, talvez nem estivesse aqui hoje. Por que não ser grato pelo que você tem? Pare de olhar para o que está errado e comece a agradecer a Deus o que está certo. Levante-se todos os dias esperando coisas boas. Comece a contar com a graça de Deus. Comece a esperar as bênçãos Dele. Fique animado com o dia de hoje.

Este pode ser o dia em que as coisas vão se modificar. Este pode ser o dia em que você vai receber um milagre. Este pode ser o dia em que vai conhcecer a pessoa dos seus sonhos. Este pode ser o dia em que o seu filho vai voltar para casa. É assim que você permanece entusiasmado, mesmo nos momentos difíceis. Você espera coisas boas. Você permanece repleto de esperança.

Consigo ouvi-lo perguntando: "E se eu fizer tudo isso e nada acontecer? Irei dormir ainda mais desanimado se tiver outra decepção."

Não, você pode ir dormir dizendo: "Deus, apesar de não ter acontecido hoje, continuo a confiar. Ainda acredito que coisas boas surgirão na minha vida. Ainda estou animado, sabendo que estou um dia mais perto do meu milagre. Estou um dia mais próximo do momento em que as coisas vão se modificar. Estou um dia mais perto da reviravolta."

Este é o significado de permanecer "cheio de zelo". Continue a desejar com paixão que os seus sonhos se tornem realidade. Permaneça ardoroso e resplandecente. Independentemente do que fizer, faça-o com entusiasmo!

Diz a Bíblia: "Se estiverdes dispostos a obedecer, comereis as coisas boas da terra."[3] Repare que temos de ser mais obedientes; precisamos estar dispostos — dispostos a fazer a coisa certa, dispostos a viver com uma boa atitude e com entusiasmo.

É interessante observar o momento em que as doações são recolhidas na igreja. Muitas pessoas dão, mas sem estar muito dispostas a isso. A atitude delas é a seguinte: *Aqui está, Deus. Aqui está o dinheiro que Lhe devo. Mais 100 dólares. A esta altura eu poderia ter comprado um caminhão novo.*

Teoricamente, eles estão obedecendo na questão de dar, mas Deus deseja mais do que a mera obediência; Ele está procurando um coração disposto. A Bíblia diz o seguinte: "Deus ama aquele que dá com alegria."[4] (Uma das traduções diz: "Aquele que dá com entusiasmo.") Essa verdade não se aplica apenas ao dinheiro. Devemos dar com alegria o nosso tempo, servir com alegria as outras pessoas, fazer o bem com alegria àqueles que nos cercam.

Não gosto quando as pessoas me dão coisas por obrigação ou dever, simplesmente porque sentem que precisam fazê-lo. Imagine se no meu aniversário os meus filhos se aproximassem de mim e dissessem:

— Pai, aqui está o seu presente. Tivemos de gastar todo o nosso dinheiro para comprá-lo, portanto se você realmente estiver interessado, pode ficar com ele.

Por mais que eu ame os meus filhos, eu retrucaria:

— Não, tudo bem. Fiquem com o presente.

E se Victoria me dissesse certa manhã:

— Muito bem, Joel, vamos acabar logo com isso. Vou lhe dar um abraço. Ótimo, já cumpri o meu dever por hoje.

Na verdade, o que todos queremos é alguém que nos ame, uma pessoa disposta e que sinta entusiasmo por estar do nosso lado. Deus também é assim. Ele não quer simplesmente que obedeçamos a Ele por medo ou mesmo por respeito. Ele deseja que O amemos como o nosso Pai celeste. E quer que façamos a coisa certa porque é isso que queremos fazer!

Ele examina o seu coração. Quando você rezar, converse com Deus com uma atitude disposta. Fique animado na hora de comparecer aos serviços da igreja ou participar de outras oportunidades de servir na comunidade. Não faça nada por obrigação, apenas porque tem de fazer. Faça porque você quer agradar a Deus. Faça com entusiasmo. Aprenda a ser mais do que obediente; aprenda a se mostrar disposto. Desenvolva o hábito de fazer a coisa certa com os motivos adequados, com a atitude correta e com um coração agradecido.

Aprenda a ser mais do que obediente; aprenda a se mostrar disposto.

Uma das principais razões pelas quais perdemos o entusiasmo pela vida é o fato de sermos mal-agradecidos; aceitamos como fato consumado o que Deus fez por nós. Deixamos que o que certa vez foi um milagre torne-se comum. Ficamos tão acostumados com a bondade Dele que ela se torna rotineira; a verdade não nos estimula mais. Ouvi uma pessoa dizer o seguinte: "Não deixe que os seus milagres se transformem em monumentos." Um monumento é um pedaço de madeira que nos faz lembrar de algo que já foi vivo, vibrante e estimulante.

Talvez você um dia tenha ficado entusiasmado com a pessoa que Deus trouxe para a sua vida, de um modo sobrenatural, como o seu parceiro no casamento, mas agora todo esse arrebatamento se desgastou. Não permita que o sentimento do milagre escapula. Não fiquem íntimos demais um do outro a ponto de se aceitarem como um fato consumado.

No primeiro ano do nosso namoro, Victoria e eu estávamos nas nuvens. Ríamos e nos divertíamos. Não precisávamos fazer coisas extravagantes ou dispendiosas para nos divertir. Éramos felizes fazendo coisas corriqueiras. Estávamos apaixonados; estávamos animados, e tudo que fazíamos era interessante.

Em uma das primeiras vezes que saímos, fui buscá-la um pouco antes da hora para que tivéssemos alguns minutos de reserva. Quando estávamos na auto-estrada, Victoria disse: "Joel, dê uma parada naquele novo prédio comercial e vamos dar uma olhada no saguão. Ouvi dizer que ele é absolutamente lindo."

Normalmente, eu pensaria: *O que vou fazer olhando para o saguão de um prédio? Consigo imaginar coisas muito mais interessantes para fazer.*

Mas eu estava com Victoria. Desde que ela estivesse do meu lado, o que eu fazia não tinha importância. Eu poderia ter ido passear em uma central elétrica desde que estivéssemos juntos!

Se você é casado, provavelmente se sentiu da mesma maneira com relação ao seu parceiro. Você estava loucamente apaixonado por essa pessoa. Você sabe que Deus os reuniu.

No entanto, com uma enorme freqüência, aceitamos como fato consumado o que Deus fez por nós. Nós nos levantamos pela manhã e dizemos: "Bem, quem está do meu lado é apenas a minha mulher (ou marido). Nada de mais. Sinto muito, querida(o), mas não tenho tempo para lhe dar um abraço. Estou com pressa. Não tenho tempo para fazer nada divertido esta noite. Eu poderia perder o meu programa favorito na televisão ou o jogo de futebol." Aquilo que um dia consideramos um milagre, hoje se tornou completamente corriqueiro. Recupere a sua chama. Atice-a mais do que nunca. Viva com entusiasmo. Independentemente do que você fizer, faça-o por Ele, de todo o coração.

Meu amigo, Deus não quer que você se arraste pela vida sentindo-se derrotado e deprimido. Não importa o que possa ter passado, não importa de quem foi a culpa, não importa como a sua situação pode parecer impossível, a boa notícia é que Deus quer dar uma reviravolta na situação e restaurar tudo que lhe foi roubado. Ele quer restaurar seu casamento, sua família, sua carreira. Quer restaurar os sonhos interrompidos. Quer restaurar sua alegria e lhe dar uma paz e felicidade que você nunca conheceu. Acima de tudo, Deus quer restaurar o seu relacionamento com Ele. Quer que você viva uma vida de satisfação.

Deus não quer que você simplesmente se sinta um pouco melhor durante alguns dias depois de ler este livro. De jeito nenhum. Deus está no ramo da restauração a longo prazo, e deseja que você tenha uma vida repleta de alegria e felicidade. Deus não quer que você simplesmente vá levando o seu casamento. Ele quer modificar a situação e restaurar o seu relacionamento, tornando-o forte, saudável e gratificante. Deus não quer que o seu negócio apenas consiga sobreviver nas águas sombrias da economia. Ele quer que o seu negócio levante âncora e se destaque! Quando Deus faz uma restauração, sempre faz com que você surja melhor, aumentado e multiplicado. Ele tem uma visão de êxito total para a sua vida!

Agarre-se a essa nova visão ampliada de triunfo que Deus lhe concedeu. Comece a esperar que as coisas mudem a seu favor. Ouse declarar com coragem que você está firme contra as forças do mal. Você não se conformará com uma vida medíocre!

É a nossa fé que ativa o poder de Deus.

Eleve o seu nível de expectativa. E a nossa fé que ativa o poder de Deus. Vamos parar de limitá-Lo com o nosso modo de pensar tacanho e comecemos a acreditar que Ele nos trará coisas maiores e melhores. Lembre-se de que se você obedecer a Deus e estiver disposto a confiar Nele, você receberá o melhor que esta vida tem a oferecer — e mais ainda! Tome a decisão de que a partir deste dia, você ficará entusiasmado com a vida que Deus tem para você. Se você:

- *Expandir a sua visão;*
- *Desenvolver uma auto-imagem saudável;*
- *Descobrir o poder de seus pensamentos e palavras;*
- *Libertar-se do passado;*
- *Encontrar forças na adversidade;*
- *Ser generoso;*
- *E escolher a felicidade...*

Deus o levará a lugares com os quais você nunca sonhou, e você viverá da melhor maneira possível agora!

Notas

Observação da tradutora:

NKJV refere-se à nova versão inglesa da Bíblia de King James, AMP refere-se à versão ampliada, NASB à New American Standard Bible [Nova Bíblia Americana Convencional] e TLB à *The Living Bible* [A Bíblia Viva].

Capítulo 1: Expandindo a Sua Visão

1. Ver Efésios 2:7.
2. Ver Mateus 9:17.
3. Ver Isaías 43:19.
4. Ver Marcos 9:23.

Capítulo 2: Elevando o Seu Nível de Expectativa

1. Ver Colossenses 3:2.
2. Ver Hebreus 11:1 NKJV.
3. Mateus 9:29 AMP.
4. Ver Provérbios 13:20.

Capítulo 4: Rompendo as Barreiras do Passado

1. Ver 2 Coríntios 10:4.
2. Deuteronômio 1:6 AMP.
3. Ver Isaías 61:7.
4. Ver Isaías 54:2.

Capítulo 5: Recebendo mais Graças Divinas

1. Ver Salmos 8:5.
2. Ver Romanos 8:28.

Capítulo 6: Vivendo com a Graça Divina em Mente

1. Ver 1 Samuel 13:14; Atos 13:22.
2. Salmos 23:6 NKJV.

3. Ver Gênesis 6:8.
4. Ver Rute 2:10.
5. Ver Gênesis 39:5, 21, 23.
6. Ver Jó 10:12.
7. Ver 1 Pedro 1:13.

Capítulo 7: Quem Você Acha que É?

1. Ver Gênesis 1:26-27; Salmos 8:4-5.
2. Ver 2 Coríntios 12:9-10.

Capítulo 8: Entendendo o Seu Valor

1. Ver Efésios 2:10.
2. Ver 2 Coríntios 3:18.
3. Ver Provérbios 4:18.
4. Ver Salmos 40:2-3.

Capítulo 9: Torne-se Aquilo em que Você Acredita

1. História adaptada de *Empires of the Mind* [Impérios da Mente] de Denis Waitley (Nova York: William Morrow, 1995), 126.
2. Mateus 9:28 AMP.
3. Ver Mateus 9:29-30.
4. Ver Romanos 8:28.
5. Ver Gênesis 12:2.
6. Ver Isaías 61:7.
7. Ver Filipenses 1:6.
8. Salmos 34:19 NKJV.
9. Ver Efésios 6:13.
10. Hebreus 11:1 NKJV.
11. Ver João 10:10.
12. Lucas 18:27 NKJV.
13. Ver Isaías 55:8.

Capítulo 10: Desenvolvendo uma Mentalidade Próspera

1. Romanos 8:37 NKJV.

Capítulo 11: Sinta-se Feliz com Quem Você É

1. Gálatas 6:4 NKJV.

Capítulo 12: Escolhendo os Pensamentos Certos

1. A palavra hebraica para "adversário" é *satan,* que significa "uma pessoa que se opõe ou luta contra outra". A palavra é freqüentemente usada na Bíblia como um nome próprio que designa um poderoso ser angélico que é o inimigo declarado

de Deus e dos seres humanos. Embora Satã possua grandes poderes, ele não está à altura de Deus.
2. Não estou minimizando as causas ou os efeitos da depressão clínica, causada por uma doença física ou psicológica. No entanto, um enorme número de pessoas se considera deprimido simplesmente porque encontrou problemas ou obstáculos na vida. Isso não é depressão, no verdadeiro sentido da palavra.
3. Isaías 40:31 NKJV.
4. Ver João 16:33.
5. Ver Efésios 4:22-24.
6. Ver Provérbios 23:7.
7. Ver Colossenses 3:2.
8. Filipenses 4:8 NKJV.
9. Ver Romanos 12:1-2.
10. Ver 2 Coríntios 10:5.

Capítulo 13: Reprogramando o Seu Computador Mental
1. Ver Deuteronômio 30:19.
2. Ver Isaías 26:3.
3. Ver 2 Crônicas 20:17.
4. Provérbios 16:7 NASB.
5. Ver Hebreus 12:3.

Capítulo 14: O Poder das Palavras
1. Ver Tiago 3:4.
2. Ver Provérbios 18:21.
3. Ver Marcos 11:23.
4. Ver Joel 3:10.
5. Ver 1 Samuel 17:43-47.
6. Ver 1 João 4:4.
7. Ver Isaías 54:17.

Capítulo 15: Palavras que Mudam a Vida
1. Ver Provérbios 6:2.
2. Romanos 10:10 NKJV.
3. Provérbios 2:6-9 TLB.

Capítulo 16: Dizendo uma Bênção
1. Ver Gênesis 27.
2. Ver Gênesis 27:28-29.

Capítulo 17: Livre-se das Feridas Emocionais
1. João 5.6 NKJV.
2. Ver 2 Samuel 12.

Capítulo 18: Não Deixe a Amargura Criar Raízes
1. Ver Hebreus 12:15.
2. Ver Mateus 15:19-20.
3. Salmos 139:23 TLB.
4. Ver Mateus 16:14-15.

Capítulo 19: Deixe que Deus Leve Justiça para a Sua Vida
1. Ver Isaías 61:7.9.
2. Ver Hebreus 10:30.
3. Romanos 12:19 AMP.
4. Ver Gálatas 6:9.

Capítulo 20: Vencendo as Decepções
1. Ver Deuteronômio 29:29.
2. 2 Pedro 3:9 NASB.
3. Ver Gênesis 50:20.
4. Ver Mateus 6:33.
5. Ver 1 Samuel 16:1.
6. Ver Isaías 55:9
7. Mercy Ministries é uma organização cristã que recomendamos e apoiamos com veemência. A Mercy Ministries oferece abrigo gratuito para jovens mulheres com problemas e mães solteiras entre 13 e 28 anos que estejam dispostas a dedicar pelo menos seis meses para lidar com questões como a gravidez antes do casamento, o uso de drogas e de álcool, distúrbios alimentares etc. Para obter maiores informações, entre em contato com Mercy Ministries of America, P.O. Box 111060, Nashville, TN 37222-1060; ou visite o site mercyministries.org.
8. Filipenses 3:13-14 AMP.

Capítulo 21: Levante-se Interiormente
1. Ver Efésios 6:13.
2. Ver Hebreus 10:35.
3. 1 Samuel 30:6 AMP.
4. Atos 16:25 NASB.
5. Ver Atos 16:26.
6. Salmos 51:10 AMP.

Capítulo 22: Deus Sabe Escolher o Momento Certo
1. Ver Habacuc 2:3.
2. Ver Salmos 31:14-15.

Capítulo 23: O Propósito das Provações
1. Ver 1 Pedro 4:12.

2. Efésios 2:10 NKJV.
3. Isaías 64:8.
4. Filipenses 2:12 NKJV.
5. 1 Pedro 1:6-7 TLB.
6. Ver Romanos 8:28.

Capítulo 25: A Alegria de Atitudes Generosas

1. Ver Hebreus 3:13.
2. Ver Isaías 58:6-8.
3. Gênesis 12:2 AMP.
4. Provérbios 19:17 TLB.
5. Mateus 25:40 NKJV.

Capítulo 26: Exibindo a Bondade e a Misericórdia de Deus

1. 1 Tessalonicenses 5:15 AMP.
2. Ver 1 Pedro 4:8.
3. Ver 1 Coríntios 13.

Capítulo 27: Mantenha Aberto o Seu Coração de Compaixão

1. Ver 1 João 3:17.
2. Ver 2 João 1:6.

Capítulo 28: A Semente Precisa Vir em Primeiro Lugar

1. Gálatas 6:7 NKJV.
2. Ver Gênesis 26:12.
3. Ver Salmos 37:1-3.
4. Provérbios 11:24-25 TLB.
5. Lucas 6:38 NKJV.
6. 2 Coríntios 9:6 NKJV.
7. Ver Malaquias 3:10-12.
8. Provérbios 3:6 TLB.

Capítulo 29: Semeando e Crescendo

1. Ver 2 Coríntios 8:2.
2. Ver 2 Coríntios 8:2.
3. Eclesiastes 11:1-2 TLB.
4. Ver Lucas 6:38.
5. Ver Atos 10:2.
6. Atos 10.4 NKJV.
7. Ver 2 Coríntios 9:8.

Capítulo 30: A Felicidade É uma Escolha

1. Ver Tiago 4:14.
2. Salmos 118:24.
3. Filipenses 4:13 NKJV.
4. Filipenses 4:4 NKJV.
5. Neemias 8:10 NKJV.
6. Ver Filipenses 4.11.
7. Filipenses 4:11 AMP.
8. Salmos 37:23 NKJV.
9. Ver Provérbios 20:24.

Capítulo 31: Seja uma Pessoa de Excelência e Integridade

1. Ver Colossenses 3:23.
2. Ver Provérbios 2:7.

Capítulo 32: Viva com Entusiasmo

1. Ver Romanos 12:11.
2. Ver 2 Timóteo 1:6.
3. Isaías 1:19 NKJV.
4. Ver 2 Coríntios 9:7.

Queremos Ter Notícias Suas

Encerro todas as semanas a nossa transmissão internacional na televisão oferecendo à audiência a oportunidade de fazer de Jesus o Senhor da vida delas. Gostaria de apresentar a você a mesma oportunidade.

Você está em paz com Deus? Existe um vazio no coração de todas as pessoas que somente Deus pode preencher. Não estou me referindo a você entrar para uma igreja ou encontrar uma religião. Estou falando de você encontrar vida, fé e felicidade. Você gostaria de rezar hoje comigo? Diga apenas: "Senhor Jesus, eu me arrependo dos meus pecados. Peço que entre no meu coração. Será o meu Senhor e Salvador."

Meu amigo, se você disse essa simples prece, acredito que tenha "renascido". Eu o incentivo a freqüentar uma igreja de qualidade, amparada na Bíblia, e a manter Deus em primeiro lugar na sua vida. Sinta-se livre para entrar em contato conosco a fim de obter informações sobre como fortalecer a sua vida espiritual.

Victoria e eu o amamos e estaremos rezando por você. Estamos rezando para que você receba o que Deus tem de melhor a oferecer, para que os seus sonhos se tornem realidade. Queremos ter notícias suas!

Escreva para:

Joel e Victoria Osteen
P.O. Box 4600
Houston, TX 77210

Ou entre em contato conosco pela página de internet: www.joelosteen.com.